Super ET

Dello stesso autore nel catalogo Einaudi

Sabbia nera
La Salita dei Saponari
Tre passi per un delitto (con G. De Cataldo e M. de Giovanni)
L'uomo del porto
Il talento del cappellano

Cristina Cassar Scalia

La logica della lampara

Einaudi

Pubblicato in accordo con Grandi & Associati, Milano

Prima edizione «Stile Libero Big»

www.einaudi.it

ISBN 978-88-06-24466-8

La logica della lampara

A mia madre,
che mi ha insegnato ad amare i libri.

Andare a caccia di ricordi non è mai un bell'affare... Quelli belli non li puoi piú catturare e quelli brutti non li puoi uccidere.

GIORGIO FALETTI, *Io sono Dio*.

1.

La vecchia lampara s'era decisa a funzionare, e ora penzolava dal suo gancio illuminando un metro quadro di mare.

Sante Tammaro se ne stava a poppa, in posizione precaria. A testa sotto, il naso infilato nel secchio col fondo di vetro, ogni tanto si voltava a controllare che fiocina e retino fossero a portata di mano.

Manfredi Monterreale guardava sornione gli attrezzi da pesca che giacevano sulla tolda del gozzo, inutilizzati. Con le mani ferme sui remi, canticchiava versi di De André che parlavano di un pescatore.

– La vuoi finire cu 'sta litania, che i pesci si scantano e se ne scappano? – vociò Sante, tirandosi su di colpo. La barca oscillò pericolosamente.

Manfredi mollò i remi. – Ah, allora è per questo che in due ore non pigliasti manco una sardina! – ironizzò, mentre agguantava il termos che aveva sistemato sotto il sedile e che col movimento s'era capovolto.

Sante agitò la mano come per dire che la questione non meritava neppure risposta.

– Tieni va', – disse Manfredi, allungandogli un bicchierino che aveva appena riempito, – beviti un poco di caffè che almeno ti riscaldi. C'è un umido che si taglia col coltello. Ma ti pare giusto che invece di starmene a casa mia, nel letto dove a quest'ora sarebbe fisiologico che fossi, io debba contemplarla da cento metri di distanza congelandomi su questo sedile per ore? Tutto per fare contento a te. E manco De André mi è permesso cantare.

Dopo aver smontato e rimontato la lampara – un cimelio originale che Sante aveva scovato dopo lunghe ricerche e che funzionava un colpo sí e l'altro no – avevano navigato sotto costa per un po'. Dopo un ultimo tratto a remi, perché *se no i pisci si 'nni vanu*, s'erano andati a piazzare proprio davanti alla scogliera su cui affacciava l'appartamento di Manfredi.

– Dottore, non capisci niente, – ribatté Tammaro, – la pesca con la lampara è una cosa lenta, senza tempi. Una filosofia, se vogliamo.

Il dottore lo guardò dubbioso. Bevve anche lui un sorso di caffè. – Ca certo, una *filosofia* di pesca, – motteggiò, scuotendo la testa.

Come avessero fatto a diventare amici restava un mistero per entrambi. Manfredi Monterreale, di professione medico pediatra, era palermitano ma viveva a Catania da sette anni. Anzi per la precisione ad Aci Castello, al secondo piano di una piccola palazzina affacciata su quegli scogli neri, tra il castello normanno e Aci Trezza, davanti ai quali dondolava in quel momento l'imbarcazione dell'amico. Sante Tammaro invece era un giornalista, catanese fino all'unghia dell'alluce e con una spiccata inclinazione verso l'inchiesta. Ma quella dura e pura, dove il bianco è bianco e il nero è nero.

Manfredi studiò la sua verandina: vista da lí sembrava piú piccola. C'erano un paio di piante da sostituire e la persiana del finestrone da ridipingere. Avendone il tempo... Però era graziosa, quella casa. Il suo habitat perfetto.

Si abbassò sotto il banco dov'era seduto e armeggiò con lo zaino per riporre il termos.

– C'è una macchina che si sta fermando sotto casa tua, – disse Sante.

Manfredi alzò la testa. Il suo cancello era l'ultimo della strada, dopo iniziava la scogliera, in quella stagione libera dalle palafitte dei vari stabilimenti balneari.

– Ah, sí. Sarà qualche coppia in cerca d'intimità. La sera d'inverno qua c'è un viavai...

– Se è per quello macari d'estate, – contestò il giornalista. – Però... – continuò, stringendo gli occhi: – A mmia questa non mi pare una coppietta.

– E vuol dire che sarà un pensatore notturno solitario. Non cominciare a farti film che, t'assicuro, non è il caso.

Ma Sante era già a metà pellicola, e ravanava nella sua borsa di tela in cerca del binocolo.

Lo avvicinò agli occhi. – Intanto sono due, e sono uomini.

– Questo non significa, – replicò il medico.

– Capace che sono dei ladri e che stanno mirando proprio a casa tua, mentre tu te ne stai qua, fresco come un quarto di pollo, a minimizzare.

Manfredi limitò la risposta a un sospiro rassegnato, gli tolse il binocolo dalle mani e lo puntò sull'automobile.

Un uomo uscí dal posto del passeggero e aprí il bagagliaio. Tirò fuori una grossa valigia e iniziò a trascinarla verso la scogliera. Il guidatore si sporse dal finestrino, per poi ritrarsi subito.

– Sante, a me non sembrano interessati a casa mia. Però qualche cosa di strano stanno facendo di sicuro.

Il giornalista riprese il binocolo e si concentrò sull'uomo in movimento, che avanzò sugli scogli fino a sparire dietro il muro che chiudeva la strada. Lo vide tornare indietro veloce, a mani vuote, e risalire sull'auto, che partí sgommando.

– Mi giocherei la palla destra che in quel valigione c'è qualcosa di pericoloso. O come minimo di illegale, – commentò Sante, gasato. Andò a poppa e iniziò a riporre retini e fiocine in un gavone. Tirò su il secchio e spense la lampara. Tolse i remi e li mise a posto.

– Amuní, – disse, abbassando il motore e avviandolo.

– Amuní dove? – chiese Manfredi, sbalordito dalla rapidità con cui aveva abbandonato *i pisci* al proprio destino. Tre minuti scarsi per smantellare quell'ambaradan che era costato ore di lavoro e di santa pazienza.

– A casa tua, – rispose il giornalista. Tacque un momento, concentrato.

– Voglio vedere dove buttò la valigia.

2.

Il vicequestore aggiunto Vanina Guarrasi appallottolò il sacchetto di carta sporco di crema al cioccolato il cui contenuto l'aveva appena riconciliata col mondo. Si dondolò sulla poltrona rigirandosi il cartoccio tra le mani e fissando l'orologio appeso al muro del suo ufficio che segnava le otto e trenta. Cinque minuti in piú rispetto al riscontro precedente. Recuperò un ultimo sorso di cappuccino dal fondo del bicchiere di polistirolo, infilò dentro la bustina vuota dello zucchero e lo chiuse col tappo.

S'era svegliata male. Presto, e male. Dato l'orario, come al solito improponibile, in cui la sera prima era riuscita a prendere sonno, in totale aveva dormito sí e no tre ore. Proprio quella mattina, la prima, e forse l'unica, di uno di quei rari interregni che sussistevano tra l'archiviazione di un morto ammazzato e il manifestarsi di quello successivo. Un'occasione per concedersi quei comodi cui nei giorni di piena attività era costretta a rinunciare. Un'opportunità magnifica, se solo non avesse prodotto in lei l'effetto opposto a quello auspicato.

Vanina lo sapeva: niente lavoro uguale niente pensieri, e niente pensieri significava che altri pensieri avrebbero preso il sopravvento, grevi. Cosí grevi da farle rimpiangere la piú imbrogliata delle piste da seguire.

Lanciò il cartoccio verso il cestino dell'immondizia tentando di centrarlo, ma mirò troppo in alto e lo scaraventò fuori dalle vetrate aperte.

– Ecchemm… – imprecò, alzandosi di colpo e correndo verso il balconcino.

Si affacciò, cauta, tirando fuori una Gauloises e accendendola con indifferenza mentre ispezionava la strada con lo sguardo.

Via Ventimiglia, come tutte le strade che tagliano Catania dal centro città agli archi della Marina, a quell'ora era nel pieno del caos. Una fila strombazzante assaltava agguerrita l'incrocio con via Vittorio Emanuele, in quel momento ostruito da tre macchine che l'avevano occupato incuranti e due autobus urbani.

L'ispettore capo Carmelo Spanò si era appena tirato su dopo essersi chinato sul marciapiede. Alzò la testa verso le finestre di fronte, scorrendole con gli occhi. Poi si girò a destra e a sinistra ispezionando l'edificio, fino ad arrivare al balcone del vicequestore Guarrasi. Le sorrise e la salutò con una mano, mentre con l'altra reggeva una palla di carta dall'aspetto inconfondibile.

– Buongiorno, capo! – le gridò, prima di infilarsi nel portone della Mobile e chiuderselo alle spalle.

Cinque minuti dopo, Vanina lo sentí bussare alla sua porta.

– 'Sti carusi! Ma varda tu se è normale che uno se ne sta per i fatti so' sul marciapiede e gli tirano una palla di carta sulla testa. Manco feci in tempo a vedere da dov'era arrivata, – santiò l'ispettore, piazzandosi sul balcone accanto a lei.

Vanina sorrise tra sé, senza commentare. Gli offrí una sigaretta. Meno male che al bar sotto casa sua, a Santo Stefano, non usavano carta intestata ma anonimi sacchetti bianchi. Sarebbe stato difficile per Spanò ipotizzare che un *caruso* del quartiere si fosse fatto tredici chilometri – e mezzo – per andare a comprare la colazione in un paese alle pendici dell'Etna.

– Oggi c'è una tranquillità insolita, – constatò l'ispettore.

Anche il corridoio era silenzioso. Due terzi della squadra Mobile quella mattina erano fuori, a presenziare alla conferenza stampa del primo dirigente Tito Macchia sull'operazione antiracket portata a termine la sera prima, con una trentina di arresti, quattro dei quali eccellenti.

La sezione Reati contro la persona invece era riunita nell'ufficio accanto, come ogni mattina. Socializzavano, si scambiavano opinioni, nell'attesa che il vicequestore Guarrasi comparisse con la sua usuale, cronica, mezz'ora buona di ritardo. Quella mattina, trovarla già piazzata nel suo ufficio al loro arrivo li aveva disorientati.

Stava giusto chiudendo le vetrate, intenzionata a raggiungerli insieme a Spanò, quando l'ispettore Marta Bonazzoli si materializzò al centro della stanza.

– Capo, lo so che non gradisci, ma temo sia il caso che tu venga al telefono di là. C'è una tipa agitata che dice di avere un'informazione importante da darci. E vuole parlare solo con te, altrimenti riattacca, – comunicò.

Vanina sbuffò. Stava capitando sempre piú spesso che la gente pretendesse di rivolgersi direttamente a lei. La colpa, manco a dirlo, era dei mezzi d'informazione, che negli ultimi tempi avevano fatto largo uso della sua faccia e del suo nome; un paio di volte, di cui ricordava ancora lo sgomento, anche del suo passato. Palermo. Suo padre, l'ispettore Giovanni Guarrasi, trucidato venticinque anni prima da un commando di cosa nostra davanti ai suoi occhi. Gli anni passati all'antimafia. Paolo Malfitano, il magistrato della Dda, allora suo compagno, che quattro anni prima lei aveva salvato a colpi di calibro 9 da un attentato, anche in quel caso di stampo mafioso. Ridondanti dissertazioni, sulle quali non riusciva a fare a meno di scorgere la patina untuosa di quella che chiamava «retorica della legalità», e nelle quali lei, il vicequestore aggiunto Giovanna Guarrasi, veniva rappresentata come la paladina della giustizia senza se e senza ma. Una sorta di sceriffo in salsa sicula.

– Che camurría, – mugugnò, infilando la porta.

Nell'ufficio accanto il vicesovrintendente Fragapane e il sovrintendente Nunnari erano chini sulla scrivania della Bonazzoli e fissavano il telefono aperto.

Vanina li allontanò agitando la mano e si sedette sulla poltroncina ergonomica di Marta. Appoggiò le ginocchia sui cuscinetti appositi, come aveva visto fare a lei, e subito la sedia s'inclinò in avanti.

– Guarrasi, – si annunciò, schiacciando il pulsante del vivavoce.

– Buongiorno, dottoressa –. Pausa. – Mi perdoni, si tratta di una cosa molto grave e volevo che la sentisse con le sue orecchie –. Era una voce sottile, femminile ma senza dubbio modificata.

– Con chi parlo?

– Non posso dirglielo –. Altra pausa. – Dottoressa Guarrasi, mi deve ascoltare: sono sicura che stanotte è stata uccisa una ragazza.

Intorno alla scrivania si creò un piccolo capannello. Il vicequestore cercò lo sguardo di Spanò, che aveva aggrottato la fronte.

– E dove sarebbe avvenuto quest'omicidio?

– In una casa, in via Villini a Mare.

– Che vuol dire che ne è sicura? Ha assistito al fatto?

– No, – rispose quella, la voce concitata ma sempre piú ovattata. – Io non ho assistito! Sono stata mandata via prima che... Non posso spiegarle. La prego, vada a vedere cos'è successo. Sono sicura di non sbagliarmi. Il numero civico è il 158.

Vanina aprí bocca per replicare, ma il *clic* dall'altro lato l'anticipò.

Rimasero tutti a guardarsi in silenzio per qualche secondo.

– A mmia mi pare 'na minchiata, – disse Fragapane.

– Non è che per caso la chiamata è passata attraverso il centralino? – s'informò il vicequestore, rivolta al sovrintendente Nunnari.

Spanò anticipò la risposta con una smorfia, come per dire che non gli pareva un'ipotesi verosimile.

– No, capo, controllai subito. Era una chiamata diretta, – rispose Nunnari.

– Perciò se vogliamo sapere qualcosa ci tocca fare richiesta alla compagnia telefonica. Per puro scrupolo, controlliamo anche se per caso stanotte è stata fatta qualche segnalazione al 113 in quella zona. Schiamazzi, strani movimenti, rumori riconducibili a eventuali spari... insomma, tutto il repertorio, – concluse Vanina, rivolta al sovrintendente, che annuí e partí subito verso la porta.

Spostò le ginocchia, che iniziavano a farle male, e la sedia ergonomica s'inclinò ancora di piú. Appoggiò i gomiti sulla scrivania di Marta per evitare di finire col naso dentro il bicchiere di carta che l'ispettore aveva lasciato lí. Un beverone di liquido marroncino emanante un odore di fieno misto a camomilla, con qualche sentore di eucalipto, degno di una Spa altoatesina.

– Ma un sano caffè mai, vero, Marta? – le scappò, alzandosi in piedi.

La ragazza scrollò le spalle, senza rispondere. Tanto, che sull'argomento cibi e bevande tra lei e la Guarrasi ci fosse un abisso incolmabile, ormai era un fatto assodato.

– Scusi, capo, – s'intromise Fragapane, – con rispetto parlando, a mmia 'sta telefonata mi pare per davvero...

– Sí, Fragapane, ho capito cosa le pare, – l'interruppe Vanina, – ma anche ammesso che sia cosí, non possiamo esimerci dal fare quantomeno una verifica.

Il vicesovrintendente annuí. Cercò con lo sguardo Spanò, con cui condivideva l'ufficio e l'anzianità di servizio, e che notoriamente godeva della fiducia assoluta del capo.

L'ispettore era assorto. La telefonata non convinceva neanche lui, ovvio, però c'era qualcosa nella voce di quella donna che lo inquietava. Forse il tono allarmato che aveva preso quando la Guarrasi l'aveva incalzata, o forse la sicurezza con cui aveva dettato l'indirizzo. E in ogni caso non era possibile ignorarla.

– Ci vado io a dare un'occhiata, dottoressa, – propose.

Vanina rispose con un sogghigno: – Sí, ca certo, e io me ne sto in ufficio a fare la muffa! Ci andiamo insieme, lei e io. Questa storia m'incuriosisce –. Si girò verso la Bonazzoli, che stava tentando di mandare giú l'ultimo sorso di quella tisana, di sicuro ormai fredda e ancora piú imbevibile. – Marta viene con noi cosí si svaga, che stamattina mi pare un poco mogia.

– Mogia? Io? – fece per replicare Bonazzoli. Lo sguardo del vicequestore, a metà tra il benevolo e l'ironico, frenò ogni ulteriore richiesta di spiegazioni.

Il traffico sul lungomare era scorrevole come può esserlo solo alle nove e mezzo di un giorno feriale, in autunno inoltrato, quando qualunque *valía* di raggiungere la Scogliera ha abbandonato del tutto le fantasie dei catanesi. Gli stabilimenti balneari, salvo qualche eccezione, erano chiusi. La pista ciclabile, quasi del tutto libera, a ogni rallentamento veniva invasa dal furbetto scooterista di turno. Sul marciapiede lato mare, qualche stacanovista della corsa in tenuta da maratoneta sfidava il sole novembrino, che in quella mattinata di cielo terso rasentava l'indice Uv di fine luglio. Solo i bar sulla sinistra parevano non aver subito alcuna decelerazione, ed esibivano ancora una discreta clientela.

L'auto di servizio procedeva spedita con Marta alla guida. Seduta davanti, il gomito appoggiato sul finestrino, la sigaretta spenta già pronta tra le labbra e l'accendino in mano, Vanina scrutava lo schieramento di ville e villette costruite sulla scogliera a nord del porticciolo di Ognina, il cui indirizzo corrispondeva a quello che aveva indicato la donna della telefonata.

Imboccarono via Villini a Mare, la percorsero a passo d'uomo fino a raggiungere il civico 158: una villetta anonima, piuttosto arretrata e senza affaccio sulla scogliera.

Vanina e Spanò scesero subito mentre Marta parcheggiava l'auto a ridosso del muro di cinta, basso e sormontato da una rete occupata da rampicanti con le foglie già rosse. Da dietro un cancello di ferro bianco partiva un vialetto sterrato che tagliava in due un piccolo giardino non particolarmente curato, e che raggiungeva un edificio a due piani, all'apparenza in buone condizioni.

Spanò si diresse verso il citofono accanto al cancello e provò a suonare.

– Ispettore, non credo che otterrà risposta, – previde Vanina, affacciandosi da un lato in cui il muro era senza rete. Sembrava una residenza estiva ormai chiusa. Le condizioni del giardino, poco curato ma non incolto, le persiane sprangate ma in buone condizioni, il cancello non ridipinto di recente ma neppure troppo scrostato: tutto faceva pensare a una casa disabitata solo da pochi mesi.

Spanò si avvicinò, col telefono all'orecchio.

– Al 113 non hanno ricevuto nessuna segnalazione, – le riferí, chiudendo la chiamata.

Vanina gli rispose con un cenno, gli occhi puntati sul vialetto.

– Capo, qua verrebbe da pensare che abbia ragione Fragapane. Vero è che la villetta è chiusa e all'interno potrebbe esserci qualunque cosa, macari 'na carusa morta, ma...

– Ieri sera ha piovuto pure a Catania? – l'interruppe il vicequestore, senza muovere lo sguardo e continuando a fumare la sigaretta che s'era accesa appena aveva messo piede a terra. A Santo Stefano, il paese alle pendici dell'Etna dove abitava lei, la sera prima c'era stato il diluvio universale. Non era lontano, eppure raramente le condizioni climatiche coincidevano con quelle della città. Colpa – o merito, a seconda dei punti di vista – della *muntagna*.

– Sí, ha piovuto anche qui sul mare, – rispose la Bonazzoli, che nel frattempo s'era appollaiata sul muro accanto e stava guardando nella sua stessa direzione.

– Perciò, a rigor di logica, quelle tracce di pneumatici sullo sterrato non possono essere che fresche di giornata, – disse il vicequestore, indicando una zona del vialetto in cui era evidente un'impronta.

– O di nottata, – aggiunse Marta.

Spanò si sporse quel tanto che bastava per osservare il punto che il capo stava indicando. La traccia era abbastanza marcata, segno che era stata lasciata su un terreno bagnato. E che non era antecedente alla pioggia della sera prima che, altrimenti, l'avrebbe cancellata.

– Picciotti, qua urge un controllino, fatto per bene. Vediamo di capire a chi appartiene questa casa, – annunciò Vanina, scendendo dalla mattonella smossa su cui era salita.

Era una sensazione, solo una sensazione. Una sottile forma d'inquietudine che l'assaliva ogni volta che un dettaglio non la convinceva, o che, come diceva Spanò, «il morto era vicino». Poteva essere solo un'impressione, certo, o magari il suo eccesso di zelo; o, ancora peggio, il *malucchiffari* di una malata di sbirraggine a cui non pareva vero di ritrovarsi un nuovo caso per le mani, ma a quel punto a Vanina poco importava. Qualcosa le diceva che la telefonata di quella mattina tutto era tranne che una minchiata. E ora lei voleva vederci chiaro.

La giornata aveva preso la piega giusta.

3.

La valigia, a occhio e croce, era incastrata tra due scogli, in una posizione difficilmente accessibile. Manfredi aveva sudato sette camicie per convincere Sante a non rischiare di rompersi il collo improvvisandosi detective per inseguire una fissazione che, lui ne era sicuro, alla fine si sarebbe rivelata una solenne fesseria.

– Tu non capisci, – insisteva il giornalista, – magari può essere uno scoop. Cosí vanno le cose, nel mio mestiere: un fatto di cui solo tu ti sei accorto, se sei fortunato, può diventare una svolta.

Gliel'aveva sentito dire mille volte quando lo vedeva partire come un segugio all'inseguimento di questa o quell'altra pista, che l'avrebbe portato a scoprire chissà cosa o a smascherare chissà quale associazione a delinquere. Per poi arrivare dopo qualcun altro, che possibilmente le notizie importanti le aveva ricevute a domicilio, pronte per essere tradotte in parole, e magari declinate nella maniera piú politicamente corretta.

Ma Tammaro non mollava, e Manfredi in fondo per questo lo ammirava.

Qualche articolo interessante, a onor del vero, sul suo giornale online «La Cronaca», Sante l'aveva sfornato. Interessante e scomodo. Senza condizionamenti, diceva lui: da uomo libero. Che invece di costituire un volano per la sua carriera, l'aveva invariabilmente frenata.

La storia della valigia, però, a Manfredi pareva piú una suggestione che altro.

Una suggestione su cui il giornalista pareva essersi fissato, al punto che stava iniziando a valutare se scomodare addirittura un amico ispettore di polizia.

– Che poi è pure strano il fatto che sia andato a portarla proprio lí, 'sta valigia. Non è un posto cosí nascosto, – rifletteva Sante ad alta voce, sporgendosi dalla ringhiera della terrazza sopra l'appartamento di Manfredi: uno spazio enorme costruito come se fosse la tolda di una nave, con vista sui faraglioni di Aci Trezza.

– Il vero fatto strano, per quanto mi riguarda, è che invece di sfruttare l'unico giorno della settimana in cui non devo lavorare, io stia passando una mattinata all'umido a taliare a ttia che sguazzi nei tuoi voli pindarici, – rispose Manfredi.

Ma Tammaro fingeva di non sentire. Aspirava le ultime boccate di fumo da un mozzicone di sigaretta.

– L'unico che posso chiamare è il mio amico ispettore Carmelo Spanò. Quello è uno con le antenne: se una cosa non quadra se ne accorge a colpo sicuro. E non mi piglia per pazzo per avergli chiesto di aiutarmi, – finí, rivolgendo uno sguardo storto all'amico, che se ne stava a gambe distese su una delle due poltrone – ormai prive di cuscini – sopravvissute allo sbaraccamento autunnale della terrazza.

– Sai che ti dico, Sante? Fai come credi. Tanto il peggio che può succedere è che ti ritrovi in mano una valigia rotta, di cui un cittadino scarsamente incline alla raccolta differenziata ha deciso di sbarazzarsi in modo poco ortodosso. 'Nsamai la pensata di recuperarla viene a qualcun altro e ci trova qualcosa di interessante. Chi ti deve sentire, poi?

– Infatti.

– Ora possiamo fare colazione? – chiese Manfredi alzandosi dalla poltrona, anchilosato come un novantenne artrosico.

Il giornalista buttò il mozzicone giú dalla terrazza e finalmente sorrise.

– Brioscia e caffè, come minimo.

Gli uffici della Mobile si erano ripopolati. Un crocchio di uomini sostava davanti all'ufficio del primo dirigente, le facce stanche ma soddisfatte di chi ha portato a termine il proprio lavoro e ora si sta godendo il meritato plauso. Tito Macchia era fermo sulla soglia, appoggiato allo stipite della porta, e la occupava per intero con la sua stazza imponente.

– Guarrasi, da dove vieni? – vociò, vedendola arrivare con la Bonazzoli al seguito. Si staccò dalla porta e le andò incontro.

– Complimenti, ragazzi, – fece Vanina, rivolta ai tre che la stavano salutando. Un agente scelto, un assistente e un viceispettore della Sco, la Sezione criminalità organizzata. Gli uomini la ringraziarono all'unisono.

Entrò nella sua stanza, seguita dal Grande Capo e da Marta.

Macchia, come al solito, si andò a piazzare dietro la scrivania abbandonandosi con tutto il suo peso sulla poltrona, che ogni volta esibiva i reliquati dei suoi dondolamenti per intere settimane.

– Una bella soddisfazione per quei ragazzi, – commentò. – E per chi ha diretto le indagini, ovviamente, – aggiunse, compiaciuto.

– Ti sei offeso perché non ho fatto i complimenti anche a te? – scherzò Vanina.

– Figurati! Piuttosto mi sarebbe piaciuto dover essere io a farli a te.

Il vicequestore colse l'allusione, ma non rispose.

Tito non si faceva scappare mai l'occasione di attirarla di nuovo verso quel mondo, da cui ormai lei aveva deciso di tenersi alla larga.

Vero, erano soddisfatti i ragazzi. Su di giri, come succedeva quando l'obiettivo centrato era grosso e la quantità di immondizia rimossa ingente, in termini sia umani che materiali. Una sensazione che lei conosceva bene, per quante volte le era capitato di provarla. Ne aveva vissuto per sei anni, Vanina, di quell'esaltazione. Ravanare a mani nude nel fango piú melmoso e lavorare giorno e notte per farne fuori il piú possibile. Fino a quando non aveva temuto di annegarci dentro. E fuggire era stata l'unica possibilità di salvezza.

Marta approfittò di quella conversazione per dileguarsi.

Macchia la seguí con lo sguardo grattandosi la barba folta e scura, il sigaro spento tra le labbra. Sospirò e scosse la testa. – Mah! Chi la capisce è bravo.

Dal giorno in cui Vanina li aveva beccati su una spiaggia in piena fuga romantica, scoprendo cosí la loro relazione, Marta non era piú la stessa. Lí per lí il vicequestore si era guardata bene dal palesare la sua presenza, ma poi s'era lasciata andare a qualche battuta, che aveva sortito in loro due reazioni del tutto opposte. Tito aveva replicato subito, mostrando di non avere nessuna intenzione di nascondere la cosa. Marta invece aveva finto di non capire e s'era chiusa a riccio, schivando accuratamente l'argomento.

Il rapporto confidenziale che la ragazza aveva instaurato sin dal primo momento con la Guarrasi, quello in virtú del quale era l'unica a darle del tu, aveva subito una battuta d'arresto, seppur unilaterale. E anche la relazione con lui, alla lunga, stava iniziando a risentire della tensione.

Seduta su una poltroncina con le rotelle che aveva trascinato accanto alla sua, Vanina evitò di nuovo di commentare. In cuor suo ringraziò la ritirata di Marta, che senza dubbio gli aveva provocato arrovellamenti tali da interrompere il discorso precedente.

– Non volevi sapere da dove venivo? – gli ricordò, approfittando della distrazione.

Macchia tornò in sé, pronto all'ascolto.

Vanina gli raccontò della telefonata anonima, e del conseguente sopralluogo.

– Quattro impronte di pneumatico non significano nulla, Vanina, – obiettò Tito.

– Vero è: potrebbero non significare nulla. Però sarebbe stato peggio se non ci fossero state, – replicò il vicequestore.

Macchia aggrottò la fronte, interrogativo. Quando la Guarrasi si manteneva sul sibillino significava che la sua mente era già partita a vele spiegate verso qualcosa che, pur avendo le sembianze del nulla, novantanove volte su cento si dimostrava una rogna.

– Rifletti: una tizia chiama un nostro numero diretto e chiede di parlare con me. Mi dice che stanotte hanno ucciso una ragazza. Sembra agitata e, io aggiungerei, spaventata. Mi dà un indirizzo preciso: un villino sul mare che a prima vista pare sprangato da almeno un paio di mesi, se non fosse per quattro tracce di pneumatici, che, considerati gli eventi atmosferici di questi giorni, possono risalire solo a stanotte. Ora tu mi dirai che potrebbe essere una casualità, ma sai…

– Tu alle casualità non ci credi fino a quando non hai dimostrato che lo sono per davvero.

– E raramente succede, – aggiunse Vanina.

Il vicesovrintendente Fragapane bussò sulla porta aperta ed entrò nell'ufficio del vicequestore Guarrasi.

– Dottoressa, ho fatto la ricerca sul villino. Oramai manco cinque minuti ci vogliono per trovare tutte cose!

– E questi cinque minuti che risultati hanno prodotto? – fece il vicequestore. Il poliziotto si mise a scorrere febbrilmente il contenuto di un foglio, proveniente dal Sistema utente investigativo, che aveva disseminato di segni rossi e blu stile compito in classe.

– La casa risulta intestata ad Alicuti Armando, ma è regolarmente locata da due anni a Iannino Lorenza, nata il 13 febbraio 1990 a Siracusa, dove risulta ancora residente.

Macchia si accarezzò la barba. – Alicuti. 'Sto nome l'ho già sentito, ma non mi ricordo in che circostanza.

– Cerchiamo di rintracciare questa Iannino, – disse Vanina.

– Sí, ci sta già pensando Carmelo. Riguardo al nome del proprietario, dottore...

Il vicesovrintendente non riuscí a finire di parlare che già Spanò stava varcando la soglia, anche lui munito di foglio appena stampato.

– Allora, – iniziò, fermandosi in mezzo alla stanza. – Oh, buongiorno, dottore! – salutò.

– Buongiorno, ispettore. Prosegua, prosegua, – rispose Macchia facendogli cenno di sedersi.

– Stavo dicendo: l'affittuaria del villino si chiama Lorenza Iannino. Nubile, di professione avvocato. Esercita presso lo studio legale Ussaro.

– Contattiamola, – disse Vanina.

Spanò annuí, poi subito dopo scosse la testa. – Ci provai un attimo fa, dottoressa. Ho chiamato tutti i numeri che sono riuscito a recuperare, ma niente. Il cellulare è staccato, il numero di rete fissa suona a vuoto e allo studio legale stamattina ancora non si è vista.

Vanina e Macchia si scambiarono un'occhiata, lei come per dire «visto che qualcosa di strano c'è?», lui come per rispondere «non mi dire che vuoi prendere davvero sul serio 'sta cosa».

Il primo dirigente si alzò dalla poltrona, che sobbalzò.

– Vabbuo', fatemi sapere, – concluse, buttando uno sguardo verso la porta oltre la quale si era dileguata l'ispettore Bonazzoli.

– Dottore, riguardo al nome del proprietario... – ripeté Fragapane.

– Ah, sí, me lo stava dicendo prima. 'Mbe'?

– Sicuramente l'ha sentito, e macari spesso.

– Perché? Di chi si tratta, – chiese Vanina.

– Del figlio dell'onorevole Alicuti.

Spanò alzò gli occhi dal telefono, su cui aveva aperto una delle poche immagini di Lorenza Iannino che Google forniva.

– 'Azzo, 'sto particolare mi sfuggí! – Guardò il vicequestore. – Alicuti Giuseppe, detto Beppuzzo, – illustrò. La Guarrasi viveva a Catania da troppo poco tempo e di quella pietra miliare della politica cittadina, piú volte esportata nei palazzi romani, probabilmente non ne aveva mai sentito parlare.

– Buona camminata sulle uova, Guarra', – la salutò Macchia con un sogghigno, prima di infilare la porta.

Vanina andò a riprendersi il suo posto. Si buttò sulla poltrona ondeggiante e rivolse lo sguardo ai due uomini che aspettavano impalati la sua reazione.

– Ce ne faremo una ragione, – disse con un sospiro. Un filo d'ironia attraversò gli occhi grigi e un mezzo sorriso sfottente piegò le labbra intorno alla quarta sigaretta della giornata.

Carmelo Spanò raggiunse la sua scrivania e aprí sul computer la pagina di Google che stava scorrendo sul cellulare. Tastò il taschino della camicia nel quale aveva infilato gli occhiali da presbite che odiava indossare ma senza i quali non era piú capace di leggere una sillaba.

Aveva appena selezionato un'immagine, targata Facebook, che il motore di ricerca attribuiva a una Lorenza Iannino, e si stava concentrando per cercare di capire dai dettagli se potesse essere la ragazza in questione, quando il suo telefono squillò.

Sante Tammaro, diceva il display.

– Ohè, Santino! – rispose.

– Ciao Melo, come stai? Scusa se ti disturbo mentre sei al lavoro, ma la questione non poteva aspettare.

Spanò sorrise. Non erano in molti ormai a chiamarlo in quel modo, cosí come in pochi chiamavano Tammaro «Santino». Erano i diminutivi con cui da ragazzini erano conosciuti all'oratorio, quando facevano coppia fissa alle partite di pallone nel cortile: uno in porta e l'altro in attacco.

– Dimmi tutto. Che fu?

Santino gli raccontò la storia di una valigia che un uomo, a detta sua con fare circospetto, aveva gettato sugli scogli quella notte, alla fine del lungomare Scardamiano: quello che, se solo ai tempi fosse stato completato, avrebbe congiunto Aci Castello con Aci Trezza. Secondo la sua opinione – o, come corresse subito l'ispettore, la sua fantasia – l'aria guardinga che l'uomo aveva e la fatica che faceva nel trasportare il bagaglio suggerivano che il contenuto fosse meritevole d'ispezione.

– Potresti mandare uno dei tuoi, magari, – suggerí Sante.

Spanò si mise a ridere. – Ca certo! Perché siccome qua non abbiamo che fare.

– Melo, credimi, secondo me c'è qualcosa che non quadra. Me lo sento.

– Ma almeno ti ricordi la macchina da cui 'sto tizio è sceso, o la sua faccia?

– La faccia, con tutta la buona volontà... Ma la macchina può darsi di sí.

A naso, quella storia a Carmelo pareva soltanto un parto della prolifica fantasia del suo amico. Però negargli il proprio aiuto era un po' come dichiarare che la sua idea, per quanto strampalata, non fosse degna di considerazione. Santino era uno permaloso, capace che se la legava al dito. E poi non era uno stupido qualunque: oltre che di una fervida immaginazione, il giornalista era dotato anche di un certo fiuto, che ogni tanto ci azzeccava.

– Vediamo che posso fare. Non ti garantisco niente, però se riesco a sbrigarmi per l'ora di pranzo possiamo mangiare un boccone insieme ad Aci Castello. Cosí mi porti a vedere 'sta valigia.

Sante Tammaro lo ringraziò esultante.

Appena ebbe messo giú, Spanò tornò a concentrarsi sulla sua ricerca. Se l'irreperibilità della Iannino si fosse protratta ancora, per come conosceva la Guarrasi, presto gli sarebbe piombata in testa una bega non da poco: andare a *scuncicare* i parenti della ragazza e chiedere sue notizie. L'esperienza trentennale gli insegnava che non esisteva alcun modo per farlo senza scatenare un dramma familiare. E in quel caso non era escluso che potesse rivelarsi un dramma fondato.

Rifece un ulteriore, improduttivo giro di telefonate a tutti i numeri che aveva trovato. Il cellulare della Iannino risultava sempre irraggiungibile e dallo studio legale Ussaro ancora nessuna novità.

Guardò l'ora: era quasi l'una. Impegni per pranzo non ne aveva e a casa sua, ormai da quasi un anno e mezzo, non c'era piú nessuno ad aspettarlo, perciò tanto valeva assecondare la richiesta strampalata di Sante Tammaro e dedicargli un'oretta.

Spense il computer e si alzò dalla poltroncina.

Fragapane era appena rientrato nella stanza armato di borsetta termica e si stava *conzando* la tavola sulla scrivania: insalata di pasta, frittatina di ricotta e crostata.

– Oggi Finuzza s'arrusbigghiò bene! – commentò Spanò.

– Si fece due turni di notte consecutivi per fare un piacere a una collega, e oggi ci attocca il riposo compensativo. Ma siccome con le mani in mano non ci sa stare, si susí presto e mi preparò il pranzo.

La moglie di Salvatore Fragapane faceva l'infermiera. Lavorava come un mulo, caricandosi notti e lavoro in piú per permettere all'unico figlio di studiare alla Bocconi.

– Non sai come t'invidio, Salvatore.

Il vicesovrintendente sorrise. Lo sapeva, invece, e gli dispiaceva pure assai vederlo cosí.

Carmelo lo salutò con una pacca e poi uscí dalla stanza.

Vanina bussò alla porta di Marta e la trovò alla scrivania, a riordinare carte. La postazione accanto alla sua, quella di Nunnari, era vuota, segno che il sovrintendente era già uscito per il pranzo. Nell'ultima, relegata in un angolino in fondo alla stanza, l'agente Lo Faro mangiava un panino con gli auricolari alle orecchie e lo sguardo incollato allo schermo del computer.

Il vicequestore gli si avvicinò.

– Lo Faro, – lo chiamò. Quello non rispose.

Alzò la voce: – Lo Faro! – Niente.

Si piantò dietro lo schermo a braccia conserte, lo sguardo glaciale.

Il ragazzo saltò sulla sedia, strappandosi gli auricolari.

– Dottoressa! – strillò, muovendo il mouse affannosamente per chiudere la pagina.

Vanina si spostò accanto a lui in tempo per scorgere quello che stava guardando.

– Ferma un po', – ordinò.

Quattro persone in una stanza che discutevano animatamente. Tra loro il vicequestore riconobbe un cantante di cui non ricordava il nome, la cui voce s'era sentita per talmente poco tempo da non lasciare memoria di sé.

– Che è 'sta cosa? – chiese.

Lo Faro abbassò gli occhi.

– *Grande Fratello Vip*, – rispose, a voce bassa.

Vanina lo guardò come se fosse un marziano.

– *Grande Fratello*? – ripeté.

– *Vip*, – specificò il ragazzo, sempre piú imbarazzato.

– Ah. E c'è differenza?

– Sss... sí, perché qui i partecipanti sono personaggi famosi.

Il vicequestore riguardò lo schermo. A parte il cantante non riconosceva nessuno. Ma lei il televisore lo usava solo per guardare film, possibilmente d'altri tempi e meglio ancora se in bianco e nero, perciò non faceva testo. Si voltò verso Marta, che assisteva alla scena con un'aria tra il divertito e l'imbarazzato.

– Famosi, dici?

Lo Faro annuí, ingoiando saliva come un interrogato sotto processo.

Vanina preferí non infierire oltre.

– Com'è che stamattina non t'ho visto?

– E... ero andato alla conferenza stampa...

– Ah. E com'è che io non lo sapevo?

– Mi scusi, dottoressa, ma in ufficio non c'era niente da fare e...

– Lo Faro, qualcosa da fare qua c'è sempre. E ogni volta tu non sei mai al tuo posto.

Il ragazzo diventò bordeaux.

– Ma io pensavo che la conferenza stampa del dottore Macchia fosse importante...

– Per te? E perché mai?

L'agente rimase in silenzio.

Che andare a leccare i piedi allo stato maggiore fosse la specialità di Lo Faro, Vanina l'aveva capito un secondo dopo essersi insediata. Del resto, alla sezione Reati contro la persona, anni addietro, l'agente non c'era arrivato di certo per merito. Però gli era andata male. Perché se c'era una cosa che lei non tollerava erano proprio quelli come lui, che sotto di lei rischiavano di fare una carriera inversamente proporzionale al numero di leccate che andavano dispensando a destra e a manca. E in questo Macchia la pensava allo stesso modo.

Gli ridiede gli auricolari.

– Finisciti il panino, va'.

L'agente la ringraziò.

Vanina si avvicinò alla scrivania della Bonazzoli.

– Vieni a pranzo con me? – le chiese.

Marta diede un'occhiata fuggevole al display del telefono.

– Non rientra prima delle tre, – l'anticipò il vicequestore, stavolta senza ironia.

– Ok, – rispose la ragazza.

Recuperò la giacca dall'appendiabiti e la seguí.

La trattoria *da Nino* era strapiena. Dovettero aspettare almeno cinque minuti prima che l'omonimo proprietario riuscisse a trovare un angolino libero dove piazzarle; poi le accompagnò e spostò loro le sedie, con la consueta cavalleria.

Marta ordinò il solito macco di fave, una delle poche opzioni totalmente vegane che il menu offriva, mentre Vanina si buttò sul suo piatto preferito: il misto di involtini e polpette. Nino suggerí anche una caponata, che sarebbe andata bene a entrambe.

– Riflettevo sulla tipa che ha telefonato stamattina, – attaccò Marta, appena l'uomo se ne fu andato lasciando sul tavolo il pane e l'immancabile ciotola di olive alla stimpirata. – Non so perché, ma anch'io ho la sensazione che non scherzasse. E poi, a te sembra una coincidenza che la casa segnalata sia affittata proprio a una giovane donna?

– E tu come lo sai che l'affittuaria è una ragazza? Non mi pare che fossi presente quando Spanò ce lo comunicò, – scherzò Vanina.

Marta prese un respiro. – Ok, me l'ha detto Tito. Ora sei contenta?

– No, sono sollevata! Almeno possiamo smetterla con questo teatrino.

Lo sguardo dell'ispettore non pareva convinto.

Vanina le sorrise, si sporse in avanti e le mollò un buffetto sulla mano.

– Ehi, picciotta, finiscila di fare la nordica e rilassati.

– Che c'entra che sono del Nord?

– C'entra, c'entra. Sei poco elastica, gioia mia.

– T'assicuro che noi di Brescia siamo elastici quanto voi di Catania.

– Di Palermo sono, io.

– Vabbe', di Palermo.

– E allora dimmi tu perché stai facendo scimunire quel poveraccio del tuo pseudo-fidanzato appresso alle tue incertezze. Aveva uno sguardo che manco pareva lui, stamattina, quando te ne scappasti dal mio ufficio.

Marta si fece seria. – Vanina, quello che tu definisci il mio pseudo-fidanzato è anche il mio capo. Anzi, come lo chiamate voi, il Grande Capo. Il primo dirigente della squadra Mobile nella quale io sono in servizio come ispettore. Se si venisse a sapere che stiamo insieme, il tempo che ci metterei a trasformarmi da «ispettore Bonazzoli» a «donna del capo» si potrebbe contare col timer per le uova.

Il vicequestore ponderò la risposta.

– Pure tu non hai tutti i torti. Però non mi pare questo il modo migliore di risolvere il problema. Anzi, se vuoi il mio parere, se ti nascondi è peggio. Perché come l'ho scoperto io potrebbero scoprirlo anche gli altri. E a quel punto, credimi, piú ufficiale sarà la vostra storia e meno curtigghi si creeranno.

Marta scrollò le spalle, come a voler chiudere lí il discorso.

L'arrivo di Nino con i piatti le venne in aiuto.

Vanina rispettò la sua volontà. – Parliamo di cose serie, allora. Speriamo che Spanò riesca a rintracciare questa Iannino, – disse, infilzando un pezzo di polpetta e sventolandola davanti agli occhi dell'ispettore, che reagí con una smorfia tra il disgustato e il risolente. Gli occhioni verdi rischiarati.

– Anche se temo... – continuò, senza completare il pensiero. Era evidente che se Lorenza Iannino fosse davvero sparita nel nulla la telefonata anonima di quella mattina avrebbe iniziato ad avere un senso. Potenzialmente spietato.

4.

Il mare s'era agitato. Una sciroccata in piena regola, di quelle che raramente si vedono a novembre e che portano con sé un'ondata momentanea di aria calda. Calda e umida, come il vento che stava sbatacchiando da dieci minuti buoni l'ispettore capo Carmelo Spanò, affacciato alla ringhiera d'acciaio di forma tubulare che contornava la terrazza della palazzina dove abitava il dottor Monterreale.

– Lo sapevo io che non dovevamo aspettare, – recriminava Sante Tammaro, camminando avanti e indietro da un lato all'altro della ringhiera. Pareva un'anima in pena.

Si erano incontrati un'ora prima, nella piazza grande sotto il castello normanno da cui il paese prendeva il nome. Una rocca millenaria di pietra lavica che vegliava da lontano sui faraglioni di Aci Trezza. Avevano pranzato insieme, in una trattoria di pesce lí vicino, e poi avevano raggiunto la casa del medico, da cui si vedeva bene la famosa valigia incastrata tra gli scogli. Appena si erano affacciati dalla terrazza, Sante Tammaro aveva cacciato un urlo. «Cazzo, la aprirono!» Aveva girato uno sguardo iroso verso Manfredi Monterreale, che si grattava la fronte con gli occhi chiusi, come a voler dire che questa non ci voleva. Spanò aveva capito che qualcosa non andava e aveva chiesto lumi all'amico.

«Chiusa era stamattina, la valigia, porca miseria! Ne sono sicuro», aveva spiegato Sante, afferrando con due mani la ringhiera e scuotendosi.

L'ispettore aveva preso il binocolo per osservare meglio l'oggetto che aveva attirato la curiosità del giornalista al punto da indurlo a coinvolgere persino lui.

Una valigia beige, di quelle grandi con le rotelle, era infrattata tra le rocce nere della scogliera che iniziava poco piú avanti del punto in cui finiva la strada. Era aperta, e vuota.

Mentre Tammaro continuava a recriminare, ipotizzando l'intervento di chissà quale mano occulta, Spanò si mise a osservare le onde che s'infrangevano sugli scogli. Aspettò, finché una piú alta non travolse la valigia muovendola di qualche centimetro.

– Secondo me è stato il mare ad aprirla, – disse.

Sante scosse la testa. – No no, Melo! L'ho visto io, chiaramente, quello che la buttò. Faceva fatica. Vuota non poteva essere di sicuro.

– Ispettore, stavolta devo concordare con Sante, – intervenne Monterreale. – La valigia pareva piuttosto pesante, considerato come la trascinava quell'uomo.

Spanò buttò un altro sguardo sull'oggetto della discussione.

Camminare scogli scogli non era cosa per lui, ma forse avrebbe potuto chiamare come rinforzo qualcuno della squadra. Magari giovane e capace di farsi quella scarpinata disagevole senza batter ciglio, se fosse stato lui a chiederglielo.

Stava riflettendo su quella possibilità quando una telefonata della Guarrasi lo distolse.

Il telefono nell'ufficio di Marta era squillato dieci minuti dopo che lei e Vanina erano rientrate dal pranzo.

– Dottoressa Guarrasi?

La voce era la stessa di quella mattina. Marta andò a chiamare il vicequestore, che prese il suo posto.

– Con chi parlo?

– Sono sempre io, – si limitò a rispondere la donna, come se fosse normale che lei dovesse riconoscerla.

– Senta, signora, io tempo da perdere non ne ho. Se ha qualcosa da dirmi venga qui e...

– La prego, mi ascolti, – la interruppe, di nuovo accorata, – devo darle un'informazione importante. So dove hanno messo il cadavere della ragazza.

– Me lo dica, allora.

– L'hanno buttato via in una valigia. Sulla scogliera tra Aci Castello e Aci Trezza.

Vanina restò in silenzio.

– Dottoressa?

– Mi dica il nome della ragazza.

Clic.

– Minchia, ma vedi questa! – Il vicequestore sbatté la cornetta. – Nunnari!

Il sovrintendente si disincastrò dalla sua sedia e percorse i due metri che li separavano.

– Eccomi, capo.

– Controlla se la telefonata che ho appena ricevuto è passata dal centralino, anche se mi pare improbabile.

– Subito. Problemi, dottoressa?

– No, solo un'altra cazzata, come quella di stamattina.

– L'anonima aveva altre informazioni da darci? – chiese la Bonazzoli.

Mentre Nunnari correva a controllare la provenienza della telefonata, Vanina aggiornò Marta sul contenuto. Poi prese il telefono e chiamò Spanò.

– Ispettore, abbiamo una novità.

Aveva appena iniziato a raccontare quando l'ispettore la interruppe. Sconcertato.

L'agente Lo Faro smontò dallo scooter e si guardò intorno.

– Lo Faro, arriviamo, – gli gridò Spanò dal balcone dell'appartamentino di Monterreale. Si scolò l'ultimo fondo di quel caffè strepitoso che il medico gli aveva offerto, fatto con una capsula proveniente da un'antica torrefazione di Palermo. La telefonata della Guarrasi aveva cambiato la prospettiva sulle cose, e ora aveva fretta di capire se ci stava azzeccando. Spanò, Monterreale e Tammaro raggiunsero l'agente, che se ne stava impalato accanto al cancelletto d'ingresso e osservava le onde che lambivano quasi la strada.

Tutto si poteva dire di Lo Faro, tranne che non fosse uno fisicamente allenato. Saltare il muretto e inerpicarsi sugli scogli fino al punto in cui era incastrata la valigia per uno come lui fu un gioco da ragazzi. Facile e indolore, se solo un'onda non l'avesse beccato in pieno appena un attimo prima di tornare di nuovo sulla strada.

– Tutto mi colentai! – brontolò, gocciolando con la valigia in mano. La consegnò all'ispettore, che l'appoggiò sul marciapiede e l'aprí. Un iPhone con lo schermo frantumato scivolò fuori cadendo a terra. Spanò lo raccolse tenendolo con due dita dai lati. Era spento e visibilmente non funzionante.

Tammaro lo guardò con curiosità, mentre Monterreale si abbassava a ispezionare la fodera interna, sulla quale spiccava una chiazza scura irregolare. Il medico strinse gli occhi. Alzò lo sguardo e incrociò prima quello di Sante, sempre piú febbrile, e poi quello dell'ispettore capo Carmelo Spanò. Che la natura di quella macchia l'aveva intuita mezzo secondo dopo aver aperto la valigia, senza neppure bisogno di chinarsi.

– Cos'è? – chiese Lo Faro avvicinandosi, intimidito dall'improvviso silenzio dei tre.

Spanò alzò gli occhi dalla valigia e lo guardò.

– Sangue, Lo Faro. Al novantanove virgola nove per cento.

Vanina aveva trascinato via la poltrona cigolante da dietro la scrivania e s'era piazzata davanti al balcone spalancato. Si era accesa una sigaretta e aveva tirato fuori l'iPhone.

L'icona WhatsApp segnalava tre messaggi, intenzionalmente non letti, le cui notifiche erano comparse sul display nel corso della mattinata. Uno proveniva da Adriano Calí, il medico legale piú in gamba di Catania, nonché suo amico. Era passato da casa sua alle otto e un quarto di mattina per lasciarle un pacco che aveva ricevuto per lei, e manifestava grande stupore per non averla trovata ancora in casa. Aveva consegnato il pacchetto a Inna, la ragazza moldava che due volte alla settimana andava a rimettere a posto la casa.

Il secondo messaggio era di sua madre, che le annunciava comunicazioni importanti e le chiedeva di richiamarla. Per togliersi il pensiero lo fece subito. Le comunicazioni importanti di sua madre di solito non richiedevano troppa urgenza, ma non si poteva mai sapere.

– Gioia mia, ti volevo avvertire che sto organizzando una festa a sorpresa per Federico, per il suo compleanno. Il 12 novembre. Viene di sabato. Chissà come gli farebbe piacere se ci fossi anche tu!

Vanina incassò la notizia con un breve silenzio, che sua madre coprí subito con i dettagli dell'evento. Una cosa tra pochi, sai. La *nostra famiglia*, piú i futuri suoceri di sua sorella Costanza, e una cinquantina di amici.

– Giusto gli intimi, – ironizzò il vicequestore, senza nascondere il fastidio per il riferimento alla famiglia.

Ma Marianna Partanna, ex vedova Guarrasi, non era tipo da mollare la presa. Dopo quasi ventitre anni di matrimonio con l'illustre cardiochirurgo, perseverava nel vano tentativo di integrare la figlia nella splendida cornice della famiglia Calderaro.

D'istinto Vanina avrebbe accampato subito una scusa, escludendo a priori altre insistenze, ma il pensiero della delusione di Federico la trattenne. Pur non avendolo mai accettato come padre sostitutivo, non ignorava l'affetto che l'uomo le aveva sempre dimostrato. E proprio di recente i loro rapporti si erano persino consolidati. Era un buon amico, Federico Calderaro. Uno di cui all'improvviso aveva capito di potersi fidare. Non meritava di subire ancora le conseguenze della sua rabbia, mai sopita, nei confronti di Marianna.

– Se qui a Catania non ammazzano nessuno, puoi contare sulla mia presenza.

Il sospiro dall'altro lato del telefono manifestò la contrarietà di sua madre, che non commentò oltre. – Speriamo che i killer etnei per quel giorno ci grazino, allora, – concluse.

Vanina chiuse la telefonata e spense il mozzicone nel vecchio posacenere che dimorava in pianta stabile sul balcone dal giorno in cui lei aveva preso possesso di quell'ufficio. Il terzo messaggio proveniva da un numero che conosceva a memoria, e che continuava a non voler registrare nonostante stesse diventando, suo malgrado, uno dei piú ricorrenti. O meglio, stesse tornando a esserlo.

Decise di aspettare ancora prima di aprirlo. Nessuna doppia spunta blu sarebbe comparsa ad alimentare aspettative dall'altra parte, e lei avrebbe avuto piú tempo per ponderare la risposta. Una presa in giro che si auto-somministrava tutte le volte che quel numero minava la sua precaria serenità. Non c'era tempo supplementare che potesse bastarle. Avrebbe elaborato una risposta, l'avrebbe riletta, soppesata, modificata. Per poi pentirsi di averla inviata.

La telefonata di Spanò arrivò provvidenziale a interrompere i pensieri, che si stavano facendo molesti. Il fatto che la valigia fosse vuota, per quanto macchiata di sangue, rendeva inutile un suo intervento personale sul luogo. Si mise al lavoro con la Bonazzoli per disporre un controllo allargato di tutta la costa incriminata.

– Marta, chiedi a quelli della polizia di frontiera se è libera la pilotina nostra, altrimenti ci rivolgiamo ai vigili del fuoco.

– Quindi tu sei dell'idea che la tipa anonima ci stia raccontando il vero? – chiese Marta.

– Non lo so. Però ci sono pure due testimoni che sostengono di aver visto trascinare una valigia pesante, e una macchia di sangue che non promette niente di buono. Se per caso il presunto cadavere è finito a mare, prima ci muoviamo e meglio è. Perciò, nell'attesa di capirci qualcosa di piú, per sí e per no, noi un controllo lo facciamo fare.

Marta annuí. – Chiamo subito –. Se ne andò nel suo ufficio.

Spanò ricomparve alle quattro del pomeriggio, affaticato, con Lo Faro al seguito. Vanina lo vide passare davanti alla sua porta e infilarsi nell'ufficio che condivideva con Fragapane. Riappoggiò il documento che stava leggendo sulla pila dalla quale l'aveva preso e lo chiamò. L'ispettore apparve un attimo dopo, aggiustandosi i capelli brizzolati che rimasero scomposti.

– Mi scusi per l'aspetto, dottoressa, ma non sa il vento e la salsedine che mi pigliai!

Si sedette davanti a lei, allisciandosi la camicia come se dovesse stirarsela addosso.

– Pensai che era meglio chiamare direttamente Pappalardo alla scientifica, per dirgli di venire a prendersi la valigia e il telefono e di controllare il sito in cui l'abbiamo rinvenuta. Per quanto, con tutta l'acqua che ci sta sbattendo sopra...

– Ma mi faccia capire, Spanò, lei si trovava lí per caso?

L'ispettore si mise a raccontare, con dovizia di particolari, la storia del suo amico Tammaro, aggiungendo altri dettagli alla scena del ritrovamento.

– Forse sarà stata l'insistenza di Sante, che quando si mette in testa una cosa non molla mai, forse la sua convinzione... fatto sta che con la sua storia assurda mi ci stavo amminchiando macari io. Poi arrivò la sua telefonata e le cose assunsero ben altro significato. Perché dottoressa, parliamoci chiaro: le coincidenze sicuramente esistono, ma in questo caso sarebbero un poco assai.

– Spanò, ascolti a me, ce ne dobbiamo fare una ragione: nel mestiere nostro, le coincidenze sono merce rara. Anzi, introvabile.

Da quando qualcuno l'aveva sfottuto dicendogli che l'inesistenza delle coincidenze ormai era una specie di luogo comune di tutti i film polizieschi, Spanò s'era fissato che dovevano essere piú possibilisti. E ogni volta ci sbatteva il grugno.

– Ha fatto bene a chiamare Pappalardo, ispettore. Cosí ci sbrighiamo prima e non mi tocca avere a che fare con il suo diretto superiore.

Il rapporto di Vanina col vice dirigente Cesare Manenti negli ultimi tempi si era ulteriormente deteriorato. Non c'è niente di peggio che avere a che fare con gli stupidi, diceva suo padre. Una santa verità.

Il sovrintendente capo Pappalardo, intimo amico di Fragapane nonostante potesse essergli figlio, s'era guadagnato la stima della Guarrasi sul campo – l'unico modo possibile, del resto – fino a diventare il suo elemento preferito.

– Mentre aspettavo la scientifica, comunque, non stetti a rigirarmi i pollici –. Spanò si cavò di tasca il telefono e aprí il registro delle chiamate. – Provai a rintracciare la Iannino altre tre volte al cellulare, piú due a casa. Per sicurezza ritelefonai macari allo studio legale, ma l'unico risultato che ottenni fu di fare preoccupare ancora di piú la segretaria.

Vanina si sporse in avanti. – Perciò le è parso di capire che sparire per una giornata sana non sia un comportamento usuale per la Iannino?

– A quanto pare non lo è.

Il vicequestore guardò l'orologio sulla parete. Erano le sedici e venti, di lí a poco sarebbe stato buio. Se la macchina doveva mettersi in moto, tanto valeva non perdere altro tempo.

– Sa per caso chi è il magistrato di turno in procura?

Spanò s'informava tutti i giorni sui turni della procura, per non farsi mai cogliere impreparato.

– Dovrebbe essere il pm Vassalli, dottoressa.

Si aspettava di vederla alzare gli occhi al soffitto, invece Vanina non batté ciglio. Si alzò dalla poltrona afferrando la giacca di pelle appesa allo schienale e infilandosi in tasca sigarette e telefono.

– Andiamo.

Spanò scattò in piedi e la seguí, senza chiedere dove.

Entrarono nell'ufficio accanto.

– La nostra pilotina era disponibile, – comunicò subito Marta. – Si sono già mossi.

– Bene. Anche se non so se sperare che non trovino niente... – Vero era che senza cadavere l'indagine sarebbe partita monca, ma trovarlo avrebbe attestato la morte di una ragazza di ventisei anni. A una cosa del genere non ci fai il callo manco dopo dodici anni di polizia per metà passati nell'antimafia.

– Be', Marta, visto che qui hai finito a questo punto vieni con me e con Spanò.

Reclutò anche Nunnari, che scattò sull'attenti con la mano alla fronte.

– Nunnari, levami una curiosità. Come mai non t'arruolasti nell'esercito? – gli chiese, mentre scendevano le scale.

Il sovrintendente sorrise, imbarazzato. – Capo, lei lo sa che io lo faccio per scherzare! Però se esagero...

– Lo so che è un gioco, e mi diverte pure. Non ti scordare che sono una cinefila anch'io. Ma non capisco come mai tu che ti nutri di film di guerra, possibilmente americani, e ti diverti a giocare al soldato in addestramento, abbia deciso di fare il poliziotto e non sia finito nell'esercito. Oppure in marina.

Attraversarono la strada e s'infilarono nell'edificio di fronte, un antico carcere borbonico adibito a caserma, con un cortile centrale in cui erano parcheggiate le auto e le moto di servizio. Marta andò verso una Giulietta nera e si mise alla guida.

– Non penso di avere né il coraggio né la disciplina che ci vuole per fare il soldato, dottoressa, – riprese Nunnari, appena ebbe preso posto sul sedile posteriore accanto a Spanò. Che lo fissò un attimo e aggiunse: – E manco il fisico, se proprio la vogliamo dire tutta.

Vanina e la Bonazzoli risero mentre il sovrintendente, che sarebbe stato un eufemismo definire pingue, gli allungava una manata sulla spalla.

Il mare continuava a sbattere furiosamente sulla scogliera, ma il villino era protetto da una casa piú grande, che si affacciava a nord del porticciolo di Ognina. Di belle ville, lungo quella stradina, ce n'erano parecchie. Alcune antiche, dei primi del Novecento, altre piú recenti; non tutte in buone condizioni. Alcune abitate, altre usate come residenza estiva, altre ancora in abbandono. Qualche palazzina a due o a tre piani e qualche villino un po' piú modesto, come quello che il vicequestore Guarrasi stava scrutando appoggiata al muretto, con i piedi incrociati e la sigaretta in bocca. Le finestre del pian terreno avevano le imposte aperte, il che avrebbe aiutato, e la serratura del cancello non era rafforzata da nessuna catena. A occhio, il perimetro della casa non era sorvegliato da nessun sistema d'allarme dotato di telecamere.

In giro non c'era nessuno.

– Capo, che facciamo? – chiese Marta.

Vanina spense il mozzicone per terra, ignorando la faccia contrariata dell'ispettore. Si staccò dal muretto.

– Saltiamo in giardino e diamo un'occhiata.

La Bonazzoli si fece seria: – Ma... senza autorizzazione?

– Facciamoci prima un'idea.

Spanò si avvicinò al muretto nel punto in cui finiva la ringhiera, quello da dove si erano affacciati la prima volta. Il piú semplice da scavalcare. – Forza, Nunnari, che da qua ce la puoi fare macari tu!

Senza commentare, il sovrintendente recuperò lo zainetto Invicta trentennale da cui non si separava mai, e in cui il vicequestore aveva infilato tre torce, e mise un piede su una pietra spostata. Infilò l'altro in una fessura e si issò sul muretto ondeggiando pericolosamente, aggrappato con la mano destra alla ringhiera di lato. Scavalcò e ridiscese dall'altro lato.

– Ma vedi che atletico Nunnari! – sfotté Spanò, mentre lo raggiungeva.

Vanina si girò verso Marta, che scuoteva la testa. – Forza, – la incitò.

La ragazza non condivideva le licenze che ogni tanto lei la costringeva a prendersi. Per l'ispettore, ligia al dovere, violare un sigillo o bypassare un'autorizzazione erano evenienze che non andavano considerate. Aveva ragione, ovvio. Ma Vanina, che piú volte si era trovata a dover decidere di agire per non rischiare di giocarsi tutto il lavoro, era convinta che qualche piccolo peccato veniale ogni tanto fosse necessario per oliare ingranaggi altrimenti bloccati. O per evitare lungaggini.

Marta sospirò rassegnata e in mezzo secondo scavalcò quel muretto di pietra lavica, alto un metro e mezzo, ignorando le braccia adoranti di Nunnari – che avrebbe dato qualunque cosa per approfittare di un insperato contatto con la bella superiore – e atterrando sul prato.

Vanina li raggiunse per ultima, con molta meno leggiadria dell'ispettore, ma come lei rifiutando l'aiuto prontamente offerto dagli uomini.

– Occhio a non calpestare le tracce di pneumatico, e controlliamo se per caso ce ne sono altre utili, – disse, andando dritto verso una delle finestre.

Il giardino era in parte illuminato dal lampione della strada. Le imposte aperte consentivano la visuale su un ambiente abbastanza grande, ma troppo al buio per distinguere cosa ci fosse dentro. Accese la torcia che Nunnari le aveva passato, puntandola dentro la stanza. Era un soggiorno in cui s'intravedevano dei divani, un paio di tavolini, un tavolo da pranzo apparecchiato con della roba sopra, delle sedie sparse in giro. Per terra c'era il caos. Due poltrone piazzate al centro in modo incongruo attirarono l'attenzione del vicequestore che puntò la luce per osservarle meglio.

– Ha visto, dottoressa? – fece Spanò, con la fronte attaccata al vetro.

Vanina annuí lentamente, fissando la poltrona che era rivolta verso la finestra. Una chiazza rosso scuro spiccava sullo schienale.

Spanò staccò la fronte dal vetro. – E sono due, – commentò con un sospiro. – Oggi è iurnata!

– Già, – rispose Vanina.

– Giornata di cosa? – chiese Marta, che di mezze frasi e di occhiate d'intesa continuava a intendersene poco.

– Giornata delle macchie di sangue, – spiegò il vicequestore.

Nunnari sbucò dall'altro lato della casa, caracollando velocemente verso di loro.

– Capo, – ansimò.

– Piano! Prendi fiato. Che fu?

– Sul retro c'è una porta finestra che basta una spallata e si apre.

Fecero il giro e si trovarono in una verandina. Da una strada laterale proveniva la luce provvidenziale di un altro lampione.

Marta stava esaminando con la torcia l'ambiente che si intravedeva oltre i vetri della porta finestra, anche quella lasciata con le imposte aperte. Il vicequestore si mise accanto a lei e sbirciò all'interno.

– È una cucina. Parecchio in disordine, direi, – disse Marta.

Vanina perlustrò la veranda con lo sguardo. Vasi accatastati, attrezzi da giardino che avevano l'aria di non essere stati usati da tempo. Davanti, residui di prato e un albero. Un fico, probabilmente. Poi si girò di nuovo verso la porta finestra, le mani nelle tasche dei jeans, meditabonda.

Spanò le si avvicinò.

– Che pensa, dottoressa?

Vanina staccò lo sguardo dal prospetto posteriore del villino. – Mah, non lo so, ispettore.

Si mosse verso la porta finestra. – Le persiane lasciate aperte, il casino che c'è in cucina, si direbbe che la casa non sia affatto in disarmo.

La lampada a muro accanto alla porta finestra si accese all'improvviso, facendoli sobbalzare. Tutti e quattro portarono d'istinto la mano alla pistola, guardandosi intorno. Nunnari rifece il giro della casa, guardingo. Quando rispuntò sembrava piú rilassato.

– Tutto tranquillo. Anche dall'altro lato si è accesa una luce. Forse c'è un timer.

Marta aveva aperto uno sportellino di vetro sulla lanterna attaccata alla parete e la stava ispezionando.

– È una lampada crepuscolare. Si accende da sola col buio.

– E questo conferma quello che le stavo dicendo, Spanò, – disse Vanina. Si avvicinò alla porta finestra. – Be', smettiamola di perdere tempo e apriamo 'sta cosa. Possibilmente senza rompere i vetri.

I tre si guardarono tra loro.

Spanò le andò accanto. – È sicura, dottoressa?

Vanina lo guardò negli occhi. – Ispettore, che domande fa?

– No, perché, regole a parte, lo sa che la casa è di…

– Spanò, – lo interruppe il vicequestore, – me lo ricordo benissimo di chi è la casa. Secondo lei se chiedessi a Vassalli di darmi l'autorizzazione a entrare, cosí su due piedi, lui cosa mi risponderebbe?

L'ispettore annuí.

Sbatacchiò la porta per capire quanta forza ci volesse e uno dei due battenti si mosse, come se fosse fermato male, e si aprí abbastanza da lasciar passare la mano.

– Mizzica cchi furtuna! – commentò Nunnari.

Spanò si infilò un guanto prima di girare la maniglia dall'interno e aprí la vetrata. Poi cedette il passo al vicequestore, che entrò per prima, e partí alla ricerca di un interruttore.

La luce di un lampadario a mezza cupola in midollino illuminò una cucina di dimensioni modeste, arredata con un miscuglio di mobili sicuramente sgomberati da altre case. Un tavolo centrale occupava un terzo della stanza ed era ricoperto di bicchieri sporchi, avanzi di cibo, piatti di plastica. Un odore pungente di pesce marcio ammorbava l'aria. Proveniva da due cartocci marchiati con il nome di una nota pescheria take away, lasciati aperti sul ripiano accanto al lavello. Un sacchetto da supermercato pieno di valve di ostriche, che gocciolava appeso alla maniglia di un mobiletto, contribuiva a intensificarlo.

La sporcizia regnava sovrana.

Vanina agitò la mano davanti al viso, come per allontanare il tanfo. – Quant'è fitusa 'sta cucina!

Attraversarono un corridoio stretto, su cui si aprivano un bagno, una camera da letto – disfatta – e una sorta di lavanderia. Alla fine sbucarono in quello che doveva essere l'ingresso principale. A sinistra una scala che saliva al piano superiore, a destra una porta attraverso cui si arrivava nel soggiorno che avevano perlustrato da fuori.

L'ennesimo lampadario in midollino illuminò il disordine babelico che regnava nella stanza. Cuscini dappertutto, bicchieri per terra, bottiglie di champagne vuote.

– Attenti a quello che calpestate, – disse Vanina, dirigendosi verso le due poltrone al centro della stanza.

– Cristal. Però! Guarda come si tratta bene l'avvocata! – commentò Marta, china su un cestello portaghiaccio poggiato sul vetro di un tavolino, anche quello in midollino, un classico per quel genere di casa.

Vanina non la ascoltava. Piazzata davanti a una delle poltrone con Spanò accanto, le mani in tasca e lo sguardo fisso sullo schienale di quella rivolta verso la finestra da cui s'erano affacciati prima. – Picciotti, venite qua, – disse.

Marta e Nunnari si avvicinarono.

La chiazza scura che avevano intravisto con la luce della torcia adesso era evidente. Irregolare, grande, rosso scuro tendente al marrone.

– È sangue, dottoressa? – chiese Nunnari. Dall'espressione contrita che aveva, cercava piú una conferma che altro.

– Direi che è altamente probabile, – rispose Vanina. Si avvicinò ai divani, in disordine ma apparentemente puliti. Il tavolino di legno tra le due sedute era occupato da una catasta di settimanali risalenti all'estate, un paio di flûte di plastica, due ciotole con resti di noccioline e pistacchi, e un vaso vuoto. Il tutto ammassato su un lato. Sulla superficie libera spiccavano una goccia di liquido scuro rappreso e un residuo di polvere bianca.

– Chiamo la procura? – propose Spanò.

Il vicequestore valutò il quadro, assorta.

– No. Ci penso io.

Tirò fuori il telefono, compose il numero e aspettò rassegnata che le passassero il pm. Pareva fatto apposta: ogni volta che si trovava davanti un caso inconsueto, in cui l'intuito andava un po' aiutato... *zac!* le capitava tra i piedi Franco Vassalli: il magistrato piú manieroso, flemmatico, cauto – per non dire pavido – di tutta la procura catanese.

– Buonasera, dottore. Le tolgo pochissimo tempo: abbiamo ricevuto una segnalazione anonima che ci avvertiva di un omicidio. A quanto pare dovrebbe essere avvenuto in un villino in zona Ognina. Non essendo riusciti a rintracciare né l'affittuaria né il proprietario, abbiamo fatto un piccolo sopralluogo. Il cancello della villetta era semiaperto e abbiamo dato un'occhiata attraverso una finestra del pian terreno. Ci sono seri indizi che qualcosa di strano sia accaduto. Pertanto avrei bisogno dell'autorizzazione a entrare.

Lo sguardo del vicequestore, quando chiuse la telefonata, tradiva soddisfazione per la strategia appena messa in atto.

Spanò la guardava interrogativo. Con quei baffi scuri screziati, i capelli pettinati all'indietro, assomigliava a Pino Caruso nei panni del commissario De Palma nella trasposizione cinematografica di *La donna della domenica*.

– Ecco, ora possiamo entrare, – scherzò Vanina.

– Le domandò di chi è la casa?

– Ho cercato di glissare. Quando glielo comunicheremo gli piglierà un colpo, ovvio, ma a quel punto il grosso del lavoro l'avremo già fatto, senza rotture di palle. Ora mi faccia un piacere, ispettore: chiami lei la scientifica e cerchi di parlare direttamente con Pappalardo, cosí abbiamo piú chance che venga lui. Se telefono io mi tocca parlare con Manenti e m'abbutta troppo.

L'ispettore annuí.

– E dica ai sommozzatori di allargare il raggio delle ricerche anche a questa zona, – aggiunse.

Puntò una porta finestra laterale e la aprí. Estrasse le sigarette dalla tasca e uscí in giardino.

Il sovrintendente capo Pappalardo arrivò che ormai era buio pesto, accompagnato da un videofotosegnalatore. Con sommo sollievo di Vanina, il vice dirigente Cesare Manenti aveva ritenuto che un'indagine senza cadavere non meritasse la sua presenza.

Vanina lasciò Spanò a presidiare la scena e se ne tornò alla Mobile con gli altri due.

Fragapane la stava aspettando seduto alla scrivania di Nunnari, nell'ufficio che lui e Carmelo definivano *dei carusi*. Appena li vide arrivare balzò in piedi e andò incontro al vicequestore, che stava entrando nella stanza. Dalla faccia interessata si capiva che Spanò l'aveva già messo al corrente delle novità, e il fastello di fogli che il vicesovrintendente teneva sotto il braccio indicava che nel frattempo non se n'era stato con le mani in mano.

– Capo, finora continua a non esserci nessuna denuncia. Né di donne scomparse e manco di cadaveri ritrovati. Invece io pigliai un poco di informazioni in piú sulla casa.

Vanina lanciò un'occhiata verso l'angolino di Lo Faro.

– Ah, no, – s'affrettò a spiegare Fragapane, interpretando lo sguardo contrariato, – glielo dissi io che poteva tornarsene a casa. Mischinazzo, era rimasto coi vestiti bagnati e starnutiva ogni tre secondi!

Marta si lasciò sfuggire un sorrisetto, mentre Nunnari scuoteva il testone.

– Almeno si è reso utile in qualcosa, – commentò il vicequestore, appropriandosi della vituperata sedia ergonomica della Bonazzoli e preparandosi all'ascolto.

Fragapane estrasse un foglio e lesse.

– Perciò: il villino appartiene al figlio di Alicuti solo da tre anni. Penso che sia una proprietà di comodo, perché il ragazzo per il resto risulta nullatenente. E macari nullafacente. La Iannino se lo prese in affitto neppure sei mesi dopo. Contratto regolare, annuale. Invece, riguardo all'avvocatessa, oltre a lavorare nello studio legale del professore Ussaro, fino a qualche mese fa aveva pure un assegno di ricerca all'università. Cattedra di diritto amministrativo, che poi è quella che il professore dirige. Entrambi i genitori sono morti, uno cinque anni fa e l'altra otto mesi fa. L'unico parente stretto è il fratello, Iannino Gianfranco, di professione dirigente scolastico. Nato nel 1971, residente a Montevarchi, provincia di Arezzo. Coniugato con Sensini Grazia, di professione commerciante –. Le allungò il foglio. – Qua ci sono tutti i recapiti. Che facciamo?

Vanina esitò prima di rispondergli. Era una situazione inconsueta. C'era una denuncia anonima per un omicidio, seri indizi che cominciavano ad avvalorarne l'attendibilità, ma nessun cadavere a comprovarla. C'era una presunta sparizione, ma nessuna denuncia in merito. Pur essendo sempre piú convinta che di lí a poco quell'insieme confuso di segnali si sarebbe trasformato in un caso di omicidio, il vicequestore sapeva che in una fase cosí incerta ogni mossa andava ponderata.

Stava per rispondergli, quando la faccia di Spanò comparve sul suo telefono, accompagnata dal suono che aveva assegnato al suo contatto.

– Dottoressa, – aveva la voce concitata, pareva che avesse corso.

Vanina entrò in allarme: – Ispettore, che fu?

– Ha presente il telefono scassato che trovammo stamattina nella valigia che mi aveva segnalato l'amico mio?

– Sí, ho presente. Allora?

– Ricevetti ora ora la risposta dal collega della postale che ci stava lavorando –. Fece una pausa e riprese fiato: – Appartiene a Lorenza Iannino.

5.

A Santo Stefano c'era la nebbia. Una nebbiolina leggera, testimone dell'alto tasso di umidità che aveva accompagnato quella giornata sciroccosa. Niente a che vedere con il nebbione fitto che a Vanina era capitato di beccarsi un paio di volte in pieno inverno lungo la strada che portava nei paesi alle pendici dell'Etna.

Allungare verso Viagrande in cerca di qualcosa da mettere sotto i denti sarebbe stata una fatica inutile. Quella prima di San Martino era l'unica settimana di tutto l'anno in cui Sebastiano, il suo fornitore ufficiale di generi alimentari di alta qualità, chiudeva la sua celebre *putía* e se ne andava in vacanza con la famiglia. Senza contare che l'orario cui si era ridotta quella sera era fuori dalla portata di qualunque altra salumeria, gastronomia, supermercato nel raggio di dieci chilometri.

Pure il bar *Santo Stefano*, vicino casa sua, aveva il bancone della rosticceria quasi vuoto e stava per chiudere.

Alfio, il proprietario, si dispiacque. – Dottoressa, ma mi poteva chiamare. Le facevo trovare una siciliana, o un paio di arancini.

– Arancine, si dice, non arancini, – contestò Vanina. Ma tanto era tempo perso: su quell'argomento con i catanesi non c'era dialogo. Una cipollina superstite giaceva triste su un vassoio d'acciaio coperto di carta oleata. Non era il suo pezzo preferito, e neppure il piú leggero, ma se lo fece incartare lo stesso. Risalí per venti metri lungo la via principale, deserta come un paio di mesi prima non sarebbe stata neppure a mezzanotte. Superò la chiesetta, che non aveva mai capito per quale motivo fosse intitolata a due santi anziché al singolo canonico, e svoltò all'angolo per raggiungere la piazzetta di casa sua. Alzò gli occhi sul giardino, sopraelevato rispetto alla strada, e vide che le luci erano accese. L'ingresso dal lato di Bettina – l'unica abitante di quella grande casa, nonché proprietaria della dépendance in cui lei viveva da piú di un anno – invece era al buio. Aveva appena aperto il portoncino di ferro e stava per infilare la rampa di scale esterna quando i fari della Cinquecento gialla modello 1962 della vicina illuminarono il cancello del garage.

Tornò indietro e andò ad aprirle la portiera.

Bettina le sorrise, mentre bilanciava il peso sulla gamba e si tirava fuori aggrappandosi al tettuccio dell'auto; l'unica che era in grado di guidare e perciò insostituibile, nonostante le dimensioni dell'abitacolo fossero ormai inadeguate, al fisico e all'età.

– Buonasera, Vannina!

Vanina sorrise. Ormai non la correggeva piú. Per lei, come per la maggior parte dei conterranei, specie se in là con gli anni, le *n* erano e sarebbero rimaste due.

– Da dove viene? – le chiese, mentre la aiutava a estrarre dal sedile posteriore una borsa di tela che pesava un quintale.

– Piano, piano, facissi piano che dentro ci sono un poco di pirofile piene!

Dal profumo che usciva non era difficile immaginarlo.

– Ha mangiato? – s'informò la vicina, oltrepassando il cancelletto e salendo i quattro gradini che portavano all'ingresso dal suo lato.

– No, non ancora. Ma ho comprato qualcosa al bar *Santo Stefano*.

Bettina la guardò dubbiosa. – A quest'ora? E che trovò?

– Una cipollina, – rispose Vanina, attenta a non rivelare lo scarso entusiasmo. Era sicura che la donna si sarebbe offerta subito di cucinarle qualcosa, e non le andava di abusare della sua disponibilità.

Ma Bettina non era tipo da lasciarsi ingannare. – La cipollina di sera tardi inchiumma nello stomaco peggio di un cuticciune di pietra lavica! – Non le diede il tempo di replicare. – Chiuda il portoncino là sotto e venga da me, cosí mi fa pure un poco di compagnia.

Vanina obbedí. Quando la vicina argomentava in quel modo, escludeva la possibilità di un rifiuto. Sarebbe suonato come una scortesia nei suoi confronti. Era un bluff che le riusciva sempre.

La trovò in cucina, che armeggiava con la borsa di tela.

– Stasera io e le amiche mie esagerammo tanticchia. Ognuna doveva portare una cosa, per farci una cenetta e una partita a burraco, a casa di Luisa. Eravamo in otto. In tavola c'era di tutto. Finí che ci riportammo indietro un sacco di cose.

Estrasse dalla borsa una pirofila ed esibí un mezzo timballo di anelletti che emanava un profumo da restare storditi. Vanina lo riconobbe subito: era quello di Bettina, superlativo come pochi altri. Da un contenitore di vetro col coperchio di plastica, venne fuori un pezzo di *falsomagro* con contorno di patate, dall'aspetto meno familiare ma altrettanto attraente. E infine un vassoietto di dolci al cioccolato tipici del periodo, che in zona chiamavano Rame di Napoli.

– Le preparo un misto? – propose la vicina.

Vanina capitolò in mezzo secondo. Quei profumi le avevano aperto una voragine nello stomaco. Resistere alla tentazione e scegliere un piatto solo non era alla portata della sua forza di volontà, su quel fronte assai precaria.

– Uno di tutto, – rispose. Che in mano a quella sorta di Elvira Coot, alias Abigail Duck – per i meno ferrati, Nonna Papera – ragusana, sarebbe diventato due, forse tre, che dia retta a me, Vannina: col mestiere che fa, bisogna tenersi in forze. Non le avrebbe dato modo di controbattere e lei si sarebbe dovuta piegare ai suoi voleri.

Un vero dono della provvidenza.

Mentre armeggiava col forno a microonde, cui si era convertita da poco e che però usava solo come scaldavivande, Bettina attaccò a raccontarle le novità di quello che il vicequestore aveva soprannominato il «club delle vedove». Un gruppo di signore rigorosamente over settantacinque, tutte ancora energiche e per niente intenzionate a starsene ad ammuffire in casa.

In fondo alla borsa di tela, abbandonato, c'era un ultimo involto di alluminio. Vanina andò a sbirciare. Una frittata malconcia e oleosa che in mezzo a quel ben di Dio stonava come il brutto anatroccolo nello stagno dei cigni, tanto per rimanere in tema.

– Lassassi stari, – consigliò Bettina. Si avvicinò e lo tolse di mezzo. – Ida è tanto buona e cara, ma la cucina non è cosa sua. Per gentilezza noi facciamo finta di niente, anche perché se mai sia glielo fai notare ti fa la funcia per mezza serata, ma 'sta frittata è veramente immangiabile!

Vanina sorrise, solidale con la poveretta che cercava di barcamenarsi in mezzo a quel conclave di cuoche sopraffine. I risultati di Ida erano simili a quelli che avrebbe raggiunto lei che, pur essendo una nota buona forchetta, riusciva al massimo ad assemblare qualcosa che fosse già stato cucinato da altri.

In cinque minuti la tavola era conzata. Per due, perché non era bello lasciar mangiare un'ospite da sola. Mentre il vicequestore si gustava una doppia porzione di timballo e due fette di *falsomagro*, Bettina preparò un piattino di Rame di Napoli e lo mise al centro. Aspettò che lei finisse per attingervi a piene mani. Dieci minuti dopo non ce n'erano piú.

Vanina riuscí ad attraversare il cortile alle undici passate. Aprí la porta di casa con l'animo leggero di quando era ancora sotto l'effetto di Bettina. Una persona rassicurante come poche. Una che sbriciolava i problemi, che affrontava la vita con la calma di un monaco zen convertito al culto di Padre Pio, cui attribuiva la capacità di risolvere qualunque guaio, a esclusione della morte.

Peccato che era proprio con quella che Vanina aveva a che fare. Tutti i giorni. La morte violenta. La peggiore, perché non concedeva ai sopravvissuti neppure la consolazione di appellarsi a una volontà superiore cui è impossibile dare un volto e contro la quale si è disarmati. Il destino di un morto ammazzato aveva le sembianze umane dall'assassino che l'aveva fatto fuori. Per questo l'unico modo che esisteva per esorcizzare quel genere di morte era dare un volto e un nome alla persona che l'aveva provocata.

A questo servivano, lei e gli altri come lei. A pareggiare i conti.

L'aria dentro casa era piú fresca di quella esterna, nonostante le due ore – ancora abusive – di accensione serale dei termosifoni. Vanina andò ad azionare subito la pompa di calore in camera sua e aprí il letto. Odiava infilarsi tra le lenzuola e sentirle umide.

Aprí il frigo e prese una bottiglietta di Coca-Cola. Pazienza per la caffeina, che avrebbe creato ulteriori ostacoli al suo sonno già disturbato, ma dopo una cena simile non se ne poteva fare a meno. Meno male che era la cipollina quella che inchiummava! Sul tavolo del soggiorno c'era un pacchetto della Dhl con un post-it di Adriano Calí attaccato sopra. Tirò fuori il contenuto. Una custodia per dvd di quelle casalinghe, con tanto di etichetta amatoriale stampata da una locandina recuperata in internet. Era la trasposizione cinematografica di Don Giovanni in Sicilia, datata 1967. Pressoché introvabile, anche negli store online. Aprí un cassetto, prese il catalogo in cui annotava tutti i titoli dei film ambientati in Sicilia che aveva messo insieme fino a quel momento, e aggiunse l'ultimo arrivato. Il centoventinovesimo della collezione. A occhio e croce non doveva essere un filmone. Ma una collezione è una collezione, e la sua prevedeva che i film fossero ambientati in Sicilia, a prescindere da ogni altra caratteristica.

Non voleva sapere come avesse fatto Adriano a recuperarlo. S'era rivolto a un venditore privato, probabilmente. A volte era l'unica possibilità.

Ripose il dvd nella libreria accanto alla parete tappezzata di vecchie locandine e si buttò sul divano. Di film che le sarebbe piaciuto vedere ce n'erano tanti, ma era troppo tardi per iniziarne uno. Accese la televisione e girò tutti i canali: un paio di talk show politici con una schiera di ospiti che parevano scannarsi tra loro, una serie crime americana, un documentario sulla terra dei fuochi. Si fermò sul telegiornale della notte. Se le cose stavano come pensava, suo malgrado, presto le cronache locali e forse anche nazionali avrebbero avuto un nuovo osso da spolpare. Era sicura che le bocche larghe non avrebbero perso tempo.

Prese in mano il telefono. Il messaggio che aveva lasciato in sospeso le comparve davanti. Moriva dalla voglia di aprirlo, fingere di ignorare la foto del profilo e invece guardarsela per bene. A lungo. Per poi scoprire quello che c'era scritto, anche se sapeva che sarebbe stato un colpo al cuore. E infatti. «Oggi ho realizzato che era meno duro vivere nella rassegnazione di non averti piú, che aggrapparsi alla speranza che tu possa tornare. Paolo».

Paolo.

Aveva smesso di firmarsi «P». Nei giorni immediatamente successivi al loro incontro fortuito davanti al carcere dell'Ucciardone, l'aveva fatto. Poi c'era stata quella domenica in cui lui si era presentato a casa sua, solo e senza scorta. Aveva guidato fino a Catania, la *sua* macchina, aveva precisato. L'aveva detto come una cosa eccitante, trasgressiva. E per lui, Paolo Malfitano, il magistrato piú celebre e piú minacciato di tutta la Procura della Repubblica di Palermo, lo era.

«Ho sfidato le regole della sopravvivenza», aveva scherzato.

Una domenica assurda, quasi onirica.

Dopo aveva iniziato a scriverle, e a firmarsi col suo nome per intero. Come se avesse smesso di nascondersi, come se alla fine lei non gli avesse detto che tra loro non sarebbe cambiato nulla.

Era passato un mese. Vanina non avrebbe mai voluto ammetterlo con sé stessa, ma quella domenica era stata un giro di boa, che l'aveva trascinata via dalle acque calme in cui negli anni era riuscita ad ancorarsi e l'aveva scaraventata di nuovo in mare aperto. In balia delle sue paure.

Afferrò il pacchetto di sigarette che teneva sul tavolino accanto e se ne accese una.

Allontanò il telefono. Si autoconvinse che non avrebbe saputo cosa scrivergli, ma non era vero. Una risposta ce l'avrebbe avuta. Semplice, spontanea. Disastrosa.

Per non sbagliare, l'aveva cestinata mentalmente.

Si avvicinò alla libreria per scegliere qualcosa da leggere, ma l'occhio le cadde sulla foto incorniciata di suo padre. Il 2 novembre era passato da una settimana e lei non era riuscita a trovare il tempo di andare a Palermo a trovarlo. Le era capitato anche altri anni di non farcela e ogni volta si era sentita in colpa. Di quelle tradizioni le importava poco, lui invece ci aveva sempre tenuto. Per rispetto alla sua memoria cercava di osservarle piú che poteva. Quell'anno, però, gli unici fiori che gli erano mancati erano stati proprio i suoi. Lo fissò negli occhi, che sorridevano come se le stesse leggendo nel pensiero.

Un doppio *bip* proveniente dal telefono ruppe l'ipnosi. Accese il display, piú per conferma che per altro.

Paolo: «Sei sveglia?»

La doppia spunta blu aveva avuto un effetto istantaneo. Se lo immaginò, seduto a una scrivania sommersa di carte, una sigaretta non fumata che si consuma appoggiata su un posacenere. Un occhio al computer portatile aperto davanti e l'altro, ansioso, a una risposta che non vuole arrivare. Solo.

Si sentí uno schifo.

Sbloccò lo schermo e avviò la chiamata.

6.

– Signor Iannino, buongiorno. Sono il vicequestore Giovanna Guarrasi, della squadra Mobile di Catania –. Erano le nove del mattino, un orario consono.

Dall'altro lato ci fu un attimo di silenzio, rotto da un forte brusio di sottofondo.

– La squadra Mobile... – ripeté quello. – Ma perché, che è successo? – chiese.

– La signora Lorenza Iannino è sua sorella?

– ... Sí...

– Avrei bisogno di sapere quando è stata l'ultima volta che l'ha sentita.

Il respiro dall'altro lato era sempre piú affannoso.

– Lo sapevo che era successo qualcosa... – mormorò l'uomo, la voce tremante. Nessuno stupore, nessuna domanda. «Perché me lo chiede?» sarebbe stata la risposta piú ovvia, se quello fosse cascato dalle nuvole. Ma non era cosí. Vanina l'aveva capito al primo silenzio. Aspettò che fosse lui a parlare.

– Non la sento da due giorni. Ho provato a chiamarla molte volte, ma ha sempre il telefono staccato. Ieri sera ho iniziato a preoccuparmi. Non era normale che mia sorella fosse irreperibile per cosí tanto tempo. Noi ci sentiamo tutte le sere, anche solo per messaggio. Ho chiamato le sue amiche, i suoi colleghi. Quando mi hanno detto che non si era vista né sentita per tutto il giorno, ho deciso all'istante che sarei sceso in Sicilia col primo volo.

– Quando pensa di arrivare, signor Iannino?

– Sono appena sbarcato dall'aereo.

Vanina guardò l'orologio. – Venga direttamente qui.

Quando raggiunse l'ufficio del vicequestore Guarrasi, il signor Gianfranco Iannino inseguiva il fiato come se avesse corso a piedi dall'aeroporto di Fontanarossa fino a lí. Aveva il colorito cereo e le occhiaie bluastre di uno che non dorme da due notti. Barcollava.

Spanò lo rianimò con un bicchiere d'acqua e un po' di zucchero.

– Vicequestore, mi dica la verità: che fine ha fatto mia sorella? – chiese, diretto, appena si fu ripreso.

Vanina decise di dosare le notizie poco per volta.

– Ancora non lo so, signor Iannino.

– Come, non lo sa? – si agitò l'uomo. – Lei è arrivata persino a chiamare me. Lori… Lorenza è piú che maggiorenne, nessuno aveva ancora denunciato la sua scomparsa perché lo avrei fatto io oggi, che motivo avrebbe avuto lei di chiamarmi se non ci fosse stato qualcosa di grave?

Il ragionamento non faceva una piega. Ed esigeva una spiegazione. Concreta seppur dolorosa.

– Abbiamo ricevuto la denuncia anonima del presunto omicidio di una ragazza, avvenuto in una casa sul mare la cui affittuaria risulta essere sua sorella. Abbiamo tentato di rintracciarla piú volte senza riuscirci. Nel villino, dove siamo entrati ieri pomeriggio, c'erano tracce evidenti di sangue, oltre ai segni di una festa che dovrebbe essersi svolta proprio la sera segnalata nella denuncia anonima –. Omise il particolare, per il momento superfluo, della polvere bianca sul tavolino. Cocaina, aveva testé confermato Pappalardo.

Iannino la guardava incredulo. – Io non capisco… Un villino sul mare? Ma siamo sicuri che stiamo parlando di mia sorella?

Vanina scambiò un'occhiata con Spanò, che annuí. Prese uno dei fogli di Fragapane e lesse: – Iannino Lorenza, nata a Siracusa il 13 febbraio 1990, nubile, di professione avvocato, esercitante presso lo studio legale...

Iannino si fece schermo con la mano: – Basta cosí –. Ora pareva avvilito.

– Signor Iannino, mi pare di capire che lei non sapesse nulla della casa che sua sorella ha preso in affitto.

Quello negò scuotendo il capo.

Il vicequestore cercò una fotografia che si era fatta mandare la sera prima da quelli della scientifica e la mostrò all'uomo.

– Ha mai visto questa valigia?

Iannino si avvicinò per guardarla. Iniziò a tastarsi il taschino, poi le tasche, finché Spanò non gli venne in aiuto allungandogli i suoi occhiali.

– Certo, questa è la valigia che Lori si porta appresso quando viene in vacanza con noi. La carica all'inverosimile! Pare che ci svuoti dentro tutto l'armadio, – si lasciò andare a un sorriso che durò due secondi. Poi sopravvenne uno sguardo spaventato. – Ma... dove l'avete trovata?

– Su una scogliera. Era aperta, macchiata di sangue. E, soprattutto, dentro c'era questo, – tirò fuori un'immagine dell'iPhone dallo schermo semidisintegrato. – La sim è intestata a sua sorella.

Iannino si coprí gli occhi con le mani, i gomiti appoggiati sulle ginocchia, scuotendo la testa. Poi si raddrizzò. – Vicequestore, me lo dica chiaramente: Lori è morta?

– Non lo sappiamo, – rispose Vanina. – Per il momento l'unico fatto che ormai mi pare certo è la sua scomparsa. Prove che sia lei la ragazza che, secondo la denuncia anonima, sarebbe stata uccisa in quel villino, non ne abbiamo. Almeno per il momento.

Il sovrintendente capo Pappalardo era già all'opera per

comparare il sangue della valigia con quello della poltrona. I campioni biologici erano sicuramente già arrivati al gabinetto di polizia scientifica di Palermo, dal momento che quello di Catania non era abilitato a quel genere di indagini. Se tutto andava bene, in poco tempo avrebbero avuto i risultati. Quello che serviva veramente, però, era un confronto con un campione della Iannino.

Dal fronte delle ricerche in mare, invece, non c'era nessuna novità.

– Lei ha le chiavi di casa di sua sorella?

– Sí sí, certo, – si affrettò ad aprire la tasca dello zaino per estrarle. Rimase a rigirarsele tra le mani, fissando intenerito il portachiavi: una scimmietta di peluche. – Io e mia sorella siamo molto legati, nonostante i diciassette anni di differenza. Io l'ho vista nascere, l'ho vista crescere. Da quando mamma e papà se ne sono andati, sono io il suo unico punto di riferimento. Credevo che mi raccontasse tutto... Per questo non mi capacito del perché mi abbia tenuto nascosto di aver affittato quel villino. Che c'è di male ad affittare una casa al mare?

Aveva colpito nel segno. Cosa c'era di male?

Vanina un'idea se l'era fatta. A naso, mettendo insieme un paio di elementi. Ma non era il caso né il momento di condividerla con lui.

– La accompagneremo a casa di sua sorella.

Fece cenno a Spanò.

– Ispettore, vada lei col signor Iannino.

Due colpi alla porta e Marta fece capolino, armata di carte e scortata da Nunnari.

Vanina spedí il sovrintendente insieme a Spanò. Li seguí con gli occhi finché non li vide sparire in fondo al corridoio, preceduti da Iannino, curvo come se lo zaino lo stesse schiacciando.

Andò ad aprire il balcone e fece segno a Marta, che s'era seduta davanti alla scrivania. – Vieni qua, che mi fumo una sigaretta.

La ragazza la raggiunse. Si mise sopravento per evitare il fumo.

– Allora? Che notizie mi porti? – la esortò il vicequestore.

– L'iPhone, a quanto pare, non era del tutto distrutto. Probabilmente riusciranno a recuperare il contenuto. Il dottor Vassalli ha appena chiamato Ti... Macchia: gli ha detto che non riesce a mettersi in contatto con te.

Vanina andò a scovare il suo telefono, sepolto in fondo alla borsa. C'erano tre chiamate del pm. Senza volerlo l'aveva lasciato silenzioso per tutto il tempo. Anche quello fisso, per chissà quale ragione, era fuori posto. Era stata irraggiungibile per appena un paio d'ore e guarda che casino s'era già sollevato. Nel caso specifico, però, non era un male.

– Ha anticipato qualcosa a Tito? – tastò il terreno.

– Ma sí. Qualcosa tipo: la Guarrasi come al solito sta accelerando senza motivo.

E come sbagliarsi? Era l'effetto prevedibile del rapporto che lei gli aveva fatto mandare quella mattina. Si sarebbe giocata qualunque cosa che l'occhio di Vassalli era cascato subito sul nome del proprietario del villino. E c'era rimasto attaccato.

Prima di richiamarlo Vanina fece un salto nell'ufficio di Macchia. Bussò.

– Posso? – chiese, prima di entrare.

Tito era al telefono. Le indicò la poltroncina davanti alla sua. Lo sguardo distratto, annuiva ritmicamente. Dispensò un paio di «certo» e di «senza dubbio», uno meno spontaneo dell'altro, prima di mettere giú.

– Gesú che pazienza, – sospirò, con l'accento partenopeo piú marcato del solito.

– Non mi dire che era di nuovo Vassalli, – disse Vanina.

– Chi? Ma no, figurati! Era il questore. Piuttosto, che è 'sta storia di Vassalli? Ho preferito non approfondire perché non avevo la tua versione della cosa. Perciò mo' tu mi aggiorni. Che sono 'sti dettagli importantissimi che, secondo lui, avresti omesso quando l'hai chiamato per chiedergli l'autorizzazione a entrare in casa della tizia, lí... la presunta morta?

Vanina sogghignò. – E che possono essere, secondo te? Il nome del proprietario della casa, per esempio?

– Gli hai comunicato che l'iPhone della Iannino è stato ritrovato nella valigia sporca di sangue, che stiamo comparando con quello del villino?

– Vedo che l'ispettore Bonazzoli ti aggiornò.

– Guarrasi, non uscire dal seminato! – la rimproverò Macchia, il sigaro spento stretto tra i denti ma gli occhi che ridevano.

– Va bene, mi attengo all'indagine. In casa della Iannino, la sera in cui dovrebbe essere avvenuto il presunto omicidio, c'era una festa. A giudicare dal casino che abbiamo trovato in giro, e dalle bottiglie vuote, una festa parecchio movimentata. Ostriche e champagne. E cocaina.

– Un festino di quelli giusti, insomma.

– Tutto lasciato in giro, compresi i residui alimentari. Gli scuri aperti, la porta finestra fermata male, fanno pensare piú a una fuga che alla normale conclusione di una festa. E poi il sangue.

– Se conosco Vassalli, a quest'ora...

– Gronda sudore freddo, – lo anticipò Vanina.

Prima di andarsene gli raccontò il colloquio con il fratello della Iannino.

Tito si appoggiò alla spalliera della sua poltrona monumentale. Rifletté.

– Vani', secondo me tra breve ti cadrà sul groppone un bel cadavere.

Vanina andò verso la porta. La aprí. – Tito, io spero solo che non ci toccherà scandagliare tutto lo Ionio per trovarlo.

Lo salutò con la mano, mentre Giustolisi, il suo pari grado della Sezione criminalità organizzata, entrava approfittando della porta aperta.

Raggiunse il suo ufficio, attaccò gli auricolari al telefono e si mise comoda.

7.

Vassalli aveva risposto al primo squillo. Aveva argomentato la sua contrarietà con ogni tipo di obiezioni, dalla sua fretta nell'«approcciare» come un omicidio una semplice scomparsa – che per quanto ne sapevano poteva pure essere un allontanamento volontario – alla superficialità con cui l'ispettore capo Spanò aveva scomodato addirittura quelli della scientifica per una banale valigia gettata sugli scogli. Fino a planare con nonchalance sul nocciolo della questione. Che risiedeva nella casa e nei suoi proprietari, «imbarazzati dalla situazione». All'obiezione di Vanina, che senza quell'«insensato» sopralluogo sugli scogli ora sarebbe mancato uno dei pochi tasselli concreti che avevano in mano, il magistrato aveva replicato che se però cosí non fosse stato, avrebbero sprecato il tempo prezioso della scientifica.

Al vicequestore Guarrasi c'erano voluti due cappuccini e una raviola di ricotta per bilanciare quella mezz'ora di faticoso autocontrollo. E ora era seduta in un bar, in via Vittorio Emanuele, pentita di non aver accompagnato lei stessa il Iannino nella casa della sorella. Vero era che se ci fosse stato qualche indizio utile Spanò l'avrebbe individuato subito, ma almeno si sarebbe scansata quelle ore di inattività, nell'attesa di un qualunque riscontro che le consentisse di iniziare a indagare sul serio.

Aveva chiesto all'ispettore di mandarle in ufficio il suo amico giornalista e il medico che avevano assistito all'abbandono della valigia sugli scogli. Sarebbero arrivati nella tarda mattinata, appena fosse stato possibile per il dottor Monterreale allontanarsi dall'ospedale.

Prese il telefono dalla tasca della giacca di pelle e si studiò gli ultimi numeri utilizzati la sera prima. L'ultimo, in realtà.

In quel momento iniziò a squillare.

– Vanina Guarrasi che mi risponde al primo squillo a quest'ora. E che è successo? A Catania c'è lo sciopero degli assassini? – esordí l'avvocato Maria Giulia De Rosa, gridando per sovrastare il chiasso che a tratti le copriva la voce.

– Piú che uno sciopero direi un eclissamento.

– Vale a dire?

– Niente, lascia perdere. Troppo lungo. Accontentati del fatto che ti ho potuto rispondere subito.

– Mi auguro che l'eclissamento duri poco, perché la mancanza del che fare non ha mai un effetto positivo sul tuo umore.

Giuli la conosceva bene. Erano amiche da poco piú di un anno, ma lo erano per davvero.

– Ma dove sei? C'è un casino che manco al Barbera quando il Palermo vinse contro la Juve.

Una partita memorabile. L'aveva vista con Paolo, su quel divano grigio che adesso era a casa sua e che l'aveva seguita in ogni trasloco.

– Siamo alle citazioni nostalgiche! Ora inizio a preoccuparmi, – commentò Giuli, allontanandosi dal frastuono.

– Ma finiscila va'! Dov'è che sei, piuttosto?

– Sono a Roma. Anch'io seduta in un bar, in piazza del Popolo. Senti baccano perché c'è una manifestazione. Sto aspettando una cliente, una a cui ho appena concluso l'annullamento. Mi ha invitato a pranzo in un ristorante qui vicino.

I matrimoni sfasciati erano la specialità dell'avvocato Maria Giulia De Rosa, patrocinante al Tribunale della Rota Romana. Che se a quarant'anni era ancora single lo doveva, come diceva lei, alla sua «deformazione professionale».

– Pure a pranzo ti invita. Non le bastò il compenso milionario che già ti dovrà sganciare?

– In realtà deve presentarmi un amico, uno che vuole annullare il suo matrimonio. Sospetto che sia per risposarsi con lei, ma questa è una mia illazione. A quanto pare la ex moglie però gli mette i bastoni tra le ruote.

Giuli era coerente con sé stessa. Difendeva e assisteva senza preconcetti sia le donne che gli uomini. Purché il coniuge da sbaragliare fosse quello in torto, o quantomeno purché lo fosse secondo il suo personale punto di vista.

– Pane per i tuoi denti, perciò. Poi mi conti.

– Domani pomeriggio torno e ci facciamo un aperitivo.

Una promessa che suonava come una minaccia. Dopo tre giorni di assenza dalla scena sociale catanese, Giuli avrebbe chiamato a raccolta come minimo una ventina di persone.

– Mangiati una tagliatella pure per me, – la salutò.

Non fece in tempo a infilarsi il telefono in tasca che squillò di nuovo. Era Spanò che stava rientrando alla Mobile.

Pagò e riprese la strada verso l'ufficio.

– Indizi utili, a casa della Iannino, non mi pare che ce ne siano. Recuperammo uno spazzolino da denti e una spazzola per capelli, per confrontare il Dna. Fragapane li sta portando alla scientifica. Se siamo fortunati facciamo pure in tempo a mandarli a Palermo oggi stesso, cosí li infiliamo nelle analisi che stanno già facendo sul sangue della valigia e della poltrona. Gli armadi della ragazza sono pieni, il frigorifero macari. Sul tavolo c'è di tutto: tablet, computer portatile, carte dello studio legale. Il computer e il tablet ce li siamo portati. Comunque, allontanamento volontario non è di sicuro.

– E su questo mi pare che non avessimo piú dubbi, – commentò il vicequestore, seduta con una gamba sull'angolo della scrivania di Marta.

Spanò proseguí il resoconto. – Ho accompagnato il signor Iannino in un bed and breakfast. Non mi pareva opportuno lasciarlo in casa della sorella. Anzi, per sí e per no mi feci lasciare macari le chiavi. Era scantato morto, mischino.

– Ha fatto bene, meno gente entra in quella casa e meglio è, per il momento. Ora vediamo di muoverci in piú direzioni. Cerchiamo di scoprire quello che ha fatto Lorenza due giorni fa, prima di sparire nel nulla. Interroghiamo colleghi, amici, chiunque l'abbia vista o sentita. Spanò, ha chiesto al fratello qualche nome?

– Sí, dottoressa, – sí cavò di tasca un foglietto spiegazzato, – eccoli qui. Due sono colleghi di università, e una dello studio legale. E poi c'è la sua amica d'infanzia, tale Eugenia Livolsi, di professione geologa all'Istituto di geofisica e vulcanologia.

Vanina scese dalla scrivania. – Marta e Nunnari, rintracciate questa Livolsi e andateci a parlare. Spanò, io e lei aspettiamo i suoi amici che hanno segnalato la valigia e poi andiamo allo studio Ussaro.

Sbirciò la scrivania di Lo Faro, vuota e invasa da un tappeto di fazzolettini appallottolati.

L'agente stava rientrando in quel momento con un bicchiere in mano. Si bloccò davanti a lei. Pareva febbricitante.

– Lo Faro, che hai?

– Mi sono raffreddato, dottoressa, – bisbigliò, completamente afono.

– Perché non te ne vai a casa?

Non è che la sua presenza fosse di fondamentale importanza.

– Grazie, non c'è bisogno. L'ispettore Bonazzoli mi ha dato una bustina, una cosa che si scioglie nell'acqua calda. Basta che non parlo, poi per il resto posso lavorare.

La faccia speranzosa dell'agente le fece quasi tenerezza. Un lavoretto facile facile da affidargli subito in effetti c'era.

– Vabbe', allora tornatene al tuo posto. Pulisci quell'ambaradan di fazzoletti sporchi, che fa schifo solo a vederlo, e mi fai una ricerca veloce su una persona.

Lo Faro scattò verso il suo angolino, seminando infuso medicinale per tutto il pavimento. Nel bicchiere ondeggiante non doveva essercene rimasto granché.

Vanina rifletté che tanto, considerata la provenienza, non poteva essere che qualche intruglio naturale, al piú omeopatico. A suo parere, verosimilmente inutile.

– Il nome è Livolsi… – iniziò, poi si girò verso Spanò.

– Eugenia, – suggerí l'ispettore.

– Livolsi Eugenia, geologa all'Istituto di vulcanologia. Cerca qualche contatto per rintracciarla e poi riferisci all'ispettore Bonazzoli. Che nel frattempo vede se ha un'altra bustina di camomilla da darti.

Lo Faro alzò lo sguardo, confuso.

– Non era camomilla, – replicò Marta, con tono piú rassegnato che risentito. – Era propoli.

– Ah, e allora! – rispose Vanina, roteando la mano in aria.

Un agente, uno nuovo di cui non ricordava mai il nome, entrò nell'ufficio.

– Mi scusi, dottoressa Guarrasi, sono arrivate due persone che dicono di avere appuntamento con lei. Il signor Tammaro e…

– Sí, falli passare nel mio ufficio.

Sorrise a Marta, che scuoteva la testa. Prima di uscire dalla stanza si fermò e richiamò Lo Faro, che scattò in piedi.

– Se vuoi un consiglio, vedi di restare afono pure con la tua amichetta giornalista. Se domani esce anche solo un trafiletto su questa storia, t'avverto che sei consumato.

Lasciò l'agente che calava la testa in apnea, e se ne tornò nel suo ufficio.

L'ispettore capo Spanò aveva fatto accomodare Sante Tammaro e il suo amico Manfredi Monterreale nell'ufficio della Guarrasi, e la stava aspettando.

A conti fatti, quei due erano gli unici ad avere un ruolo che si avvicinasse un minimo a quello di testimone.

Tammaro pareva tarantolato. Si sedeva, si rialzava, camminava, subissava l'amico poliziotto di quesiti e teorie.

Il medico invece se ne stava seduto su una delle due poltroncine. Una mano stretta sotto la gamba accavallata, e l'altra impegnata ad accarezzare i contorni di un elefantino di bronzo che il vicequestore teneva sulla sua scrivania. Il piede che dondolava, il gomito appoggiato sul tavolo, l'aria assorta di chi sta pensando ad altro. Un casco nero con disegni arancioni abbandonato per terra accanto a lui.

Cosí li trovò Vanina quando aprí con decisione la porta della sua stanza.

Manfredi Monterreale si alzò e si presentò per primo. Statura considerevole, viso interessante, stretta di mano decisa. Aplomb vagamente inglese.

Tutto il contrario di Tammaro, che gli si andò a sedere vicino, sulla poltroncina di fronte a lei. Infagottato in un vecchio Barbour e portatore allegro di una calvizie che non doveva aver mai visto una macchinetta e che gli caricava una decina d'anni in piú.

Infervorandosi e gesticolando, il giornalista raccontò a

Vanina l'intera cronologia dei fatti avvenuti dal momento in cui avevano visto l'uomo con la valigia. Poco piú di quello che le aveva riferito Spanò, con una profusione di dettagli non richiesti, ai quali pareva affezionato. Il vicequestore non lo interruppe. Spesso era proprio tra i particolari all'apparenza inutili che si annidava quello che, chissà, in un secondo momento, avrebbe fatto la differenza. Ciò che davvero le sarebbe servito sapere, tipo la targa dell'auto da cui l'uomo con la valigia era uscito, purtroppo non rientrava nel suo bagaglio di informazioni. Tammaro non nascondeva di ritenerla una grave lacuna, per cui pareva dannarsi l'anima.

Manfredi Monterreale, che fino a quel momento se n'era stato in silenzio fermo nella sua posa, drizzò la testa.

– Che idiota, – disse.

Vanina gli puntò addosso uno sguardo inquisitorio.

– Come ho fatto a non pensarci prima.

– A cosa si riferisce, dottore?

Il medico si sporse in avanti, verso di lei.

– Due anni fa, per fortuna a mia insaputa, svaligiarono l'appartamento sopra il mio. Da quel momento il padrone di casa ha piazzato telecamere di sicurezza ovunque. Anche sui cancelli d'ingresso. Mi diede pure la password per una specie di sistema, un'applicazione che permette di controllare le immagini sia in tempo reale, sia lo storico. Io l'ho scaricata, ma non l'ho mai usata. Per questo non mi ricordavo neppure di averla.

– Minchia, Manfredi! – sbottò Tammaro.

Monterreale tirò fuori un iPhone vecchio modello e iniziò a smanettare, concentrato.

Vanina appoggiò il gomito sul tavolo, il mento sulla mano. Con la sua aria placida, il palermitano forse stava per tirare fuori un elemento concreto. L'unico.

– Cavolo, non mi ricordo la password! – Il medico si abbandonò sullo schienale della poltroncina. Sante, che ci si era appollaiato sopra per sbirciare, indietreggiò per non beccarsi una testata. – Però... forse riesco a recuperarla, – proseguí Manfredi. Cercò un numero e fece una chiamata. Parlò per cinque minuti con un tizio, un tecnico verosimilmente, in vivavoce per potersi appuntare tutto. Sí, certo, la telecamera numero due riprendeva la strada davanti all'ingresso lato mare, ma per avere un'immagine nitida bisognava entrare nel sistema attraverso il computer.

Manfredi tornò sull'applicazione e finalmente riuscí a visualizzare il suo cancello, si alzò e chiese al vicequestore se poteva girare dal suo lato per mostrarglielo.

Vanina annuí e spostò la poltrona per fargli spazio. Chinato sulla scrivania, Monterreale rivolse il display in modo tale da renderlo visibile a tutti.

Spanò inforcò gli occhiali e cacciò via Tammaro, incollato allo schermo dell'iPhone su cui ora scorrevano – sgranate – le immagini di quella notte. Nell'orario che il giornalista aveva indicato, comparve l'auto incriminata. Per un breve, infinitesimo fotogramma, s'intravide persino la targa. Incomprensibile.

– Dobbiamo acquisire queste immagini in una risoluzione migliore, – disse Vanina, alzando gli occhi su Spanò.

– Posso portarvi il mio computer, – si offrí Monterreale.

– Non si preoccupi, dottore. Mi dica solo quando è in casa, che le mando i miei uomini. Ci metteranno un attimo.

– Se volete anche adesso, sto tornando a casa per pranzare.

Tammaro annuí speranzoso. – Eh, bella idea!

Spanò si mosse. – Vado a chiamare a Fragapane, – comunicò al vicequestore.

Vanina diede un'occhiata rapida all'orologio. E lei nel

frattempo che avrebbe fatto? Di sicuro non si poteva presentare allo studio Ussaro in piena pausa pranzo.

Si alzò dalla poltrona. – Lasci stare, ispettore. Ci vengo io.

Monterreale si affrettò a nascondere un lampo di esultanza, che però non sfuggí all'occhio indagatore della Guarrasi. Vanina lo scrutò per bene prima di precederlo lungo il corridoio della Mobile. Ma vedi tu che 'sto palermitano, quieto quieto...

Eugenia Livolsi aveva raggiunto Marta e Nunnari in un bar accanto all'istituto e se ne stava seduta in punta di sedia, piú sorpresa che allarmata.

L'ispettore Bonazzoli al telefono era stata asettica. Quasi criptica. «Dovremmo chiederle alcune informazioni», aveva detto, senza specificare l'argomento. «Subito, se possibile», aveva aggiunto. La donna non aveva fatto una piega, ma si era precipitata appena aveva potuto.

Marta non si perse in preamboli.

– Mi spiace averle messo fretta, ma per noi le tempistiche sono molto importanti, – premise.

La Livolsi assentí, come per dire di non preoccuparsi.

– Dottoressa Livolsi, ci risulta che lei sia molto amica dell'avvocato Lorenza Iannino. È cosí?

La sorpresa di Eugenia si fece piú evidente.

– Sí, certo. Siamo cresciute insieme... ma perché me lo chiede? – Cambiò espressione: – Le è successo qualcosa? – chiese, impensierita.

Marta non se ne stupí. Se arrivano due poliziotti della sezione Reati contro la persona e ti chiedono notizie di qualcuno, il minimo che puoi fare è iniziare a preoccuparti. Ovvio.

– Non lo sappiamo ancora.

Voleva essere una dichiarazione rassicurante, ma ebbe l'effetto opposto.

– Come sarebbe a dire «ancora»? Ispettore, non mi tenga sulle spine!

Era superfluo chiedere alla Livolsi quanto intima fosse l'amicizia tra lei e la Iannino. Bastava misurare il terrore nei suoi occhi.

– Quand'è stata l'ultima volta che l'ha vista o sentita?

– Tre giorni fa. Ci siamo incontrate in tribunale e abbiamo preso un caffè insieme lí vicino.

– E non ha percepito nulla di strano in lei?

– No, non mi pare. Abbiamo parlato delle solite cose, io del mio lavoro, lei della sua vita frenetica. Niente di nuovo, insomma. Ma perché? Vi prego, ditemelo! – La donna si voltò verso Nunnari, cercando nel suo faccione, contornato di doppio mento, la risposta che la bella poliziotta bionda tardava a darle.

Il sovrintendente si limitò a guardare Marta, faticando per non perdersi nei suoi occhioni verdi.

– Sembrerebbe che Lorenza Iannino sia scomparsa, – si limitò a dire l'ispettore, in lotta con sé stessa. Non calarsi nei panni della gente le veniva difficile. Quando c'era la Guarrasi era diverso: il lavoro duro lo faceva lei e Marta poteva concedersi un po' di compassione. Poi magari le toccava sciropparsi il rimbrotto della superiore: «Bonazzoli, vedi che cosí si pigliano cantonate». E aveva ragione.

Ma lí, in quel momento, la piú alta in grado era lei. Il lavoro duro toccava a lei.

– Scomparsa, – ripeté la Livolsi, pallida. Ripercorse i ricordi di quell'ultima mattina.

– Lei è mai stata nel villino sul mare che la signora Iannino ha preso in affitto? – chiese Marta.

Eugenia cadde dalle nuvole. – Lori aveva affittato un villino sul mare?

Nunnari cercò lo sguardo della Bonazzoli, stavolta senza ombra di adorazione, e le fece un cenno d'intesa. Marta lo recepí. E sono due, pensarono all'unisono.

– Non lo sapevo. Ma era cosa recente?

– Circa un anno.

La Livolsi scosse la testa, perplessa. Anche il resto delle informazioni che forní corrispondeva a quelle già ricevute dal fratello della Iannino. Lorenza era una ragazza brillante. Essendo molto graziosa, era anche molto corteggiata, ma non aveva storie. Non ne aveva il tempo. Lavorava dalla mattina alla sera, tra l'università e lo studio legale.

Marta e Nunnari la lasciarono davanti all'ingresso dell'Istituto di geofisica e vulcanologia. Le mani lungo i fianchi, abbattuta.

Tornarono verso l'auto di servizio. Prima di rientrare in ufficio si fermarono a mangiare un boccone in un posto che conosceva Marta.

Grato al cielo per l'occasione insperata, il sovrintendente Nunnari affrontò baldanzoso il primo spezzatino di soia della sua vita.

E finí in ospedale.

Manfredi Monterreale salí in sella alla moto, parcheggiata davanti al portone della Mobile.

Spanò la guardò ammirato. – Una Bmw 75/5. Complimenti, dottore! Di che anno è?

– Grazie, ispettore. È del '69, – accarezzò il manubrio. – Era di mio padre. Ormai, per ovvi motivi, lui non la usa piú, perciò me la sono portata qua.

L'auto di servizio con a bordo la Guarrasi e Spanò uscí dal parcheggio e la moto le si accodò.

Sante Tammaro li seguiva con la sua Suzuki Samurai bianca e verdina mezza scassata.

La guida di Spanò era meno veloce di quella di Marta, e le sue capacità di svicolare nel traffico dell'ora di punta piú scarse. La Bonazzoli in quella situazione avrebbe fatto largo uso di stradine laterali, controviali, scorciatoie che solo lei sapeva come aveva scoperto, dato che viveva a Catania da un paio d'anni. Per non parlare di quando guidava la moto, capacità che il vicequestore, saldamente legata alle quattro ruote, le invidiava in modo considerevole.

La fila di viale Africa iniziava alla stazione. L'ispettore capo ci si andò a infilare prima che Vanina potesse suggerirgli di cambiare direzione. A quell'ora, con l'uscita delle scuole, qualunque strada alternativa era diciannove soldi con una lira con quella, giustificò Spanò. Probabilmente aveva ragione, di qua o di là non sarebbe cambiato granché.

A passo d'uomo superarono Le Ciminiere, un agglomerato di vecchie costruzioni industriali abbandonate, un tempo deputate alla raffinazione dello zolfo, da una ventina d'anni recuperate e trasformate in centro fieristico. Vanina pensò a Federico. L'ultima volta che l'aveva visto, un paio di mesi prima, lui era lí per un congresso, e lei l'aveva portato a cena a casa sua. Era stato quella sera che s'era accorta di quanto facile fosse andare d'accordo con quell'uomo, che lontano da sua madre le era parso diverso. Si era accorta di volergli bene piú di quanto fosse disposta ad ammettere. E si era dispiaciuta quando l'aveva visto in crisi professionale.

D'istinto prese il telefono e lo chiamò. Era staccato. Del resto a quell'ora, in pieno orario di seduta operatoria, sarebbe stato strano il contrario.

Monterreale, che essendo in moto ci avrebbe messo due

minuti a tirarsi felicemente fuori da quell'ingorgo, procedeva lento accanto all'auto di servizio.

Vanina aprí il finestrino, si accese una sigaretta e lo studiò di sottecchi. Sguardo serio, braccia rilassate, aria pacata. Ogni tanto rispondeva al telefono dal microfono che usciva da sotto il casco. Corrugava la fronte, poi la distendeva, poi parlava. Sempre serio, sempre rilassato, sempre pacato.

Da piazza Europa in poi andarono piú veloci. Superarono Ognina, e s'immisero nella strada della Scogliera. Il vicequestore girò gli occhi in direzione di via Villini a Mare. Si chiese cosa potesse aver spinto la Iannino a non raccontare al fratello di aver preso in affitto quella casa. Le possibilità erano due: o si trattava di una spesa eccessiva, per la quale temeva di ricevere un rimprovero, oppure la destinazione d'uso non era esattamente canonica. Il quadro che si era delineato fino a quel momento, per quanto incompleto e in parte indecifrabile, spingeva Vanina a propendere per la seconda ipotesi.

Alla Scogliera, nel tratto tra la *Baia Verde* e lo *Sheraton*, i due grandi alberghi affacciati sul mare, il traffico rallentò di nuovo. Monterreale comunicò attraverso il finestrino che sarebbe andato avanti e li avrebbe aspettati a casa.

Dopo dieci minuti, la Cinquecento blu di servizio percorreva quello che Spanò e Monterreale avevano chiamato lungomare Scardamiano, e dove Vanina non era mai capitata prima di allora. Una strada non larga, con l'asfalto combinato peggio di una *trazzera*, che procedeva al livello del mare in direzione parallela alla statale per Aci Trezza. Per poi interrompersi all'improvviso su un cumulo di massi di pietra lavica ricoperti di vegetazione, dietro i quali s'intravedeva un tratto di scogliera e la versione invernale di uno stabilimento balneare. La moto di Monterreale era parcheggiata davanti all'ultima casa della strada, una palazzina di tre piani intonacata di bianco con gli infissi blu. Il medico li stava aspettando affacciato a un balcone con la ringhiera in vetro, al secondo piano.

– Lo sa, dottoressa, come chiamano questo lungomare i catanesi? – disse Spanò, indicando il parapetto che separava il marciapiede dagli scogli, in cui spazi vuoti protetti da tubi di ferro si alternavano a barriere di cemento alte un metro, martoriate da scritte. – I muretti, lo chiamano.

Tammaro era sceso dalla sua Suzuki e li stava aspettando ansioso accanto al cancelletto aperto.

L'appartamento di Monterreale doveva essere stato ristrutturato di recente. Un paio di camere da letto e una cucina microscopica, una stanza piú grande arredata con divani di pelle bianchi e un tavolo da pranzo rotondo, e una vetrata a giorno aperta su un terrazzino affacciato sul mare. Caminetto, librerie strapiene, tappeti e quadri azzeccati e, dulcis in fundo, impianto stereo anni Ottanta con tanto di giradischi.

Vanina si guardò intorno. – Quanto vuole per subaffittarmelo? – scherzò.

Manfredi sorrise. – Stereo compreso?

– Ovvio, che domande.

– Allora assai!

Il vicequestore si strinse nelle spalle. – Peccato, ha perso un'occasione, – concluse.

Scherzava davvero. Non avrebbe mollato la sua casetta di pietra lavica in mezzo all'agrumeto, né la proprietaria, per niente al mondo. Neppure per quell'appartamentino che pareva uscito da una pagina di Pinterest: idee di arredo per una casa al mare.

Monterreale andò ad accendere il computer nella stanza accanto e cercò di collegarsi al sistema delle telecamere.

Dovette telefonare al padrone di casa e fare qualche tentativo prima di riuscire a trovare la procedura giusta.

Vanina si era seduta su uno sgabello rosso stile old american, che il medico aveva spostato accanto alla sedia ergonomica – simile a quella dell'ufficio di Marta ma con in piú una spalliera – su cui si era accomodato lui. Spanò e Tammaro erano protesi a capannello sulle loro teste.

Scorsero le immagini di due notti prima, finché non intercettarono quella in cui si vedeva l'auto incriminata passare e poi proseguire oltre.

Monterreale tentò di bloccare il fotogramma, ma non era semplice.

– Lassa fare a mmia, – s'intromise il giornalista, che stava friggendo.

Si fece spazio tra Manfredi e Vanina e iniziò a smanettare sulla tastiera per selezionare l'attimo in cui era visibile la targa.

Spanò scattò una foto allo schermo e bloccò la mano di Sante, che stava per fare lo stesso.

– Santino, non t'arrisicare, – lo ammoní. Poi, rivolto al vicequestore: – Chiamo subito a Nunnari e gli dico di fare una ricerca.

Vanina annuí, concentrata.

– Dottore, può farmi vedere di nuovo le immagini?

Monterreale tornò indietro a un momento precedente e riavviò il video.

Il vicequestore s'incollò allo schermo, attenta, finché la macchina non comparve. A occhio e croce una Toyota Corolla, grigio metallizzato.

– Ecco, torni indietro di qualche secondo.

Manfredi eseguí.

– Fermi qua.

Appena accennata, attraverso il finestrino aperto, s'intravedeva la sagoma del guidatore. Un uomo.

– Spanò, – chiamò Vanina, quando l'ispettore chiuse la telefonata, – dobbiamo acquisire quest'immagine e cercare di ingrandirla.

– Certo, dottoressa. Ora noi acquisiamo tutto il filmato, cosí ci possiamo lavorare con calma. Invece lo sa che successe? – Pareva divertito.

– Che successe?

– Nunnari rischiò lo shock anafilattico.

Vanina si preoccupò: – E che c'è da ridere, ispettore?

– Se ne andò a pranzo con la Bonazzoli, si scofanò due piatti di spezzatino vegano, e s'intisi male. All'ospedale lo portarono, – Spanò soffocò una risata.

– Allergia alla soia, – diagnosticò Monterreale.

Anche il vicequestore non poté trattenere un sorriso. Povero Nunnari. Per una volta che riusciva a rubare dieci insperati, e probabilmente unici, minuti in compagnia dell'inaccessibile Marta Bonazzoli. Piú sfigato di cosí! Manco un aspirante prete che si scopre allergico alle ostie.

– Lo tengono qualche ora sotto osservazione e poi lo rimandano a casa, – concluse Spanò. Che nel frattempo aveva chiamato Lo Faro e l'aveva incaricato di controllare il numero di targa.

Monterreale insistette per invitarli a pranzo. Una cosa veloce, che tanto pure lui doveva schizzare fuori casa quasi subito. Mentre lo diceva mise a scaldare una scacciata con i broccoli e mezza teglia di parmigiana, cucinata da lui in persona la sera prima, e una forma di pane avvolta in un canovaccio.

Vanina non interpellò nemmeno Spanò prima di accettare e ritrovarsi in cinque minuti seduta a un tavolo conzato di tutto punto nel terrazzino con la ringhiera di vetro.

Tammaro se n'era andato. – Sante campa di caffè e brioche, – lo giustificò il medico. Spanò invece sospettava che ci fosse rimasto male per come l'aveva apostrofato poco prima. Forse aveva ecceduto, ma era sicuro che tempo un'ora quello avrebbe recuperato le informazioni che gli servivano e avrebbe iniziato a indagarci, e soprattutto a scriverci sopra.

Vanina era distratta, impegnata a constatare con ammirazione l'abilità di Manfredi Monterreale ai fornelli. Persino il pane che accompagnava la parmigiana era di sua produzione, fatto con lievito madre e farine di grani antichi siciliani.

Quel concittadino appena conosciuto la incuriosiva. In mezz'ora apprese che aveva cinquant'anni, due specializzazioni, una in Pediatria e l'altra in Neuropsichiatria infantile e lavorava al policlinico e in un poliambulatorio privato. Non sembrava affatto dispiaciuto che «certe scelte di lavoro» sette anni prima lo avessero costretto a lasciare Palermo. Conosceva bene Federico Calderaro, oltre a un discreto numero di persone che in altri tempi lei aveva frequentato. Viveva in quell'appartamentino da tre anni, e ne era entusiasta quanto lei lo era del suo a Santo Stefano. Piú o meno per gli stessi motivi.

Vanina si accorse che sarebbe rimasta volentieri a trastullarsi in quella cornice rilassante, se lo squillo del telefono di Spanò non le avesse ricordato le circostanze che ce l'avevano portata.

– Dimmi, Lo Faro, – rispose l'ispettore, allontanandosi dal tavolo. Lo sguardo rivolto alla sua superiore, che lo fissava attenta con la sigaretta tra le labbra. – Ho capito, – concluse.

Il vicequestore non gli chiese nulla. Spense la sigaretta nel posacenere che Monterreale le aveva allungato un momento prima.

– Purtroppo la nostra pausa è finita, – comunicò, alzandosi in piedi e avvicinandosi a Spanò, il cui silenzio meditabondo parlava piú di tante parole.

Manfredi li accompagnò giú fino al cancelletto sulla strada.

Il vicequestore gli tese la mano.

– Arrivederla, dottore. E grazie per il pranzo.

Manfredi sorrise. – Una scacciata riscaldata e un rimasuglio di parmigiana non si possono spacciare per un pranzo. Una volta, se mi fa di nuovo l'onore di accettare, le preparo qualcosa di meglio –. Era un invito, e manco troppo velato. Rivolto solo a lei.

Vanina intravide un sogghigno sotto i baffi di Spanò, che la precedette in macchina.

– E perciò? – gli chiese appena l'ebbe raggiunto.

– Mi deve perdonare, capo, ma mi venne spontaneo sorridere.

– Che fa, si diverte alle mie spalle?

– Non mi permetterei mai, dottoressa! Solo che era impossibile non accorgersene.

– Spanò, bando alle ciance: che le disse Lo Faro?

L'ispettore recuperò il contegno.

– Non immaginerà mai a quale auto corrisponde la targa.

– Ispettore, mi sto incazzando.

Spanò si voltò verso di lei, la faccia da conduttore di quiz televisivo pronto a sparare il verdetto finale: trenta milioni in gettoni d'oro, signorina!

– A quella di Lorenza Iannino.

8.

Lungo la strada Spanò le aveva sciorinato una serie di informazioni non richieste su Manfredi Monterreale, di cui ovviamente conosceva vita morte e miracoli. Ne era venuto fuori un ritratto interessante, a conferma dell'opinione positiva che Vanina si era già fatta sul suo concittadino. Doveva essere sincera: le sarebbe dispiaciuto sbagliarsi.

La Bonazzoli era appena rientrata in sede dopo aver accompagnato a casa Nunnari, satollo di cortisone e devastato dalla vergogna, nonché dai pomfi orticarioidi che gli erano spuntati ovunque.

– Ha iniziato a gonfiarsi e a non respirare. Ho creduto che stesse per morire, – raccontava, seduta sul divanetto del Grande Capo.

Vanina evitò di cedere alla tentazione di punzecchiarla sullo spezzatino killer. Se Marta aveva abbassato la guardia al punto da andarsi a rifugiare tra le braccia di Tito, incurante delle indiscrezioni, significava che l'esperienza vissuta l'aveva scossa sul serio.

– Perciò anche la Livolsi ignorava che la sua amica avesse preso in affitto quella casa, – concluse il vicequestore, dopo essersi fatta raccontare l'incontro con la vulcanologa amica della Iannino.

– Esatto. Proprio come il fratello.

– Puzza di bruciato, – opinò Macchia.

Vanina non poté che concordare. Una puzza che si andava facendo sempre piú intensa.

La denuncia di scomparsa che aveva sporto Iannino, piú gli elementi che avevano a disposizione, bastavano a mettere in moto la macchina.

– Dico a Fragapane di trasmettere la targa della macchina a tutti i commissariati, i carabinieri ecc. ecc. Insieme alla foto della Iannino.

– Lascia stare, ci penso io. Non mi va di starmene senza far niente, – si offrí Marta, tirandosi su e sfilando la mano da sotto quella del dirigente.

– Come vuoi. Allora io passo nel mio ufficio a fare un paio di telefonate, e poi me ne vado allo studio Ussaro con i miei due picciotti.

Finalmente la Bonazzoli liberò un sorriso, e Tito Macchia ci si perse dentro.

Vanina raggiunse la sua stanza, chiuse bene la porta e aprí la vetrata del balcone. Stava per accendersi una sigaretta ma cambiò idea. Aprí un cassettino e tirò fuori una tavoletta di cioccolata fondente al settanta per cento, di un tipo particolare che non si trovava in giro facilmente. Mentre se ne faceva fuori metà pensò alla persona che gliel'aveva regalata, e sorrise. Il commissario in pensione Biagio Patanè aveva diretto la squadra omicidi della Mobile catanese per moltissimo tempo. Aveva ottantatre anni. Vanina l'aveva conosciuto il giorno in cui s'era presentato nel suo ufficio con un carico di informazioni utili per le indagini su un omicidio che risaliva a sessant'anni prima. E la sintonia tra loro era scattata subito. Si poteva dire che l'avessero risolto insieme, quel caso. Erano passati neanche due mesi, ma da allora erano diventati grandi amici. Vanina non lo vedeva da piú di una settimana, da quando era arrivato da lei con in mano dieci tavolette di cioccolata. «Speciale», aveva detto.

Guardò l'orologio. Segnava le quattro e un quarto, un orario ancora assolutamente off limits per telefonargli, se non voleva rischiare di disturbarlo in piena *filinona*.

Il telefono le indicava da piú di due ore una chiamata persa di Adriano Calí.

Lo richiamò.

Il medico legale rispose dopo manco mezzo squillo, con la solita voce allegra che solo lui sapeva come riuscisse a venirgli fuori dopo una mattinata passata a esaminare cadaveri.

– Ciao amica!

– Ciao Adri, ho trovato una tua chiamata.

– Certo che se mai sia un giorno ti chiamassi perché sono in pericolo di vita, considerati i tempi di reazione, farebbero in tempo a tumularmi.

Vanina sorrise. L'«effetto Adriano» era immediato. Meglio di un chilo di cioccolata.

– Per essere in pericolo di vita tu, dovrebbero invaderci gli alieni. Che mi volevi dire?

– Ma cose da pazzi, guarda tu. Peggio dello scarparo con le scarpe rotte mi finí. Invece di avere una sbirra a disposizione per ogni evenienza, vengo sbattuto in fondo alla coda! Comunque, per stavolta t'è andata bene. Ti volevo proporre una seratina a base di vecchi film e cibo buono. Luca riparte stasera e a me viene il magone a restarmene a casa da solo. Soprattutto poi col pensiero di dove se ne sta andando.

Luca Zammataro incarnava la quintessenza dell'inviato speciale. Andava e tornava dall'Iraq con l'imperturbabilità di un commesso viaggiatore. La stessa con cui nei periodi di normale attività faceva il pendolare tra Roma, dov'era la sede del suo giornale, e Catania, la città dov'era nato e nella quale aveva scelto di vivere accanto a Adriano Calí: l'uomo con cui aveva condiviso gli ultimi dieci anni.

Vanina considerò che quella sera non avrebbe fatto tardi. Una circostanza simile poteva non verificarsi piú per vari giorni.

– Va bene. Che ci vediamo?

– Come, che ci vediamo? M'hai fatto scattiare a destra e a sinistra per recuperarti quella mezza maccarrunata di film, compresa una gita al deposito della Dhl che continuava a non trovarmi in casa, e ora manco te lo vuoi vedere?

L'aveva completamente rimosso.

– Certo che me lo voglio vedere. E poi non ti scordare che è tratto da un romanzo di Brancati, perciò troppo troppo maccarrunata non può essere.

– Anche se fosse, chi se ne frega? E se ti devo dire la verità, stasera testa per impegnarmi in uno dei nostri soliti chiummi non ne ho. Meglio una cosa leggera.

Spesso i loro cineforum erano dedicati al cinema d'autore degli anni Cinquanta-Sessanta. Rigorosamente italiano. Una volta, per sbaglio, mentre loro due si godevano in santa pace *La notte* di Antonioni, era capitata tra i piedi Maria Giulia De Rosa. Che dopo nemmeno cinque minuti di visione aveva sentenziato che quel film era pesante come un *chiummo*. Da allora, quell'epiteto era stato appioppato, scherzando, a tutte le successive proiezioni.

– Va bene, ci vediamo a casa mia alle otto e mezzo.

– Per la cena che facciamo?

– Ordino io le siciliane al bar *Santo Stefano*. Poi passiamo a ritirarle insieme, che tanto ce le friggono sul momento.

Lo lasciò soddisfatto per la prospettiva, che in tutta franchezza aveva rallegrato anche lei.

Ricontrollò le varie cronologie. Chiamate, messaggi, mail. Niente di nuovo.

Paolo aveva mantenuto la promessa fatta la sera prima, quando lei gli aveva telefonato. Avevano parlato per due ore. Alla fine gli aveva chiesto di non chiamarla piú, di non mandarle messaggi. Di rispettare, malgrado tutto, la scelta che lei aveva compiuto quattro anni prima.

Ma era cosí sicura di crederci ancora, a quella scelta? Non sentirlo, non avere sue notizie. Cercare di ricostruire quell'equilibrio che s'era rotto un mese prima, quando aveva ceduto alla debolezza e aveva aperto un varco che sarebbe potuto diventare una voragine. E ora non sapeva piú come tornare indietro. Soprattutto, non sapeva piú se voleva farlo per davvero.

Quando Marta comparve sulla porta comunicandole che aveva trasmesso i dati e chiedendole il permesso di andarsene a casa prima, Vanina si rese conto che era arrivato il momento di muoversi sul serio.

Fragapane aveva chiesto di affiancare il suo compare Spanò e di accompagnarla allo studio legale Ussaro. Aveva pure insistito per guidare e lei aveva accettato senza riflettere. Un tragitto da incubo, fatto a passo d'uomo, incappando in piú impedimenti di un percorso a ostacoli e scatenando un coro di clacson imbestialiti.

– Fragapane, al ritorno guai a lei se fa anche solo la mossa di salire al posto di guida, – aveva ringhiato Vanina appena la macchina di servizio era riuscita a raggiungere la destinazione.

Quello aveva abbassato gli occhi, mortificato. D'altra parte non era la prima volta che gli capitava. La Guarrasi non aveva mai nascosto di considerarlo una sorta di bradipo del volante, tanto affidabile quando si trattava di spulciare carte e faldoni, quanto impedito nelle attività piú dinamiche.

La segretaria che aprí loro la porta non mostrò nessuna sorpresa nel vederli lí. Era lei che il giorno prima aveva risposto alle telefonate di Spanò, e sempre lei aveva manifestato da subito una certa preoccupazione per l'assenza ingiustificata dell'avvocato Iannino. Bassa e ossuta, età che poteva spaziare dai cinquanta portati male ai sessantacinque tutti dimostrati.

– Il professore sta per arrivare, – comunicò in automatico. Li introdusse in una sorta di saletta in cui troneggiava un tavolo ovale anni Settanta in radica lucida con poltroncine di pelle piú o meno coetanee.

– Non si hanno ancora notizie? – s'informò.

– Purtroppo no, – rispose Vanina. – Per questo abbiamo bisogno di sentire quante piú persone possibile. Ognuno di voi, anche involontariamente, può darci qualche indizio utile –. Rimase vaga.

Mentre la donna andava a chiamare gli avvocati presenti Vanina studiò la stanza. Le pareti bicolore parevano dipinte secondo l'estro di un pittore daltonico, metà arancio e metà bordeaux. Anche le poltrone relegate in un angolo erano imbottite di vellutino color arancio, con braccioli e piedi d'acciaio. Pure quelle sicuramente coetanee del tavolo.

La segretaria tornò indietro accompagnata da due ragazzi piú o meno trentenni e due ragazze, di cui una molto giovane. Quest'ultima, Valentina Borzí, era appena laureata e faceva praticantato in quello studio da sei mesi. Definirla graziosa sarebbe stato riduttivo. Con la Iannino disse di non aver avuto mai molto a che fare. Riferí di averla lasciata in studio, la sera prima della sparizione, né piú e né meno delle altre sere, e di non aver notato nulla di anomalo. Cosí anche uno dei due avvocati, che alle cinque del pomeriggio era uscito dallo studio e se n'era tornato a casa, a Biancavilla.

– Lori rimane sempre fino a tardi, – disse Susanna Spada, l'avvocato che divideva la stanza con la Iannino. Capelli corvini, occhio ceruleo, viso affilato. Aria seria ma dispiaciuta, di chi è colpito dalla situazione e capisce che potrebbe essere grave. – A volte anche piú tardi di Nicola.

L'unico che non aveva ancora parlato si presentò: – Nicola Antineo –. Bei lineamenti, quasi infantili rispetto alla sua età. Faccia da bravo ragazzo, il cui pallore dichiarava in modo evidente la preoccupazione per le sorti della collega.

– Come mai? – chiese Vanina.

– Il professore fa sempre molto tardi. Lori e io siamo quelli che lavorano piú a stretto contatto con lui, lo seguiamo anche all'università. Perciò finché non va via lui, uno di noi resta sempre in studio. Spesso è Lori ad aspettare.

– E due sere fa chi è rimasto?

– Due sere fa sono rimasto io, – rispose Antineo.

– In base a cosa decidete chi di voi aspetterà il professore?

– In genere lo decide lui.

– L'avvocato Ussaro?

– Sí, il professore.

Per la segretaria e per le due ragazze Ussaro era «l'avvocato», per Nicola Antineo era «il professore». Forma mentis dell'universitario, notò Vanina.

Spanò partecipava in silenzio, mentre Fragapane prendeva appunti su un quadernetto. A quadretti.

– Lorenza è una gran lavoratrice, – aggiunse la segretaria, prima di scattare di corsa verso la porta, che si era appena aperta e dalla quale stava facendo il suo ingresso l'avvocato, professor, Elvio Ussaro.

Altezza media, capelli scuri – verosimilmente tinti – radi e impomatati in un riporto laterale. Viso triangolare, naso piccolo, labbra sottili singolarmente rosse rispetto al colorito olivastro. La bruttissima copia di Remo Girone nei panni di Tano Cariddi in *La piovra*, con l'aggiunta di un paio di decenni e di uno sguardo piú sfuggente. E piú viscido.

La prima impressione, che per Vanina di solito tendeva a restare dominante, era veramente pessima.

– Vicequestore Guarrasi, piacere di conoscerla, – la salutò, avvicinandosi con le braccia enfaticamente protese ed entrambe le mani pronte a stringere la sua. Molli. Viscide anche quelle.

– Piacere mio, avvocato –. Optò per la versione da studio legale, che le riusciva piú spontanea. – L'ispettore capo Spanò e il vicesovrintendente Fragapane, – li presentò.

I due avvocati giovani si erano alzati in piedi per lasciare libero un posto intorno al tavolo. Fatta eccezione per la segretaria, che s'era messa su una delle poltrone arancioni. Ussaro si andò ad accomodare in mezzo alle ragazze, allisciando Valentina Borzí con uno sguardo fuggevole, ma non abbastanza da risultare meno untuoso. Vanina sbirciò con la coda dell'occhio Spanò, che aveva messo su l'aria corrucciata di quando vedeva qualcosa che non gli andava a genio.

– Questa faccenda di Lorenza è assurda, – esordí il principe del foro, con espressione contrita.

– Direi piuttosto seria, avvocato.

– Avete già qualche elemento per capire se può essersi allontanata volontariamente?

Vanina lo fissò, costringendolo a non vagare con lo sguardo.

– Stiamo valutando quello che abbiamo. Ma l'ipotesi che si sia allontanata volontariamente è la meno realistica.

– Madonnuzza! – gemette la segretaria. Le mani sulle guance.

I ragazzi si guardavano tra di loro, all'improvviso pallidi, come avessero appreso qualcosa d'inaspettato. Antineo in modo particolare.

– Pensate per caso a un sequestro? – fece Ussaro, compunto.

– Al momento non ho elementi per sospettarlo. Ovviamente non ne avrei neppure per escluderlo, anche se francamente non vedo quale potrebbe essere lo scopo –. Si drizzò sulla sedia appoggiando i gomiti sul tavolo. Si rigirò una sigaretta spenta tra le dita e riallacciò il discorso. – L'avvocato Antineo ci ha appena detto che, contrariamente al solito, quella sera fu lui a rimanere in studio, mentre la Iannino andò via prima. Posso chiederle perché decise di congedarla?

– Mi chiese lei di andarsene prima. Aveva una festa, o qualcosa di simile. Io non sono un capo dispotico, dottoressa. Capisco bene le esigenze dei giovani –. Abbracciò i quattro ragazzi in uno sguardo paternalistico. – Mi piace che mi considerino un po' come un secondo padre.

L'espressione di Spanò stava scivolando verso l'incredulità.

Vanina si rivolse agli altri. – Nessuno di voi sa di che festa si trattasse?

Tutti scossero il capo, in maniera piú o meno convinta. Il meno sicuro era Nicola Antineo.

– Avvocato, lei forse ricorda qualcosa? – lo incalzò il vicequestore.

Antineo cercò per un attimo lo sguardo del professore, rivolto altrove. Per l'esattezza sulla Borzí, che ormai aveva abbottonato anche l'ultimo bottone della camicetta e tra un po' passava alla sciarpa.

– Ricordo solo che ricevette delle telefonate. Penso fossero gli amici con cui doveva uscire.

E questo lo si sarebbe scoperto presto. Appena quelli della postale avrebbero tirato fuori i dati dall'iPhone trovato dentro la valigia. Cosa di cui il vicequestore era ben lungi dal fare parola.

– Qualcuno di voi ha rapporti con Lorenza Iannino che esulino da quelli di lavoro?

Susanna Spada alzò la mano.

– Io. Ogni tanto usciamo insieme.

– E lei non ha idea di dove fosse diretta Lorenza quella sera?

– No, dottoressa. Lei non me l'ha detto e io non gliel'ho chiesto.

Vanina fece un cenno a Spanò e Fragapane, e si alzò in piedi. – Possiamo vedere la scrivania dell'avvocato Iannino?

– Certo, – rispose subito Ussaro.

La segretaria e Susanna Spada li accompagnarono lungo un corridoio con le pareti dipinte di verde pistacchio, su cui si aprivano quattro porte. Entrarono in una stanza tutta lilla, con due scrivanie. Quella della Iannino era un caos. Piena di cianfrusaglie di ogni genere che occupavano gli spazi tra le pile di carte. Sulla parete dietro la poltrona, il diploma di laurea divideva lo spazio con una enorme cornice a giorno piena di fotografie scattate in giro per il mondo. Soggetto unico Lorenza, con tutti gli sfondi piú canonici. Tour Eiffel, Rockfeller Center, Tower Bridge, una spiaggia bianca con tanto di palmizi. Dulcis in fundo, davanti al Duomo di Milano, armata di bustone con il logo di uno dei marchi piú lussuosi della moda italiana. Minuta, occhi da gatta, tratti bamboleggianti. Una strafiga supergriffata e superaccessoriata, atteggiata in pose da modella.

Vanina ne fotografò un paio. – Questa prendiamola. Potrebbe servire, – disse, indicando l'unico primo piano.

Fragapane si fece aiutare a estrarla dalla segretaria, accortissima a non rovinare quella sorta di book fotografico degno di «Vogue».

– Lori ci tiene un sacco a quella raccolta, – spiegò Susanna.

– Viaggia molto, a quanto vedo.

– Non moltissimo. Ma ogni volta si fa immortalare –. Per una frazione di secondo Vanina percepí un filo d'ironia nell'espressione seria della Spada. Derisione o livore? Svaní prima che potesse interpretarlo.

Mentre Spanò scattava qualche foto alla scrivania, Vanina raccomandò alla segretaria di non spostare niente.

Ussaro era rimasto fermo nella sala d'ingresso, uno stanzone verde salvia con le colonne portanti color petrolio, occupato in parte dalla segreteria e da quattro poltrone imbottite sul marroncino stinto, analoghe a quelle della sala riunioni. Le mani incrociate dietro la schiena, la pancia prominente in bella mostra.

Antineo e gli altri due gli stavano intorno. La Borzí un po' defilata.

Cosí li lasciò il vicequestore Guarrasi, non senza prima essersi beccata un'altra stretta di mano, se possibile piú scivolosa della prima.

– St'avvocato nun mi piaci, – sentenziò Fragapane, appena furono fuori dal portone.

Era già buio. Il solito traffico intasava a blocchi corso Italia, e un discreto viavai di gente transitava per i marciapiedi.

Spanò concordò: – Manco a mmia.

– Da quale punto di vista? – chiese Vanina.

Fragapane alzò il pollice, come per enumerare qualcosa: – Tanto per cominciare, per come taliava quella carusa.

Vanina fece una smorfia. Figurati quanto poteva piacere a lei, un laido simile.

– Immaginiamo un poco come guarda la Iannino, – aggiunse Spanò, sventagliando la foto che il collega aveva estratto dalla raccolta.

Il vicequestore non si pronunciò, ma l'occhiata che si scambiarono valeva piú di cento commenti.

L'auto di servizio era parcheggiata due isolati piú giú, lungo un marciapiede popolato da una fila ininterrotta di negozi. Vanina aveva già un piede dentro la macchina quando vide Spanò pietrificarsi.

– Chista nun ci vuleva! – fu il commento sussurrato di Fragapane, che riemerse prontamente dai meandri del sedile posteriore dov'era stato relegato.

Dalla doppia porta a vetri di una gioielleria, una di quelle in cui l'unità di misura minima parte dal migliaio di euro e che Vanina conosceva per averci accompagnato Giuli un paio di volte, era appena uscita una coppia. Lei, allegra, si rigirava in mano un pacchetto regalo. Lui belloccio, acchittato come un manichino, la guardava compiaciuto sorridendole a denti spiegati.

Spanò mosse due passi verso di loro.

– Rosi, – chiamò.

La donna alzò lo sguardo e cambiò espressione. Batté gli occhi, imbarazzata.

– Ciao Carmelo, – lo salutò.

L'ispettore si avvicinò, le strinse la mano. Si scambiarono un sorriso forzato che si fermava a metà faccia. Poi si voltò verso il manichino e tese la mano anche a lui, di sfuggita, con indifferenza.

– Ti avrei telefonato stasera, per farti gli auguri, – le disse.

– Grazie.

La donna sorrise a Fragapane.

– Ciao Salvatore.

– Ciao Rosi, come stai? – si scambiarono due baci, un po' forzati.

Spanò si voltò verso Vanina, che s'era tenuta discretamente in disparte e stava fumando una sigaretta appoggiata allo sportello dell'auto.

– Dottoressa, le posso presentare... – Non seppe come completare la frase. Mia moglie, avrebbe voluto dire. Ex, sarebbe stato costretto ad aggiungere. Quel prefisso odioso che gli veniva cosí pesante usare.

Il vicequestore si avvicinò allungandole la mano.

– Giovanna Guarrasi.

– Maria Rosaria Urso.

Graziosa, viso acqua e sapone, occhi vivaci. Almeno dieci anni piú giovane dell'ispettore. Che non le toglieva gli occhi di dosso, disturbando in modo evidente il manichino, il quale si fece avanti e si presentò a Vanina.

– Avvocato Enzo Greco.

Un pomeriggio monotematico, pensò il vicequestore.

Che l'uomo per cui l'ex signora Spanò aveva mollato il marito fosse un avvocato, per l'esattezza civilista, Vanina l'aveva appreso dai chiacchiericci indiscreti della sua amica Giuli. Un «pezzo grosso», l'aveva definito la De Rosa. Uno brillante, cui le donne correvano dietro e che poteva permettersi di stupirle con effetti speciali. Gli stessi di cui doveva essere colmo quel pacchettino da mille e una notte che Maria Rosaria stringeva tra le mani e che lui s'affrettò a indicare come «il suo regalo per Rosi».

Un regalo che, a giudicare dal tenore della gioielleria, l'ispettore capo Carmelo Spanò non si sarebbe potuto permettere neppure raddoppiando i suoi turni per un anno.

Un colpo basso che al vicequestore smosse i nervi. E che dovette smuoverli pure all'ispettore, perché perse d'un tratto l'aria da cane bastonato con cui aveva assistito alla scena iniziale e mise su una delle facce piú dure che Vanina gli avesse mai visto.

– Sono sicuro che se l'è saputo meritare, – disse, beffardo. Si avvicinò all'ex moglie e le schioccò un bacio sulla guancia. Un bacio rumoroso, quasi rabbioso. – Buon compleanno, Rosi –. Senza piú guardarla in faccia, senza degnare né lei né l'altro di un saluto, girò i tacchi e partí verso l'auto di servizio.

Tirò fuori le chiavi e si guardò le mani, scosse da un leggero tremore. Vanina lo raggiunse prima che aprisse la portiera del guidatore.

– Si vada a sedere dall'altra parte, – gli intimò.

L'ispettore obbedí.

Rimase zitto per tutto il tempo, mentre Fragapane tentava inutilmente di riavvolgere il nastro commentando il pomeriggio, come se niente fosse.

– Mi scusi, dottoressa, – le disse Spanò quando furono davanti al portone della Mobile.

– Di che cosa dovrei scusarla?

– Per aver perso il controllo.

Fragapane li lasciò.

– Ispettore, mi creda: sarebbe stato difficile per chiunque mantenere il controllo in una situazione simile.

– Sí, ma io avrei dovuto evitare di fermarmi a parlare con… quei due.

– Ma non ce l'ha fatta. È umano, è comprensibile.

L'ispettore abbassò un attimo gli occhi, si allisciò i baffi.

– Ho fatto una figura di merda, – disse a bassa voce.

– Con chi?

– Tanto per cominciare con lei, dottoressa.

– Con me? Ma che sta babbiando, ispettore? Manco lo deve pensare.

Spanò non rispose.

Vanina lo prese sottobraccio e lo spinse oltre il portone.

– Se proprio lo vuole sapere, quel damerino stava smuovendo i nervi pure a me.

L'ispettore tentò di sorridere, mentre sospirava con rassegnazione.

– Perché non se ne va a casa? Tanto mi sa che notizie nuove per stasera non ne avremo, – gli propose.

– Ora sta babbiando lei, capo! Se non resto qui a lavorare, stasera mi vado a sbattere la testa muri muri. Anzi, mi piglio macari il turno che toccherebbe a Salvatore, cosí lui se ne torna da Finuzza. Sono sicuro che lei mi capisce.

Certo che lo capiva. Le nottate che s'era fatta lei cosí non si contavano. Immersa nel lavoro, a cercare indizi, a spulciare carte, a sorvegliare persone. Tutto in prima persona, pur di non cedere ai pensieri. Presero le scale e raggiunsero il corridoio, lungo e stretto, degli uffici. Non c'era quasi piú nessuno, neppure alla Sco. Il Grande Capo se n'era andato presto, Vanina gli augurava insieme a Marta.

Dell'auto di Lorenza Iannino, ancora nessuna notizia. Se ne parlava l'indomani. Sempre se non era finita da qualche sfasciacarrozze, se non era stata bruciata o buttata a mare. Se non era scomparsa. Come la sua proprietaria.

9.

Che Adriano Calí sarebbe arrivato a casa sua prima di lei, Vanina ne era certa. Cosí come era certa di trovarlo spaparanzato nel soggiorno di Bettina, a consumare il ricco aperitivo che la sua vicina di sicuro gli aveva offerto. Un aperitivo casereccio, in cui l'unico cocktail contemplato era il vino nuovo allungato con la gazzosa e l'accompagnamento da solo valeva come una cena.

Si fece la strada con tutta calma. Il finestrino aperto, la sigaretta accesa, Vasco Rossi a basso volume. Riepilogò mentalmente la giornata. Quel caso era partito in modo strano, per i suoi standard rallentato. Vero, c'era una telefonata anonima, c'erano i resti di un festino a base di alcol e droga, una poltrona macchiata di sangue, una ragazza scomparsa. E se Tammaro e Monterreale non avessero notato il tizio che gettava la valigia sugli scogli, e non avessero avvisato Spanò, a quest'ora non avrebbero avuto in mano neppure il telefonino. Quello da cui sperava di recuperare qualcosa che servisse a far partire l'indagine sul serio.

La Smart grigio metallizzato del suo amico, com'era ovvio, era già lí. Parcheggiata davanti alla porta di ferro del garage che custodiva tutti i mezzi della famiglia di Bettina, compresi quelli che il figlio aveva lasciato quando s'era trasferito al Nord. In fondo al garage, ben coperta da un telo di cellophane, c'era persino una Vespa «Faro Basso» anni Cinquanta, pari pari a quella di Gregory Peck in *Vacanze romane*. La famosa «motoretta» su cui «la buonanima di suo marito» l'aveva portata fuori la prima volta.

Aprí il portoncino di ferro e salí la rampa di scale. Il finestrone della cucina di Bettina era aperto a metà, e dentro non c'era nessuno. Vanina la scorse china in mezzo al prato, intabarrata in un giaccone imbottito da pieno inverno. Adriano Calí era seduto sul tronco mozzato di una palma che il famigerato Punteruolo rosso aveva fatto fuori l'estate prima, e teneva in braccio uno dei due gattini trovatelli che la donna aveva adottato di recente.

– Secondo me ci vede benissimo, – diceva il medico, con l'aria professionale che avrebbe riservato a un paziente di razza umana. Deceduto, nel suo caso specifico.

Bettina si accorse di lei e agitò un braccio. – Dottoressa, vinisse ccà!

Vanina riconobbe subito il tema della discussione, che la vicina scodellava a giorni alterni anche a lei. S'era fissata che il gattino era cieco da un occhio, e non c'era verso di farle cambiare idea. Chissà che l'opinione autorevole del dottore Calí non riuscisse a convincerla.

Adriano le andò incontro con le braccia larghe lungo i fianchi e la salutò senza toccarla. Vanina pensò divertita alla quantità di sapone che avrebbe consumato di lí a cinque minuti per eliminare qualunque germe felino dalle mani. Un patofobico da non crederci, soprattutto considerato il lavoro fituso – e non solo in senso metaforico – che faceva.

E infatti.

– Dottore, scusasse per la sfacciataggine, ma me la deve levare una curiosità? – disse Bettina, sporgendo la testa nel bagno degli ospiti dove aveva appena accompagnato il medico. Gli porse un asciugamano di lino, con tanto di iniziali ricamate e *giummi* attaccati in fondo.

– Mi dica.

– Ma come fa, lei che è cosí igienista, a cummattiri dalla mattina alla sera con i cadaveri?

– Curiosità legittima, signora Bettina. Che vuole che le dica? Il lavoro è lavoro, me lo sono scelto io. E le assicuro che impressione non me ne ha fatta mai, neppure quand'ero specializzando –. Intanto s'era avvicinato al tavolo della cucina e si stava versando altro vino e altra gazzosa.

Vanina capí che di questo passo non se ne sarebbe uscita piú. Col permesso di Bettina, lo agguantò e lo trascinò al bar *Santo Stefano*.

Mentre aspettavano le quattro pizze siciliane che avevano ordinato, tre da dividersi loro due e una con cui omaggiare la vicina, Vanina gli raccontò il caso anomalo che aveva per le mani.

– Perciò a breve di questa ragazza me ne dovrò occupare io, – fu la conclusione di Adriano.

– Non è detto che capiti proprio a te.

– Se il pm è il dottore Vassalli, è sicuro. Chissà perché, questo si fissò che deve chiamare sempre me!

– Perché sei il migliore, ovvio. E sappi che è l'unica opinione che io e Vassalli condividiamo.

Tra le siciliane per loro, quella per Bettina, due arancini omaggio della ditta, le paste allo zabaione che Adriano aveva insistito per prendere – anche per Bettina, ovvio, ma che domande fai? – tornarono a casa carichi di vassoi e vassoietti.

Si spazzolarono ogni cosa seduti in cucina, compresi dolci, cioccolata e un amaro all'arancia per cui il dottore Calí andava pazzo. Poi si trasferirono sul divano grigio, davanti al maxi televisore. Adriano ricevette due messaggi da Luca, che lesse con un sorriso ebete stampato in faccia. A metà del film, mentre un quartetto di vitelloni catanesi dissertava di conquiste femminili col brancatiano protagonista, tracannando litri di Punt E Mes, il dottor Calí ronfava sonoramente. Vanina lo sorprese cosí: occhiali calati sul naso, telefono stretto in mano, abbracciato a un cuscino come un picciriddo bisognoso d'affetto. Sereno.

Sorrise e abbassò il volume. Difficilmente l'avrebbe schiodato da lí. Andò a prendere una coperta e gliela mise addosso. Adriano scivolò giú invadendo il divano quasi per intero e si sistemò il cuscino sotto la testa. Vanina fece un gesto avanti e indietro con la mano, divertita: – Buonanotte, va'!

Spense il televisore, la luce e se ne andò nella sua stanza. Soppesò il letto con lo stesso spirito con cui si guarda la poltrona del dentista. Sonno zero.

Controllò il telefono: nessun messaggio. Proprio in parola l'aveva presa stavolta, Paolo. Era incoerente confessarselo, ma le faceva male. Un male cane.

Tornò indietro verso il soggiorno. Scrisse su un post-it un messaggio per Adriano e glielo attaccò sul telefono.

Si rinfilò la fondina e recuperò dall'armadio un altro giubbotto, sempre di pelle ma piú pesante. Mise la sciarpa leggerissima e calda che dall'autunno in poi si portava dietro come una coperta di Linus. A sciroccata finita, era verosimile che la temperatura notturna sarebbe scesa. Controllò che la Beretta d'ordinanza fosse al suo posto, come faceva meccanicamente dalle dieci alle venti volte al giorno.

Uscire disarmata per il vicequestore Guarrasi non era un'ipotesi contemplabile. In nessuna occasione. Quella di non farsi trovare impreparata di fronte a nessun pericolo, per sé ma soprattutto per quelli a cui voleva bene, era una specie di ossessione, che affondava le sue radici nel trauma piú spaventoso che aveva vissuto. Quando aveva quattordici anni, alla carneficina che quei tre mafiosi stavano compiendo sul corpo di suo padre, Vanina non aveva potuto che assistere inerme. Quel giorno aveva giurato a sé stessa che, appena avesse raggiunto l'età, nonché la qualifica che da quel momento avrebbe vissuto per ottenere, la sua arma – d'ordinanza o non – sarebbe stata sempre con lei. Pronta a difendere chiunque ne avesse avuto bisogno.

Un'ossessione grazie alla quale Paolo Malfitano era ancora vivo, mentre i suoi aspiranti assassini da quattro anni erano collocati tra il camposanto e la galera.

Per mano sua.

Il sensore della Mini segnava 12 gradi.

Vanina attraversò Santo Stefano e poi Valverde, girò per San Gregorio e prese la strada per Catania. Sulla circonvallazione c'era ancora traffico, secondo la regola di quella città che pareva non dormire mai. Vanina superò l'incrocio di Ognina e il distributore di benzina con dietro un albergo, nato illo tempore come *Motel Agip* ma che ormai cambiava nome a cadenza biennale. Girò per via Villini a Mare. Se la fece tutta, in cerca di chissà cosa. Davanti al villino della Iannino scese. Si avvolse la sciarpa per bene, si appoggiò allo sportello e si accese una sigaretta. Mano sinistra in tasca e piedi incrociati, fissava la sagoma del fabbricato come se nascondesse un dettaglio e lei lo dovesse scovare. L'intruso della «Settimana Enigmistica».

Aveva la sensazione che quella casa non gliela stesse contando giusta. La fretta con cui era stata lasciata, la porta sul retro mezza aperta. E poi il fatto che la ragazza l'avesse tenuta nascosta al fratello e all'amica.

Una macchina con a bordo due persone si fermò davanti all'unica villa che sembrava abitata. Il finestrino dal lato del guidatore si aprí. Un uomo fece capolino, la faccia diffidente.

– Scusi, posso sapere cosa sta guardando?

Vanina si staccò dallo sportello e s'avvicinò. Tirò fuori il tesserino.

– Vicequestore Giovanna Guarrasi, squadra Mobile.

L'uomo cambiò espressione, s'impappinò. Scese dall'auto.

– Mi scusi... non immaginavo.

– Non si scusi. Fa bene. Lei è?

– Fortunato Bonanno. La signora è mia moglie, – indicò la donna che stava scendendo dall'altro lato.

– Abitate qui?

– Sí.

Una botta di culo insperata.

– Posso rivolgervi qualche domanda?

I due si guardarono incerti. Era mezzanotte e mezzo.

– Certo.

– Conoscete l'affittuaria di quel villino lí?

– Quale, quello? – chiese l'uomo, indicando la casa della Iannino.

– Esattamente.

– No. Cioè non proprio...

– In che senso, non proprio?

– Nel senso che di preciso chi siano gli inquilini non l'abbiamo capito. Stabilmente non ci abita nessuno.

– Neppure d'estate?

– No, neppure d'estate. Un paio di sere alla settimana vediamo le luci accese, ma le macchine non sono sempre le stesse. Ogni tanto si sente musica e baccano. Solo una volta, ora che ci penso, qualche mese fa, abbiamo incontrato qualcuno. Avevamo avuto un problema con una siepe da potare e il proprietario ci disse di rivolgerci a una persona. Una ragazza. Vero, Luisa?

– Sí. Un'avvocatessa se non ricordo male.

Vanina tirò fuori la foto della Iannino sul telefono e gliela mostrò.

– Lei?

– Sí, sí. È lei.

– Due sere fa c'era gente?

– Due sere fa? Avoglia! Doveva esserci una festa, o qualcosa di simile. Me lo ricordo preciso, perché avevano parcheggiato davanti al nostro cancello e dovetti scendere per farli spostare. Lungo il muretto c'erano almeno cinque o sei macchine parcheggiate, piú quelle messe dentro il cortile del villino. Ce n'era una…

Vanina drizzò le antenne.

– Una?

L'uomo rimase zitto.

Il vicequestore s'innervosí. Affilò lo sguardo.

– Signor Bonanno?

Quello esitò ancora un momento, intimidito.

– Ma no, niente. C'era una macchina che mi aveva colpito.

– Perché?

– Era una macchina particolare. Di lusso.

– Marca?

– Non lo so, non l'ho riconosciuta.

– Il colore?

Di nuovo silenzio, come se ci stesse riflettendo, poi: – Rossa… mi pare.

Vanina avrebbe scommesso dieci dei suoi film d'epoca che Bonanno la marca l'aveva riconosciuta benissimo, ma che aveva preferito non dirgliela. Un dettaglio su cui valeva la pena di ragionare.

– Non avete sentito nulla di strano, quella sera? Urla, o magari rumori.

– No. Ma sa, da dentro casa, con la televisione accesa… – L'uomo esitò di nuovo, poi parve rompere gli indugi: – Però una cosa me la ricordo: le auto se ne andarono tutte insieme e pure di corsa. Ci feci caso perché sentii confusione e mi affacciai per vedere che stava succedendo. In due minuti non c'era piú nessuno.

– Nemmeno la macchina di lusso?

– Nemmeno quella... mi pare.

– E la casa, era ancora illuminata?

Bonanno ci pensò su, questa volta per davvero.

– Sinceramente non saprei, però penso di sí. Se il giardino fosse stato al buio me ne sarei accorto.

Per il momento bastava e avanzava.

– La ringrazio. Se dovessimo avere bisogno di qualche altra informazione vi disturberemo –. Gli allungò un biglietto da visita. – E se doveste ricordare qualcos'altro, anche qualcosa di banale, mi raccomando chiamatemi.

L'uomo annuí, rigirandosi il biglietto tra le mani.

– Mi scusi, dottoressa, posso farle una domanda?

– Mi dica?

– Ma è successo qualcosa?

Che domanda! Era appena stato sottoposto a un interrogatorio niente di meno che da parte di un vicequestore di PS. Che certo non si trovava lí per passatempo...

– L'affittuaria del villino è scomparsa, – gli rispose Vanina. Altro non era il caso di aggiungere.

Aspettò che i due, impressionati dalla notizia, entrassero in casa, prima di risalire nella Mini. Finí di percorrere la strada, seguendo il muretto lungo il quale Bonanno aveva detto di aver visto le auto ferme. Venti metri piú giú del villino, mezza nascosta sotto un oleandro che sporgeva da dietro una siepe incolta, c'era una Toyota Corolla grigia.

Non c'era bisogno di controllare la targa per intuire di chi fosse. E meno male che la stavano cercando!

Prese il telefono e compose il numero di Carmelo Spanò.

– Chiami la scientifica. Ho trovato la macchina della Iannino.

Adriano dormiva profondamente. Il plaid tirato fin sotto il mento, il cuscino stretto tra il braccio e la testa. Il post-it era appoggiato sul tavolino, segno che s'era svegliato e l'aveva letto. E che aveva deciso di restare.

I riscaldamenti a quell'ora erano spenti e la temperatura in casa s'era abbassata. Vanina andò a prendere una coperta supplementare e gliela mise addosso. Spense tutte le luci e finalmente s'infilò nel letto.

Erano le due e mezzo. Ora, forse, avrebbe dormito.

10.

Quando il portone sprangato della Mobile gli comparve davanti, al commissario in pensione Biagio Patanè non parve vero di essere approdato a destinazione.

L'idea di farsela a piedi non era stata propriamente una genialata. La strada sembrava allungarsi ogni minuto di piú, le scarpe si andavano stringendo di un punto ogni tre passi. Per non parlare poi dell'anca, che manco a metà percorso già protestava come se avesse fatto la maratona di New York.

Riprese fiato e citofonò.

Ignorò le scale centrali, da cui saliva di solito, superò il distributore di bevande e s'infilò nel retro dello stabile, dov'erano quelle di servizio. Anguste e poco illuminate. Né piú e né meno di come le aveva lasciate lui diciassette anni prima, quando per sopraggiunti limiti di età l'avevano costretto ad abbandonare quel mondo. L'ascensore, piccolo e vecchio, era sempre lí. Entrò e si richiuse la porticina scorrevole alle spalle, pregando di non rimanerci intrappolato.

Il quartier generale di quella che ai tempi suoi si chiamava squadra Omicidi, oramai ribattezzata sezione Reati contro la persona, alle undici e mezzo del mattino era in piena attività. Il solo percorrere quel corridoio lo ricaricava di un'energia vitale straordinaria, di cui mai come quella mattina il vecchio commissario sentiva di avere un bisogno disperato. L'aria stessa che si respirava lí lo faceva sentire ringiovanito di trent'anni.

E poi c'era lei, il vicequestore aggiunto Giovanna Guarrasi: la sbirra piú in gamba che avesse mai conosciuto. La sua telefonata gli era caduta addosso come una manna dal cielo.

Vanina si alzò dalla sua poltrona e gli andò incontro a braccia aperte.

– Commissario! Ma dove s'era perso tutti questi giorni?

Vestito grigio, cravatta scura, impermeabile beige. Cupo come non l'aveva visto mai.

– Eh, cara dottoressa mia, giorni da dimenticare. Soprattutto stamattina...

Lo invitò a sedersi. Gli aveva telefonato appena arrivata in ufficio per proporgli un caffè, ma lui le aveva risposto che prima delle undici e mezzo non ce l'avrebbe fatta. Anche la voce le era parsa meno pimpante del solito. S'era preoccupata. Il commissario Patanè, pur essendo una conoscenza molto recente, era una delle persone cui teneva di piú. Un amico prezioso. Un guru del pensiero poliziesco.

– Mi pare affaticato, – constatò.

– Perché fici la spirtizza di venirmene a piedi da piazza Stesicoro. Lo scimunito che sono! Che può essere 'na passeggiatina?, pinsai. E mi sbagghiai. Evidentemente macari chistu, a ottantatre anni non è piú cosa pi mmia, – scosse la testa.

– Ma la finisca, commissario! Che tra lei e me in fatto di resistenza vince lei dieci a zero. Piuttosto, da dove viene tutto azzimato a capo di mattina?

Patanè esitò un momento. Come se preferisse evitare l'argomento.

– Da un funerale.

– Una persona cara?

– Di piú, dottoressa. Una persona con cui ho condiviso giorni e notti per trent'anni. Un amico vero.

– Non sarà... il maresciallo Iero?

L'espressione di Patanè le rispose da sola.

Vanina si dispiacque.

L'aveva conosciuto un mese prima, Rosario Iero. Uno di quei poliziotti che la divisa ce l'hanno cucita addosso pure a novant'anni, su una carrozzina. Uno che in polizia c'era entrato ai tempi in cui esistevano ancora i marescialli, e ne era uscito solo quando l'età non gli aveva piú permesso di restarci. Era stata lei a volerlo incontrare, quella volta, e il commissario l'aveva accontentata. Voleva ringraziarlo per aver contribuito, con la sua ferrea memoria ultranovantenne, alla risoluzione dell'indagine piú assurda che le fosse mai capitata per le mani: quella della donna mummificata rimasta in un montacarichi dal 1959. Quella che le era valsa la conoscenza di Patanè e la sua amicizia, della quale ormai non avrebbe piú saputo fare a meno.

– Mi dispiace. Ma proprio assai, commissario. Come fu?

Patanè si strinse nelle spalle.

– Immortali non siamo, dottoressa Guarrasi. Di bonu e bonu, gli venne la febbre. Poi la polmonite... e in cinque giorni non c'era piú –. Rimase per un attimo a testa bassa. Poi si riscosse e si sistemò sulla sedia. – Perciò meglio non angustiarci gli ultimi scampoli di vita che ci restano, non è d'accordo? – divagò, sforzandosi di sorridere.

– D'accordissimo. Che le offro? Cioccolata? Caffè? Purtroppo è quello del distributore, l'avverto. Sigarette?

– Caffè no, per carità, che l'altra volta m'arrisicai a pigliarlo e pareva veleno! Le altre due cose sí, grazie. Ma nell'ordine inverso a come le ha dette.

Vanina tirò fuori la cioccolata dal cassetto e recuperò le sigarette dalla tasca della giacca.

– Perciò, mi cuntasse un poco di cose, – attaccò il commissario, affacciandosi al balcone con la Gauloises appena accesa tra le labbra. Un sorriso sornione si stava facendo largo, a scalzare la malinconia.

– Quanti giornali s'è già letto stamattina? – chiese Vanina.

La scomparsa di Lorenza Iannino era finita ovunque. Testate nazionali, locali, notiziari online, Facebook, Twitter e tutto l'universo creato dell'informazione. Una fuga massiccia di notizie, che per fortuna ancora si limitavano alla sparizione senza tirare in ballo altro. Segno che le dritte non provenivano da gente troppo vicina all'indagine. Sante Tammaro s'era dimostrato una persona seria, bisognava dargliene atto. E pure Lo Faro, che quella mattina l'aveva aspettata sul portone, preoccupatissimo di finire nel mirino delle sue accuse, aveva potuto tirare un sospiro di sollievo.

– Solo «La Gazzetta Siciliana», – rispose Patanè. – Tempo di leggere altro, stamattina non ne ho avuto. Ma 'sta storia della ragazza scomparsa m'intrigò. Anzi, le devo confessare che se non m'avesse chiamato lei, capace che piú tardi mi sarei fatto vivo io. Con una scusa, naturalmente! – Rise. Stava tornando del solito umore.

Vanina gli raccontò quello che non aveva trovato scritto sul giornale.

Patanè tirò subito le somme. – A mmia i risultati del Dna non servirebbero. Mi pare ovvio che è lo stesso sangue, e mi ci gioco qualunque cosa che si tratta del sangue della ragazza.

– Se è per questo manco a me. Ma in assenza di cadavere, qualche elemento concreto per poter avviare un'indagine per omicidio bisogna pur trovarlo, commissario. Lei che dice?

– Certo. Concreto e tangibile. Conosco la solfa.

E non conosceva il pm Vassalli.

Gli raccontò anche del suo sopralluogo notturno fuori programma, e si beccò una lavata di capo per esserci andata da sola.

Il commissario si grattò il mento, come faceva quand'era in fase cogitativa.

– 'Sa unni finíu, il cadavere.

– A mare, probabilmente. Anche se le ricerche finora sono state infruttuose.

– Col mare cosí agitato, poi. E i risultati delle analisi, invece, quando dovrebbero arrivare?

Patanè non aveva ancora finito di formulare la domanda, che qualcuno bussò alla porta. L'ispettore capo Spanò entrò svelto, puntando dritto verso la scrivania della Guarrasi, vuota. Poi si voltò verso il balcone.

– Commissario bello! – Lo raggiunse a grandi falcate e lo abbracciò.

Il commissario ricambiò l'abbraccio. Carmelo Spanò era uno dei pochi uomini della sua squadra a essere ancora in servizio. Uno dei migliori. L'altro era Fragapane.

– Abbiamo novità? – chiese Vanina, adocchiando le carte che teneva in mano.

– Grosse, capo.

Si accomodarono tutti e tre al tavolo del vicequestore.

Spanò tirò fuori il primo foglio: – Allora: il sangue della valigia e quello della poltrona coincidono, e sono compatibili col Dna dei campioni prelevati in casa della Iannino.

– Come volevasi dimostrare, – commentò Vanina, scambiando uno sguardo con Patanè.

– Detto fra noi, Pappalardo scassò la minchia a mezzo gabinetto di polizia scientifica di Palermo per farli comparare subito, – aggiunse Spanò, compiaciuto.

– E noi lo ringraziamo. Andiamo avanti, ispettore. La macchina della Iannino?

– Riposa nel nostro deposito.

Il commissario li guardò interrogativo. Vanina finí di raccontargli la sua incursione notturna in via dei Villini a Mare.

– Secondo me utilizzarono la macchina della ragazza per liberarsi del cadavere, – concluse Patanè.

– È quello che penso anch'io. Infatti voglio che la rivoltino come un calzino. Ho già avvertito il pm –. Venti minuti di conversazione che si sarebbe *scansiata* volentieri se non si fosse trattato di accertamenti non ripetibili, che perciò andavano comunicati.

– Una buonissima notizia, – riprese Spanò, – è che abbiamo recuperato tutto quello che c'era nell'iPhone della Iannino. Nunnari è ancora al lavoro. Ma una cosa gliela posso dire subito: Ussaro non ci contò la verità.

Patanè fece un sorriso ironico. – Manco a dirlo.

Vanina e Spanò si girarono verso di lui, sorpresi.

– Stiamo parlando di Ussaro il professore, giusto? – chiese il commissario.

– Avvocato Elvio Ussaro, professore ordinario alla facoltà di Giurisprudenza di Catania, – confermò Vanina, leggendo la dicitura esatta con una punta di sarcasmo che al vecchio poliziotto non sfuggí.

– Sautafossa di prima categoria, – aggiunse Patanè.

– Ma tutti conosce, commissario?

– Tutti proprio tutti no, dottoressa. Uno com'a chiddu però è difficile non conoscerlo, se lavori nell'ambito della giustizia.

– Che vuol dire?

Patanè tirò un respiro lungo: – Che non è persona di cui fidarsi.

La Guarrasi lo fissava meditativa. Carmelo si allisciava i baffi.

– Insomma, è uno che pur di vincere una causa è capace di imbrogliare le carte, e macari di giurare il falso. E siccome è ammanigghiato bene, da tutte le parti e con le persone giuste… Mi spiegai?

Eccome se s'era spiegato.

– E che cosa ci nascose, il saltafossi? – chiese Vanina a Spanò.

– Che la sera in cui se ne andò prima dallo studio la Iannino gli telefonò due volte e gli mandò tre sms, – l'ispettore inforcò gli occhiali e controllò un foglio, – rispettivamente alle 21 e alle 21.13. Gli sms uno dopo l'altro, alle 21.55. Tra poco dovremmo anche sapere che c'era scritto. Anzi, vado a informarmi subito –. Si alzò e uscí dalla stanza.

– Bella 'sta vita, ah! – fece Patanè. – Uno due e tre, e vi dicono macari quante volte respirò l'indagato. Ai tempi miei quello che si erano scritte due persone te lo potevi solo immaginare, a meno che non trovavi lettere o cartoline. O pizzini, a secondo del genere di persona.

– Magari fosse cosí, commissario. Ci risparmieremmo un bel po' di tempo. Invece tutti questi dati, queste indicazioni, certe volte possono perfino fuorviare. Per questo preferisco sempre rifletterci sopra bene, prima di utilizzarli.

Patanè annuí. – Però le cose giuste: stavolta mi pare che ci abbiano dato un elemento utile, o mi sbaglio?

Vanina sorrise. Ogni volta che lo metteva a parte di un'indagine, il commissario Patanè iniziava a sentirsela sua. A parlarne usando il noi. Perché levargli questo piacere?

– Non si sbaglia. Dobbiamo intensificare le ricerche del cadavere, e non sarà un'impresa da poco –. Il vicequestore aprí la porta e chiamò la Bonazzoli, che comparve subito, vestita come nessuno lí dentro l'aveva mai vista. Jeans a zampa, tacchi, maglia aderente.

– Buongiorno, commissario, – salutò, con la compitezza che gli riservava sempre.

– Buongiorno, ispettore.

Vanina sbirciò Patanè e faticò a non sorridere del suo vano tentativo di staccare gli occhi dalla ragazza, che piú bella non poteva essere.

– Marta, allarghiamo le ricerche del cadavere della Iannino. Sia verso la Playa che verso Acireale. L'ipotesi che sia finito in mare mi sembra la piú probabile, ma non escludiamo del tutto anche le altre.

– Ok, vado subito.

Uscí oscillando sui tacchi, mentre Spanò rientrava insieme a Nunnari, che la seguí con lo sguardo fino al corridoio.

Vanina lo distrasse dall'inseguimento.

– Nunnari! Sono contenta di vederti qui. Ti ripigliasti?

Il sovrintendente si raddrizzò di scatto. Fece un cenno di saluto a Patanè.

– Pure io sono contento di essere qui, capo! Pietre pietre me la sono vista. Potevo morire.

– E tutto per un piatto di segatura condita, – concluse il vicequestore.

Spanò scoppiò a ridere.

Nunnari scosse la testa. – Ma virissi che di sapore non era cattivo. Anzi.

– Come no! Un manicaretto succulento era, – commentò Vanina. Poi: – Torniamo a noi, che non è piú cosa di perdere tempo. Ci sono novità consistenti dal telefono della Iannino?

Nunnari annuí. – Signorsí.

Spanò si appoggiò con la schiena al muro accanto alla poltrona del vicequestore. Mani in tasca e piedi incrociati, palesemente già informato di quello che stava per riascoltare.

Il sovrintendente invece rimase impalato nella posizione che Vanina definiva «da colloquio», ovvero sull'attenti.

– Non fu manco difficile, una volta ripristinato il display, perché la password era facilissima. La sua data di nascita, pinsasse un poco! Telefonate quella sera ne ricevette assai. Piú o meno intorno alle 19 ne ebbe cinque, da due numeri diversi –. Lesse un foglio: – Intestatari dei numeri: Giarrizzo Elisa e Parra Valerio. La ragazza invece telefonò a quattro persone. Una è il fratello: pochi minuti, intorno alle 19.30. Poi niente fino alle 21, quando chiamò l'avvocato Ussaro, da cui mezz'ora dopo ricevette un'altra telefonata. Gli ultimi due numeri indovini un po' a chi sono intestati? Uno a Spada Susanna e uno ad Alicuti Giuseppe.

Patanè balzò sulla sedia. – Alicuti Alicuti? Quello che penso io? – chiese, rivolto a Spanò.

L'ispettore chinò la testa due volte, con tanto di palpebre abbassate per rimarcare meglio la cosa. – Alicuti Giuseppe, detto Beppuzzo, – spiegò.

– Comunque, – disse Vanina, – la notizia è che abbiamo scovato un'altra bugiarda all'interno dello studio legale. Anche la Spada ha negato di aver sentito la Iannino quella sera. E il motivo può essere solo uno.

– Che la Spada aveva qualche cosa da nascondere, – indovinò Spanò. – E infatti, chiuso il capitolo telefonate, si apre quello degli sms –. Si fermò per non levare a Nunnari, che s'era fatto il mazzo con il collega della postale, il piacere di riferire al capo le notizie succose che erano emerse.

Ma il sovrintendente gli fece segno di continuare.

– Nunnari ha trascritto tutto, ma una cosa però gliela possiamo anticipare: sia Ussaro, sia la Spada, sia Alicuti hanno partecipato alla festa. Non solo. Ussaro ha avuto anche parte attiva nell'organizzazione del sollazzo. Per la precisione dell'aspetto, diciamo cosí... stupefacente.

– È stato lui a procurare la coca?

– A quanto s'intuisce.

– E noi questo lo evinciamo dallo scambio di sms?

– Un fitto scambio, direi.

Vanina rifletté sulla cosa. Si dondolò sulla poltrona finché questa non si reclinò troppo all'indietro e non la costrinse a puntarsi sulla scrivania. – E cazzarola! – protestò. Si appoggiò sui gomiti.

Patanè pareva galvanizzato. – Minchia che notiziona! – si lasciò sfuggire. Si scusò con la Guarrasi, non tanto per la malaparola usata, che tanto ormai lo sapeva che non le faceva né caldo né freddo, quanto per il commento entusiasta. Non era riuscito a trattenersi: se ai tempi suoi avesse avuto una scusa buona per andare a toccare un personaggio simile, avrebbe fatto le capriole per la gioia.

– E non è tutto, – s'inserí Nunnari.

Il vicequestore si spazientí. – Se non la finite con 'sti giochetti e non mi comunicate in due minuti quello che avete trovato, m'incazzo sul serio. Parli tu, parlo io: e che siamo in un salotto?

I due si scusarono.

– Dai messaggi, sms e WhatsApp che la Iannino si scambia con Ussaro, si evince chiaramente che tra i due c'è cosa. Non solo, andando piú indietro Nunnari ne ha trovati alcuni che definire erotici sarebbe riduttivo. Pornografia vera, dottoressa!

Nunnari annuí.

Patanè era esilarato.

– Quello che mi avete detto per il momento resta tra noi, – ordinò Vanina.

I tre uomini la guardarono straniti.

– Be'? Che c'è?

– Scusi, capo, ma... in che senso? – fece Spanò.

Dalla faccia accigliata di Patanè, Vanina capí che la stavano fraintendendo.

– Non certo per cautela nei confronti di Ussaro, questo è ovvio, – chiarí. – Diciamo che mi voglio prendere un poco di vantaggio. Il che significa che queste notizie voi me le darete ufficialmente solo quando ve lo dirò io. Ci siamo capiti?

– Alla perfezione, dottoressa, – disse Spanò.

– Nel frattempo, ufficiosamente, recuperiamo piú informazioni possibile sul conto di Elvio Ussaro, e in particolare sui suoi legami con Giuseppe Alicuti. Mi raccomando, ispettore, ci pensi lei. E faccia attenzione, che per come l'ho inquadrato, questo potrebbe sgamarci in mezza giornata e addio vantaggio.

Spanò annuí. – Lassassi fare a mmia, capo.

Prima che se ne andasse Vanina lo richiamò.

– Spanò, dimenticavo! Veda se per caso Ussaro possiede un'auto di lusso. Rossa.

– Una Ferrari, – intervenne Patanè.

Vanina lo guardò ammirata. – È inutile, commissario. Lei ci fa le scarpe a tutti.

Si alzò in piedi seguita dal commissario, lusingato dal complimento.

Recuperò giubbotto, occhiali da sole e sigarette. Si mise l'iPhone in tasca e uscí dal suo ufficio insieme ai tre uomini.

11.

Il Grande Capo se ne stava ritto in mezzo al corridoio e lo occupava per metà. Le mani dietro la schiena e il solito sigaro spento in bocca. Si mosse per venire loro incontro, lanciato a mano tesa verso Patanè.

– Commissario carissimo, che piacere rivederla, – gli ingabbiò una mano in una stretta poderosa e gli posò l'altra sulla spalla, che parve abbassarsi sotto il peso dell'arto gigante. Per reazione, il commissario si raddrizzò piú che poté nel tentativo di avvicinarsi all'altezza dell'interlocutore. Il quale nel frattempo proseguí: – Era da un po' che non veniva a trovarci. Non è che s'era scordato del vicequestore Guarrasi?

Il sorriso indulgente, il solito che Macchia gli elargiva, mise come sempre in imbarazzo il commissario. Il primo dirigente doveva considerarlo di sicuro un vecchio scimunito, invaghito di una collega che per età si avvicinava piú a una nipote che a una figlia. Non poteva certo immaginare, il Grande Capo – cosí sentiva che lo chiamavano quelli della squadra –, su che basi si fondava il rapporto tra lui e la Guarrasi. Un rapporto solido, che tale era proprio perché non aveva mai contemplato da parte sua nessuna assurda infatuazione senile.

– Scordarsi del vicequestore Guarrasi è impossibile, – rispose.

Vanina nel frattempo era entrata nell'ufficio della Bonazzoli.

– Allora, Marta, come procediamo?

– Hanno intensificato le ricerche, come hai chiesto tu. Sono in azione anche i vigili del fuoco.

Macchia s'intromise: – Anche se, Vani', detto tra noi, dopo due giorni…

– Lo so, Tito. Ma che altro possiamo fare?

– E che possiamo fare, niente. Speriamo bene.

– Vanina, riguardo alla macchina della ragazza? Dobbiamo farla esaminare? – chiese Marta.

– Ovvio. Ma perché, ancora niente combinarono?

– Visto che l'auto era custodita nel nostro deposito, il dottor Manenti non ha ritenuto urgente… – Marta immaginava che non avrebbe potuto finire la frase. E infatti.

– Dite a quel deficiente che i risultati ci servono subito. Devono rilevare tutte le impronte rilevabili, dentro e fuori. Con un occhio particolare al baule –. Meglio evitare di parlarci di persona. Quella *negghia* presuntuosa aveva il potere di farle perdere le staffe.

– Ok, allora avverto subito.

– Lascia stare, tu vieni con me. Ad avvertire la scientifica ci pensa Fragapane, – disse Vanina, facendo un cenno al vicesovrintendente, che se ne stava al fianco di Spanò.

– Nunnari, tu invece scaricami tutte le conversazioni rilevanti dal telefonino della Iannino. E stampale.

– Signorsí, capo.

– Scusate, – fece Vanina, rivolta a tutti, – ma dei vari computer, tablet e via dicendo che avevate preso a casa della Iannino chi se ne occupò?

– Io, – rispose timidamente Lo Faro, rintanato nel suo angolino.

– E chi te l'ha ordinato?

– Io sono stato, dottoressa, – disse Spanò. – Gli avevo già dato un'occhiata, ma andava fatto un lavoro piú preciso. E lei lo sa che con la tecnologia non vado tanto d'accordo.

Vanina capí che l'aveva voluto ricompensare per la scarpinata sugli scogli. Dallo sguardo dell'ispettore però s'intuiva che non doveva esserci niente di importante.

– E che trovasti? – chiese a Lo Faro, che nel frattempo s'era alzato in piedi.

– Cose di lavoro, dottoressa. E poi fotografie, soprattutto di viaggi. Il tablet invece era nuovo nuovo. Mai usato praticamente –. Era piú intasato del giorno prima, ma in compenso la voce gli stava tornando.

– In qualcuna di queste foto era con un uomo?

– No. Era sola. Al massimo con un gruppo di persone. Solo in una c'era un uomo, ma l'ispettore mi disse che era il fratello.

– Va bene. Ridai tutto all'ispettore, comunque.

– Sí, certo. Glieli ho già ridati.

Vanina fece segno alla Bonazzoli di muoversi.

– Forza, Marta. Si va dal fratello della Iannino. A comunicargli le ferali notizie.

Marta trascinò i piedi fino al corridoio, con una smorfia di dolore. Macchia, che era rimasto lí insieme a Patanè, la guardava con un'espressione colpevole che fece sorridere Vanina. Ma vedi tu se era normale: Tito Macchia, il Grande Capo, l'uomo dallo sguardo piú autorevole di un'enciclica papale, totalmente assoggettato a una ragazza. Che gli passò davanti evitando di guardarlo.

– Marta, – disse Vanina, – mentre ci siamo, diamo un passaggio al commissario che altrimenti 'sa quando ci arriva a casa. E poi la signora Angelina dà la colpa a me.

Patanè rise. – Angelina pi mmia può parlare quanto vuole! Però il passaggio lo accetto volentieri, per riguardo alle mie anche.

Tito, di nuovo in sé, batté in ritirata augurando buon lavoro a tutti.

Anche al commissario.

Lasciarono Patanè davanti al portone di casa sua, giusto giusto nell'attimo in cui la moglie stava rientrando dal mercato carica di sacchetti.

Vanina scese dall'auto e andò a salutarla.

– Buongiorno, signora Patanè!

– Buongiorno, dottoressa Guarrasi. Come mai da queste parti?

L'espressione di Angelina non necessitava di sottotitoli. Di nuovo qua è, questa?

– La dottoressa mi riaccompagnò a casa. C'è anche l'ispettore Bonazzoli, te la ricordi? – disse Patanè. Lo sciagurato si stava divertendo.

La signora esaminò la mise di Marta, che era uscita dalla macchina e le faceva un cenno di saluto.

– Che vi capitò? Qualche altro caso vecchio di sessant'anni? – disse.

Vanina afferrò il sarcasmo.

– Stavolta no. Ma lo sa, l'esperienza del commissario è sempre preziosa.

La signora stirò le labbra in una specie di sorriso, però era contrariata. Ogni volta che compariva quella poliziotta, Gino suo iniziava a comportarsi in modo anomalo. Usciva negli orari piú impensati, non rientrava a pranzo; si comportava come ai tempi, per lei bui, in cui dirigeva la squadra Omicidi. Per non parlare della gelosia, che la consumava viva.

Cosí era, Angelina Patanè. Inutile ogni tentativo di ingraziarsela, o di smuoverla dalle sue posizioni.

Vanina l'aveva capito un attimo dopo averla conosciuta.

Ma un po' per affetto nei confronti del commissario, un po' perché in fondo quella donnona combattiva non riusciva a esserle antipatica, preferiva fare la gnorri.

Patanè tolse i sacchetti di mano alla moglie.

– Amuní, Angelina, che il vicequestore è in servizio.

Vanina aspettò che chiudessero il portone e rientrò in macchina.

– Prima andiamo a casa tua, – ordinò a Marta.

– Perché a casa mia?

– Cosí ti cambi quelle scarpe, che mi fanno male i piedi solo a guardarti. Come ti venne in testa di venirci a lavorare?

– Sono un regalo di Tito, – confessò Marta.

– E non potevi mettertele di sera? Magari per uscire con lui, che pover'uomo si farebbe staccare un braccio per portarti a cena fuori, e tu invece lo costringi a nascondersi.

– È quello che ho fatto. Siamo usciti a cena, solo che poi… non sono tornata a casa.

– Ah, ecco spiegato l'arcano! – E pure la faccia colpevole.

Vanina sorrise. Era contenta che la vecchia confidenza tra loro stesse ritornando. Le era mancata, in fondo.

Marta prese viale Vittorio Veneto, girò per via Gabriele D'Annunzio, poi ancora per via Oliveto Scammacca e si fermò all'angolo. In doppia fila, come obtorto collo aveva imparato a fare per sopravvivere a Catania.

Vanina si accese una sigaretta e si mise a fumarla fuori dalla macchina. Cinque minuti dopo la vide ricomparire a passo spedito, sorridente e rinfrancata, in sneakers e pantaloni alla caviglia.

– Grazie, Vanina, mi sento un'altra!

– Se me l'avessi detto stamattina invece di soffrire in silenzio, t'avrei spedito a cambiarti subito.

Gianfranco Iannino se ne stava piantato davanti a casa della sorella, dove Spanò l'aveva avvertito che lo avrebbero raggiunto. Aveva l'aria sconsolata di uno che ha perso ogni speranza. Le guidò verso una stanzetta con un tavolo da pranzo, un divano, un televisore e una scrivania ingombra all'inverosimile di carte gettate alla rinfusa. Anzi letteralmente rimescolate. Con ogni probabilità da Spanò, quando era andato lí la volta precedente.

Alla notizia che il Dna della sorella corrispondeva a quello del sangue trovato nel villino e di cui era sporca la valigia, Iannino traballò sulle gambe, sbiancò e si portò una mano al petto. Tirò fuori una scatolina, l'aprí e buttò giú una pillola. Si sedette di colpo su una sedia.

– Signor Iannino, tutto bene?

Quello fece segno di sí con la testa e scoppiò in un pianto dirotto.

– Lori mia, ma com'è possibile! – singhiozzava.

Marta aveva già gli occhi umidi. Vanina le lanciò un'occhiata storta e la spedí a recuperare gli oggetti che dovevano portarsi dietro. Aspettò che l'uomo si calmasse per fargli qualche domanda.

La prese alla larga.

– Sta meglio adesso?

– Sí, grazie.

– È sicuro di non aver bisogno di un medico? Poco fa mi è sembrato che stesse male. Ha anche preso un farmaco.

– Non si preoccupi. Sono un po' cardiopatico, ma mi so gestire.

La parola cardiopatico non deponeva benissimo, ma Vanina preferí evitare di insistere. Lo vide riprendere colore, risollevarsi a poco a poco.

– Signor Iannino, a quanto ci disse ieri, sua sorella non era fidanzata, – gli chiese.

– No, dottoressa.
– Ultimamente non aveva avuto nessuna storia?
– Non che io sappia. Anni fa era fidanzata con un ragazzo, che se non ricordo male studiava Medicina. Raffaele si chiamava. Raffaele… – si sforzò di ricordare, poi scosse la testa: – No, il cognome non mi viene. Un ragazzo per bene, era. Studiosissimo.
– Si ricorda perché era finita?
– L'unica cosa che so è che fu Lori a lasciarlo. Di punto in bianco per giunta. Lo so perché lui arrivò a telefonare persino a me, per capire il motivo.
– E qual era il motivo?
– Mia sorella non me lo seppe dire di preciso. S'era stufata, a quanto capii.
– Piú o meno quando successe?
– Ma perché me lo chiede, dottoressa? Non sospetterete che Raffaele… Quello non sarebbe capace di fare del male a una mosca!
– Io non sospetto di nessuno, signor Iannino. Indago. È il mio mestiere.
– Fu un paio d'anni fa. Lori si era appena laureata.
– Lavorava già nello studio legale di Ussaro?
– Sí, c'è entrata poco dopo la laurea. Cominciò subito a lavorare assai. Probabilmente anche quello influí, chi lo sa. Il ragazzo, questo me lo ricordo, era tutto casa e ospedale. Si stava specializzando. In Pediatria, mi pare.
Vanina indugiò un attimo, giusto il tempo che Iannino si soffiasse il naso.
– Sua sorella aveva una relazione con Elvio Ussaro, – sparò.
Quello restò talmente di sasso che non era immaginabile pensare che ne sapesse qualcosa.
– Ma… che sta dicendo, dottoressa! Lori, con quel… vecchio? Sicuramente vi state sbagliando!

– No, signor Iannino, non ci stiamo sbagliando. Nel telefono di sua sorella ci sono le prove –. Non si spinse oltre. Raccontargli i dettagli dei messaggi non era necessario. Anzi, viste le condizioni fisiche poteva essere deleterio. Però dovette riferirgli della festa al villino, cocaina compresa. Iannino non si agitò piú di tanto.

– Lei ha mai avuto l'impressione che Lorenza facesse uso di droghe?

– Ma quali droghe, dottoressa! Mia sorella era allergica a talmente tanti medicinali che si spaventava persino a prendere le vitamine –. L'uomo si strinse la testa tra le mani. Quando rialzò gli occhi era calmo ma piú affranto di prima. Le occhiaie sembravano ancora piú profonde.

– Anche l'amica di Lorenza, la dottoressa Livolsi, non sapeva niente del villino. Come se lo spiega questo? – disse Vanina.

– Eugenia è una persona seria, con la testa sulle spalle. Ed è l'unica amica che Lori si porta dietro dall'infanzia. Non sarebbe rimasta impassibile davanti a scelte sbagliate. Credo che sarebbe arrivata anche ad avvertire me. Perciò è probabile che mia sorella l'abbia tenuta all'oscuro di questa sua… vita segreta –. Si passò una mano sugli occhi: – Mio Dio, vorrei che fosse un incubo! – mormorò. Ora era affannato.

Vanina intuí che non ce la faceva piú. Non era il caso di insistere oltre.

Gli offrí un passaggio in macchina al bed and breakfast, ma lui rifiutò. Voleva prendere aria. Se ne andò prima di loro.

Vanina fece il giro dell'appartamento.

– Certo che è incredibile quanto sia diversa l'immagine di Lorenza che dipinge il fratello, rispetto a quella che emerge dagli elementi che abbiamo riscontrato noi, – considerò Marta, davanti all'armadio aperto dove il vicequestore stava frugando. In cerca di cosa, solo lei lo sapeva.

– Contraddittoria, direi, – rispose Vanina.

– Però, a rigor di logica, dovrebbe essere lui quello che la conosce meglio.

– O quello che ne conosce la bella copia.

– Che vuoi dire?

– Che da quando è arrivato, Iannino sta prendendo una mazzata dietro l'altra. Tutto quello che noi gli stiamo riferendo di aver saputo su sua sorella per lui è un'amara sorpresa. Perciò: o è un bravissimo attore, oppure della vera vita di Lorenza ne sapeva meno di me e di te. Io propendo per la seconda.

Tirò fuori un vestitino che lí per lí le era parso una maglietta, per quant'era corto. Taglia quaranta. Che fosse di Dolce e Gabbana non poteva sfuggire a nessuno, perché era scritto ovunque. Poi un paio di pantaloni, Gucci. Idem il cappotto. Una borsa con le due *C* di Chanel in primo piano riposava in un angolo, in mezzo ad altre, figlie di dèi minori ma sempre titolari di poltrona sull'Olimpo.

Solo quell'armadio valeva quanto un anno di affitto.

– Secondo te la Iannino guadagnava cosí tanto? – fece Marta.

– Non lo so. Ma è la prossima cosa che dobbiamo scoprire.

Le carte sullo scrittoio erano un caos. Vanina ne lesse qualcuna. Una sentenza, un paio di articoli, qualche relazione. Niente di che. Aprí un cassettino. Altre carte, rimestate peggio che in un cestino. Caos ai massimi livelli.

Le venne un sospetto.

Tirò fuori il telefono e chiamò Spanò.

– Ispettore, un'informazione: quando siete venuti in casa della Iannino, le carte sulla scrivania erano gettate alla rinfusa oppure siete stati voi ad arriminarle in questo modo?

– No. Le carte erano assai, un poco disordinate questo sí, ma non arriminate.

– E nel cassettino ci avete messo mano?

– Controllai io, ma non c'era niente di importante.

– Ed era incasinato assai?

Spanò sembrò riflettere. – No, dottoressa, – rispose, la voce grave. – Non era incasinato proprio per niente.

Vanina sbuffò: – E che cazzo.

– Chiamo la scientifica, – fece l'ispettore.

– Lasci stare, ci penso io.

Riattaccò e si accese una sigaretta per predisporsi meglio a una conversazione con Cesare Manenti.

– Guarrasi, ma che ti contarono in questi giorni? – reagí il vicedirigente, seccato. – E prima la villetta, poi la valigia sugli scogli. Due minuti fa la macchina ritrovata, e ora un appartamento. Dove manco sappiamo quello che dobbiamo cercare. Tutto e subito, mi raccomando ah, che se il vicequestore perde mezza giornata di tempo si sdirrubba il mondo! Scassasti i cosiddetti macari ai colleghi di Palermo per avere il Dna di due campioni di sangue che non si sapeva da dove arrivavano.

Vanina si trattenne a stento dal mandarlo affanculo.

– Manenti, mi pare che fino a ora non c'eravamo sentiti neppure mezza volta, – e aggiunse, piano: – per mia fortuna.

– Ca certo! In compenso Pappalardo va girando come una palla pazza appresso alle richieste dei tuoi uomini. Sempre a me deve rispondere, che credi?

Il fituso s'era sentito scavalcato, ecco qual era il problema.

– Senti, Manenti, il nuovo dirigente quando arriva?

Quello si ammutolí. – A giorni. Ma perché lo vuoi sapere?

– Niente. Cosí, per curiosità.

Era stato un colpo basso, lo ammetteva. Manenti ci aveva sperato assai, in quella nomina.

– Cos'è piú urgente per te: l'appartamento della presunta vittima oppure la sua macchina? – chiese il vicedirigente invelenito. – Perché certo non posso impegnare tutta la squadra per le richieste tue. Poi mi tocca risponderne al questore, se no.

Secondo lui le aveva restituito la botta. Vanina si mise a ridere in silenzio.

– Casomai salutamelo.

– Spiritosa, la grande sbirra! – Ancora due minuti e l'acido sarebbe schizzato fuori dal telefono.

– Va bene, Manenti, fai come vuoi. Basta che mi mandi qualcuno –. Non chiese esplicitamente di Pappalardo perché, conoscendo il tipo, capace che poi quello se lo sarebbe messo sul naso. – Vediamo dove arrivano. Se riescono a fare tutte e due le cose, meglio.

Quando chiuse, Marta la guardava esilarata.

– Quella del dirigente però la potevi evitare!

– Me l'ha scippata.

Manfredi Monterreale buttò un occhio al suo telefono che stava squillando. Il nome che compariva sul display lo sorprese. Peccato non poter rispondere subito.

Negli ultimi due minuti, il piccolo paziente appena visitato era riuscito a svuotargli il contenitore del cotone, a buttare a terra un paio di siringhe, per fortuna ancora incellophanate, e ora stava puntando minaccioso il fonendoscopio che lui aveva imprudentemente lasciato sul lettino. Il tutto nel disinteresse pressoché assoluto della madre. Se si fosse distratto rispondendo alla telefonata, i danni che quel piccolo Attila sarebbe stato capace di provocare al suo ambulatorio sarebbero diventati incalcolabili.

Adorava quei mocciosetti, cui aveva dedicato letteralmente la sua vita, ma quella chiamata gli sarebbe piaciuto poterla prendere all'istante.

Finí di prescrivere i farmaci, rassicurò la mamma sullo stato di salute del figlio e aspettò che entrambi fossero fuori dall'ambulatorio per fiondarsi sul telefono e richiamare il numero che era rimasto sul display. «Giovanna Guarrasi vicequestore».

– Dottor Monterreale, buongiorno.

– Buongiorno, dottoressa. Scusi se non le ho risposto ma ero con un paziente un po' vivace.

– Non voglio immaginare che età avesse, – scherzò il vicequestore.

– Tre anni, e non devo aggiungere altro.

Risero entrambi.

– Sa che l'avrei chiamata io tra pochissimo? – Era la verità. Ci pensava dalle sette di quella mattina, quando il proprietario di casa gli aveva gentilmente portato le registrazioni di tutte le telecamere di sicurezza della palazzina.

– Sí? E cosa voleva dirmi?

– Che ho i filmati delle telecamere di casa mia. Anche di quelle a cui non potrei accedere perché sono ubicate negli altri appartamenti.

– Ah, bene. Le mando qualcuno dei miei uomini.

– Ma no, gliele porto io. Magari assieme a Sante, che mi sta sfinendo con le sue lamentele perché non gli date nessuna notizia in piú di quelle che date alla concorrenza.

– Per ora questo abbiamo. Non è che ci possiamo inventare le cose, – puntualizzò Vanina.

– Ovvio. Ma lei invece perché mi ha chiamato?

– Io la chiamo per velocizzarmi il lavoro. Ho bisogno di un'informazione che perderei piú tempo a procurarmi da sola. Al Policlinico, nel reparto in cui lavora lei, c'è per caso un medico specializzando di nome Raffaele? Purtroppo non conosco il cognome.

Manfredi fece mente locale.

– L'unico Raffaele che conosco qui al Policlinico è al quinto anno di specializzazione. Giordanella si chiama, di cognome. È uno in gamba. Posso chiederle perché lo sta cercando?

– No, – fu la risposta. Gentile ma ferma.

– Non lo vedo da qualche tempo, però posso controllare subito se è qui.

– Grazie. Ho bisogno di parlargli. Per piacere, gli dia il mio numero e gli dica di mettersi in contatto con me il prima possibile.

– Certo. Anzi, ci vado subito. Se è in reparto la richiamo io stesso e glielo passo.

Mentre chiudeva la telefonata uscí dalla stanza. Lasciò una specializzanda a guardia dell'ambulatorio, attraversò il corridoio e passò in reparto. Entrò in medicheria. Ignazio, un infermiere che lavorava in clinica pediatrica da vent'anni e aveva visto passare generazioni e generazioni di medici, era lí a trafficare con le cartelle cliniche.

– Ignazio, lei sa dove posso trovare il dottore Giordanella?

– Certo –. L'uomo tirò fuori dalla tasca della tuta uno smartphone. – Qua, – disse, divertito, mostrandogli una foto. Il ragazzo era sommerso dalla neve. Dietro di lui l'insegna del Saint Justine Hospital di Montréal. – Da sei mesi, – specificò l'infermiere.

Manfredi ebbe un tuffo al cuore. In quell'ospedale c'era stato pure lui, appena specializzato. Uno dei periodi piú felici della sua vita. Una tale quantità di anni prima che preferí non contarli.

Non era una buona notizia per la Guarrasi.

– Non è che avresti il suo recapito? – chiese.

– Ma che domande fa, dottore? Ca certo che ce l'ho. Io ho il recapito di tutti. Dovrebbe saperlo!

– Infatti a te sono venuto a chiedere.

Ignazio gli passò il contatto tramite sms. Manfredi lo ringraziò e si allontanò di nuovo verso il suo ambulatorio, davanti al quale nel frattempo s'era creato un piccolo assembramento. Erano i genitori dei bambini prenotati nel pomeriggio.

– Dottore, non è che se ne sta andando? – gli chiese un padre, in apprensione.

Era sempre cosí. Ogni volta che lui s'allontanava dalla sua postazione, pure se lasciava qualcuno a sostituirlo, in sala d'attesa si scatenava il panico. «Si nn'iu?» era la domanda che serpeggiava tra gli sguardi preoccupati dei genitori. Erano capaci di aspettarlo per ore, rifiutando qualunque altro medico. Del resto era stato lui ad abituarli cosí. E siccome la cosa non gli pesava, non aveva nessuna intenzione di cambiare registro. Certo, il risultato era che lavorava il doppio del dovuto. Ma ogni scelta ha i suoi risvolti, e lui della sua non s'era mai pentito.

Tranquillizzò i presenti che sarebbe tornato subito, congedò la specializzanda e s'infilò in ambulatorio, col telefono già pronto in mano. Un'occasione cosí perfetta andava afferrata al volo.

Richiamò la Guarrasi e le sparò un invito a pranzo.

Chiuse la telefonata allegro come un picciotteddo imberbe. Si diede dello scimunito da solo.

Quando Vanina arrivò, Manfredi Monterreale era già dentro. L'aspettava in piedi.

Quell'invito a pranzo, anche se in fondo era quasi preannunciato, l'aveva presa in contropiede. Ma non le era dispiaciuto. Con quel palermitano ci si trovava bene, inutile negarlo. Certo, fiondarsi in casa sua al primo appello sarebbe stato un po' azzardato. Vero è che un pranzo non è una cena, ma queste cose non si sa mai come vanno a finire, specie se la sintonia è reciproca. Monterreale era una persona seria, da cui non si aspettava mosse avventate. E a trovarsi impelagati in situazioni da cui poi pareva brutto svincolarsi ci voleva poco. Esperienze recenti, che aveva bellamente sottovalutato, le suggerivano che era meglio andarci cauti. Farsi raggiungere *da Nino* le era parsa la proposta migliore, e il medico l'aveva accettata di buon grado.

Perciò ora erano lí, seduti al tavolo d'angolo che il ristoratore ormai le riservava d'ufficio. A perfetto agio come due che si conoscevano da una vita.

– Raffaele Giordanella è in Canada. A Montréal. Da sei mesi, – comunicò Manfredi, appena Nino se ne fu andato con le ordinazioni: due piatti di pasta alla norma e una porzione di sarde a beccafico da dividersi.

– Grazie. Se sarà necessario faremo in modo di rintracciarlo.

– Qui c'è il numero –. Le passò il foglio di ricettario del policlinico su cui aveva appuntato il recapito.

A occhio non avrebbe avuto molto senso parlare con Giordanella, ma Vanina voleva farlo lo stesso. Le serviva a inquadrare meglio Lorenza Iannino.

Monterreale aprí la tasca laterale dello zainetto e le allungò una pen drive.

– E qui ci sono le registrazioni. Dice che una delle telecamere, quella che s'era piazzato sul balcone di casa sua, col vento si è piegata e riprende la strada. Magari vi può essere utile. Vi può dare, chessò, qualche indizio in piú?

– Certo che può esserci utile! Grazie.

– E perciò arrivasti qui un anno fa, – attaccò Manfredi, che di parlare della valigia sullo scoglio ne aveva piene le scatole e voleva evitare di ricascare sull'argomento.

– All'incirca, – rispose il vicequestore, piú secca di quanto avrebbe voluto. Ma parlare dei fatti suoi con qualcuno che non se lo fosse meritato sul campo, superando test severissimi, non era una possibilità contemplabile.

Però gli raccontò di Milano. E del mese passato a New York.

– E come ci finisti tu a New York? – chiese il medico, sorpreso.

– Avevo bisogno di un periodo di pausa. Il piú lontano possibile.

– E hai scelto New York. Sai che non ti avrei fatto cosí metropolitana?

– Pensavi fossi una sicula convinta?

– Casomai una sicana. Noi occidentali sicani eravamo! – scherzò Manfredi.

– La verità è che, manco io so il perché, ma sono innamorata pazza di quella città. Ci tornerei ogni due minuti, se non fosse cosí costosa.

– È una città incredibile. Solo, mi pareva di aver capito che poi avevi fatto di tutto per tornare in Sicilia.

– E infatti cosí è stato. Ma ogni tanto succede che bisogna evadere. Anche dalla terra che si ama.

Soprattutto se quella terra t'ha riempito di mazzate.

Manfredi raccontò che anche lui s'era preso una pausa prima di trasferirsi a Catania. Se n'era andato tre mesi a Lampedusa, in casa di un amico.

– Doveva essere una vacanza, e invece finí che lavorai piú lí che a Palermo.

Vanina gli chiese il perché, ma un tizio che passava accanto al loro tavolo la salutò, interrompendoli.

– Buongiorno, dottoressa Guarrasi.

Lo squadrò da capo a piedi finché quello non si sentí in dovere di presentarsi. Era un cronista di nera della «Gazzetta Siciliana».

Manfredi assistette divertito all'imbarazzo dell'uomo, che balbettava sopraffatto dallo sguardo indagatore del vicequestore.

– A Palermo eri molto famosa, – le disse, appena quello si andò a risedere al suo tavolo.

– Ca certo. Una star, – ironizzò Vanina, con una smorfia.

– Vedi che non sto scherzando! Nel periodo in cui io stavo per andarmene, sui giornali si parlava spesso delle tue indagini all'antimafia. Eri diventata l'eroina dei palermitani assetati di giustizia.

– Pure qua sto diventando famosa, come vedi. A forza di acchiappare assassini, – scherzò Vanina. – Magari piú scarcagnati e meno organizzati di quelli che pigliavo a quei tempi, ma non per questo meno difficili da stanare. Né meno pericolosi.

– Come mai te ne sei andata da Palermo? – le chiese Manfredi, senza troppi preamboli.

Con un tempismo eccezionale, Nino arrivò con le due paste alla norma, armato di grattugia a manovella per la ricotta salata. L'operazione durò abbastanza da distrarre l'attenzione.

Subito dopo il telefono del medico squillò, estinguendo del tutto l'argomento.

Seduto a tavola con un piatto di pasta davanti, Monterreale ascoltò senza batter ciglio la lunga e accurata descrizione di un pannolino, e del contenuto che un piccolo paziente affetto da gastroenterite vi aveva appena depositato gettando nel panico la famiglia intera.

Nunnari comparve nell'ufficio del vicequestore Guarrasi.

– Capo, qua ci sono un poco di messaggi della Iannino. Sono tutti quelli con Ussaro, piú qualche altro –. Fece un sorrisetto. – C'è di che scialarsi a leggerseli!

Vanina lo fulminò con lo sguardo.

– E tu ti scialasti?

Il sovrintendente abbassò gli occhi. – Scusasse –. Ma mai lo capiva lo scherzo, 'sta santa donna?

– Che c'è scritto?

– Niente di importante, tutti messaggi amorosi... diciamo cosí. A parte una sciarriatina. In data 12 ottobre. Questioni di università, sembra. Sono poche parole, perché l'avvocato l'ammogghiò subito. Scrisse che ne parlavano di persona. Ci disse macari cretina, e che doveva cancellare il messaggio.

Un professionista, non c'era che dire.

– Lasciami tutto sul tavolo, che me lo leggo. Fragapane si sta occupando dei conti correnti della Iannino?

Quella mattina stessa aveva chiesto a Vassalli l'autorizzazione per controllare la situazione patrimoniale della ragazza.

– Sí, dottoressa.

Purtroppo non poteva far altro che aspettare: Spanò che raggranellava notizie, Fragapane che spulciava conti correnti. Una condizione che le dava i nervi.

Ma quel caso era partito cosí dall'inizio. Lento.

Per non sprecare tempo, si mise a leggere le chat della Iannino. Eliminate quelle a sfondo erotico – che letta una si potevano tranquillamente evitare le altre – tolte quelle col fratello e con la Livolsi – che manco parevano scritte dalla stessa persona – gliene rimasero in mano una decina. Scremando ancora, ne isolò cinque, tutte dello studio legale. Con Susanna Spada, Lorenza si scambiava per lo piú messaggi audio, che purtroppo erano andati perduti. Quando si scrivevano erano di poche parole. Orari, organizzazioni. Per lo piú inerenti al lavoro. L'unico collega con cui la Iannino intratteneva conversazioni scherzose, amichevoli quasi quanto quelle con la Livolsi, era Nicola

Antineo. Ed era pure l'unico con cui Lorenza non aveva scambiato messaggi la sera in cui era sparita. O meglio, in cui era stata uccisa.

Stava quasi per rassegnarsi all'idea che non ci avrebbe cavato granché, quando s'imbatté in una chat di gruppo. Nunnari ne aveva trascritta una piccolissima parte, ma quel poco bastò a farle drizzare le antenne.

– Nunnari! – chiamò.

Il sovrintendente corse.

– Mi stampasti pagine di messaggi inutili e l'unica chat interessante me la lasciasti a metà. Cos'è, i messaggi osceni ti sollazzarono cosí tanto che ti ci rincoglionisti sopra? – lo strigliò.

Si fece passare sul suo computer il backup completo del telefono della Iannino. Individuò la chat e se la lesse per intero. Una conversazione che scottava piú di una brace accesa. Selezionò tutti i numeri di provenienza. Poi entrò nel Sistema utente investigativo e si mise a cercarli, uno per uno. Ora sí che c'era di che scialarsi!

Spanò arrivò in ufficio che era già buio, e la trovò cosí. Gli occhi incollati al monitor e un mezzo sorriso soddisfatto che prometteva bene. Nunnari seduto accanto a lei e la Bonazzoli appollaiata sulla spalliera della sua poltrona.

– Che avete trovato? – s'informò.

– Cose interessanti, – rispose il vicequestore.

L'ispettore si mise comodo.

Vanina incrociò le braccia sulla scrivania. – Alla festa dell'altra sera hanno partecipato almeno una ventina di persone, tutte inserite in una chat di gruppo creata da Ussaro e denominata «Serate tra amici». Molto interessante soprattutto per i nomi che ne fanno parte –. Gli passò il foglio su cui li aveva annotati.

Spanò inforcò gli occhiali e lesse. Sgranò gli occhi.
– Minchia! E che c'è scritto?
– Informazioni dettagliate sulla festa dell'altra sera. Orari, menu. Luogo. Allusioni a nasi incipriati, e assicurazioni di Ussaro sulla qualità dei profumi che avrebbero sentito.
– Bel linguaggio in codice.
– Esatto. Lei, invece, che notizie porta?
L'ispettore si aggiustò sulla sedia. – Su Ussaro se ne dicono una piú della briscola, – iniziò. – Come docente vale poco: è sempre assente e delega tutto ai suoi collaboratori, tra cui la Iannino. Quando c'è, terrorizza gli studenti bocciandoli in massa. Qualcuno di loro, che non gradí le soverchierie, una volta gli vandalizzò la macchina. Per non parlare delle studentesse, specie quelle carine, che gli girano al largo per evitare brutte situazioni. Pare, ma questa è solo una voce, che qualche anno fa ci fu un episodio particolarmente antipatico con una ragazza. Lui ci provò, lei gli disse di no, e rimase un anno bloccata senza riuscire a passare l'esame. Per giunta, ma sono sempre voci, pare che quando 'sta ragazza ha provato a cambiare corso per sostenere l'esame con un altro docente lui abbia fatto persino in modo che non ci riuscisse.
– Un bastardo di prima lega, – commentò Marta.
Vanina fece una smorfia. Chissà perché quelle rivelazioni non la stupivano.
– Vada avanti, ispettore.
– Ha varie amanti, per lo piú pescate nell'ambiente di lavoro, di cui non fa mistero, anzi dicono che se ne compiaccia. Però la domenica va in chiesa a battersi il petto con la moglie e il figlio. La moglie è di Reggio Calabria. Fa la commercialista e lavora nella sede catanese dello studio del padre, di cui Ussaro è socio al cinquanta per cento. Questo piú o meno è il profilo privato. Poi c'è quello

professionale, forense e non. E qua c'è solo l'imbarazzo della scelta: arrogante, ricattatore, venale. Come diceva il commissario stamattina, capace di qualunque cosa pur di vincere una causa. Poi è infilato ovunque: consigli d'amministrazione di società, incarichi ministeriali, commissioni di concorsi vari. Qualunque cosa che gli dia potere.

– E riguardo ai rapporti con Alicuti, ha saputo niente?

– Ca come no! Praticamente si spartiscono il sonno. Ussaro l'ha sostenuto sempre, in tutti i salti di carro che fece, da destra a sinistra passando per il centro. E l'onorevole ha sostenuto sempre lui.

– Un'amicizia che poggia su basi solide, – commentò Vanina.

La famiglia Spanò era sempre una risorsa indispensabile. Tra genitori, zii, cugini e compari, non c'era informazione che l'ispettore non riuscisse a reperire nel tempo di un pranzo. Di solito luculliano.

– Mi informai macari sulla Ferrari. Ussaro se l'accattò nel 1999 da Bini Oreste, che se l'era accaparrata due mesi prima all'asta fallimentare dei beni del barone Francesco Lo Turco. Mi venne la curiosità. Siccome avevo un pezzetto di tempo, mi feci una scappata all'archivio del tribunale e andai ad arriminare nelle carte di quel fallimento. Lo sa chi era l'avvocato che assisteva il barone?

– Elvio Ussaro, – indovinò Vanina.

Andò a guardare le generalità di Ussaro. Nato a Piana dell'Etna nel 1949, da Ussaro Sulpicio e Bini Assunta. Coniugato nel 1982 con Spadafora Consolata. Un nome normale in quella famiglia bisognava cercarlo col lanternino. Bini era lo stesso cognome dell'Oreste della Ferrari. Un bel giro, non c'era che dire.

– Come si vuole muovere, dottoressa? – chiese l'ispettore.

– Domani convochiamo tutti quelli della chat. Li sentiamo come persone informate sui fatti.

– Compreso Alicuti?

– Ovvio. Lui e suo figlio, in quanto proprietario della casa.

Spanò pareva incerto. Continuava a martoriarsi i baffi.

– Che c'è, ispettore? – chiese Vanina.

– No, niente, dottoressa. Stavo riflettendo che si solleverà un polverone. E non essendoci ancora un cadavere...

– E noi infatti li convochiamo in merito alla sparizione della Iannino, non al suo omicidio –. Si puntò sui gomiti e si fece avanti sulla scrivania.

– Picciotti, parliamoci chiaro, – si voltò verso gli altri due, per coinvolgerli nel discorso: – Lorenza Iannino è morta. Questo sembra sempre piú evidente. L'ultima cosa che ha fatto è stata ricevere tutta questa gente in un villino, che fra l'altro tiene segreto, e che ha preso in affitto da uno di loro. Musica, cibo, alcolici, droga. A un certo punto, prima del previsto, tutti se ne vanno. Di corsa per giunta. In casa resta qualcuno, perché le luci, a quanto ricordano i vicini, rimangono accese. Quella notte Lorenza sparisce. Una degli invitati, azzarderei, ci avverte che proprio a quell'indirizzo e proprio quella notte una fantomatica ragazza è stata ammazzata. E noi su una poltrona troviamo il sangue della Iannino. Poi ci dice che è stata chiusa in una valigia, che noi ritroviamo. E pure lí dentro c'è il sangue della Iannino. Troviamo il suo telefono e nel backup compaiono tutti loro. Elementi per interrogarli mi pare che ne abbiamo, a tignité.

Spanò annuí. – E macari questo è vero.

Vanina si alzò. Tirò fuori una sigaretta, ma se la tenne in mano. L'aria ispirata.

– Anzi, lo sa che le dico, ispettore? Convochi qui tutti,

tranne Ussaro e la Spada. Loro li andiamo a sentire a domicilio, contemporaneamente a quando gli altri vengono qui.

– Va bene, capo.

– Ora mi pare che ve ne possiate andare. Per oggi avete dato abbastanza.

Prese l'accendino in mano mentre i quattro s'avviavano verso l'uscita. All'improvviso si ricordò una cosa.

– Nunnari.

– Sí, capo? – Stavolta s'era trattenuto dal mettersi sull'attenti.

– Ma del numero da cui provenivano le telefonate anonime ancora niente sappiamo?

– No, dottoressa. Purtroppo quando la chiamata non passa dal centralino, e ci deve dare l'informazione la compagnia telefonica, qualche giorno passa.

Lo congedò di nuovo.

In quell'attimo spuntò Fragapane.

Vanina rispense l'accendino. Guardò l'orologio: erano le sette.

– Fragapane, ma lei ancora qua era?

– No, dottoressa, ora ora arrivai.

– E da dove?

– Pappalardo mi chiamò per dirmi che stavano cominciando il lavoro sulla macchina della Iannino, e cosí pensai di raggiungerlo.

– Ha fatto bene.

– Mah, insomma! Capitai il dottore Manenti, che me ne disse un sacco e un carretto perché secondo lui era un lavoro che Pappalardo poteva fare macari domani.

– E lei che gli rispose?

– Io? Che manco sapevo di che stava parlando e che mi trovavo là per altri motivi.

Vanina l'avrebbe abbracciato.

– Che c'era nella macchina?

– Di tutto, dottoressa! Carte, cartuzze, scontrini, fermacapelli, bottigliette d'acqua mezze vuote. Munnizza a non finire. Nel bagagliaio tracce di sangue non ce ne sono. Comunque le impronte digitali le pigliarono tutte. Anche se sono assai, se ne riconoscono un paio piú nuove. Capace che sono della ragazza, però.

– Questo è facile capirlo. Basta confrontarle con quelle che hanno trovato in casa della Iannino. Invece sui conti correnti della ragazza, che mi sa dire?

Fragapane tirò fuori dei fogli, pinzettati tra loro come solo lui faceva, e infilati in una custodia di plastica trasparente.

– Ecco qua, – glieli diede in mano. – A me pare tutto normale. La carusa ha una borsa di studio dell'università, uno stipendio, scarso, dello studio legale. Ogni mese il fratello le versa cinquecento euro. Come uscite ci sono l'affitto dell'appartamento, cinquecento mensili, e perciò probabilmente si giustifica la somma che le versa il fratello. Centottanta euro al mese per la rata della macchina. Ha una carta di credito con il limite di mille euro, e lo raggiunge tutti i mesi –. Tirò fuori un altro foglio. – Ci paga: la palestra, il supermercato, il parrucchiere, un centro estetico, ogni tanto qualche spesa piú grossa per cose d'abbigliamento.

Vanina rifletté. Non quadrava.

– Altri conti correnti, libretti postali… niente?

– No, dottoressa. Questo solo.

– Va bene, Fragapane. Mi pare che pure per lei la giornata sia piú che conclusa. Domani mattina dica a Pappalardo di confrontare le impronte della macchina con quelle della Iannino. Anzi, aspetti –. Richiamò la Bonazzoli, che comparve già col giubbotto infilato. – La spazzola che avevamo dato alla scientifica ce l'abbiamo noi? – le chiese.

– Sí, ce l'hanno ridata.

– Allora domani Fragapane gliela riporta, cosí hanno qualcos'altro da cui isolare le impronte della ragazza.

– Domani mattina è la prima cosa che faccio.

Considerati i suoi orari, significava che avrebbe aperto gli uffici della scientifica.

Vanina li congedò di nuovo. Tornò alla scrivania e riprese in mano l'accendino. Valutò per un attimo se aprire la vetrata.

– Ma chi se ne frega, – disse, a voce alta.

Si ributtò sulla poltrona e fumò la sua sigaretta in santa pace.

Nella tasca dei jeans c'era qualcosa che le dava fastidio. Infilò la mano e tirò fuori la pen drive che le aveva dato Manfredi, e di cui lei s'era completamente dimenticata.

Accese il computer e la inserí. Selezionò la telecamera che si era girata e che ora guardava verso la strada fin quasi al muretto vicino agli scogli. Una ripresa che manco a volerla fare apposta. Andò avanti fino all'orario che le interessava, avviò il filmato e si mise in attesa. La Toyota Corolla della Iannino arrivava, si fermava. Dal lato passeggero scendeva un uomo di cui non si vedeva la faccia, né i capelli perché aveva una felpa col cappuccio. Uno giovane, doveva essere. Apriva il bagagliaio, prendeva la valigia e la trascinava con fatica fino a sparire sugli scogli. Nel frattempo il guidatore girava l'auto. Non era riconoscibile neppure lui, ma per una frazione di secondo Vanina vide un dettaglio che la colpí. Lo stesso che aveva notato già la prima volta.

Alzò il telefono, fece il numero di Vassalli e gli sparò una richiesta che lo ammutolí per un minuto buono.

– Lei vorrebbe intercettare le utenze dell'avvocato Elvio Ussaro? – chiese il pm, come se non avesse capito.

– Esattamente.

– E con quali motivazioni, mi scusi?

Mise insieme tutto quello che aveva per motivare la richiesta, ma incassò un no.

– Mi porti qualche evidenza un po' piú concreta che ci siano gravi indizi di reato a suo carico e io le firmo subito l'autorizzazione, ma sulla base di sue sensazioni, brevi fotogrammi e ipotesi campate in aria no.

L'aveva immaginato, però doveva almeno provarci.

Su come aveva intenzione di muoversi l'indomani non ritenne fosse il caso di informarlo.

Già che c'era decise di fare un'altra telefonata. A quell'ora a Montréal era ancora pieno giorno. Prese il numero che gli aveva passato Manfredi e lo compose.

– *Allô*.

– Dottor Giordanella?

– Sí?

– Buongiorno, vicequestore Giovanna Guarrasi, squadra Mobile di Catania.

– Buongiorno, – fece quello sorpreso.

– Ha due minuti da dedicarmi?

– Certo, mi dica.

– Lei ha letto per caso i giornali italiani in questi giorni?

Giordanella prese un respiro.

– Mi sta chiamando per Lori, vero?

– Quando l'ha vista l'ultima volta?

– Quest'estate. Sono venuto in Italia per qualche giorno. L'ho incontrata a una festa, a casa di Eugenia Livolsi, un'amica comune.

– In che rapporti eravate?

– Buoni. Eravamo rimasti amici. Oddio, all'inizio un po' meno.

– Perché?

– Sa com'è, lei mi aveva lasciato di punto in bianco, io ci avevo sofferto come un cane. Ma poi il tempo aggiusta le cose. Io ho un'altra ragazza, lei la sua vita.

– E Lorenza le raccontava mai qualcosa di sé?

– Niente, fino alla festa di Eugenia. In modo vago, ma mi colpí quello che disse: che avevo avuto ragione su tante cose.

– Per esempio?

– Sul fatto che si stava andando a ficcare in una cosa piú grande di lei. Glielo avevo detto quando mi aveva lasciato.

– Si riferiva a una relazione?

– Non solo a quello. Lori s'era messa a completa disposizione, faceva qualunque cosa, dalla segretaria alla pony express. Se non fosse stata donna, l'avrebbero messa persino a fare la lavamacchine. Per me era assurdo.

– A disposizione del professor Ussaro, intende?

– Credo di sí.

– E quando le ha detto che aveva avuto ragione su tante cose lei cosa le ha risposto?

– Che poteva parlarmene se aveva un problema, se era nei guai. Ma lei rise, disse che casomai non sarebbe stata cosí sciagurata da mettermi in mezzo.

– E non le sembrò un discorso strano?

– Certo che mi sembrò strano. Ma Lori cosí è. Parla a mezze frasi. Le dissi che l'importante era rendersi conto delle cose e cercare di metterle a posto. Lei mi rispose che avrebbe fatto di tutto per riuscirci. E per prendersi una rivincita.

– Nient'altro?

– Nient'altro –. Giordanella tacque un momento. – È morta, vero?

– Temiamo di sí.

– L'avevo capito. Dal fatto che ne parla al passato.

Vanina non se n'era neppure accorta.
– È stata uccisa, probabilmente.
– Avevo capito anche quello, dottoressa Guarrasi.

Aveva appena riattaccato quando il suo telefono squillò. Maria Giulia De Rosa.
– Ehi Giuli, – rispose.
– A che punto sei? – chiese l'avvocato.
– Per cosa?
– Come per cosa? Per raggiungerci.
Vanina alzò gli occhi al soffitto. S'era completamente scordata che Giuli rientrava quel pomeriggio e che aveva organizzato un'uscita serale. E dire che le aveva mandato persino un messaggio di conferma.
– Scusami, sono ancora in ufficio.
– Ne hai per molto?
Per un attimo considerò la possibilità di dirle sí e tornarsene dritta dritta a Santo Stefano. Ma la bocciò subito. Com'era la storia delle pentole e dei coperchi? Meglio evitare *malecomparse*.
– No, ho finito. Dove siete?
Giuli le indicò il posto. – Adriano è già qui, – le notificò, come incentivo.
Vanina non le chiese chi altri ci fosse, tanto poco cambiava. Ci andava solo per fare piacere a lei. Arrivò con calma fino a piazza Duca di Genova, dove aveva lasciato la Mini quella mattina. Passeggiando piú che camminando, attraversò via Vittorio Emanuele. Il portone del Convitto Cutelli, un tempo Collegio dei Nobili, eccezionalmente era mezzo aperto e lasciava scorgere il famoso cortile, che ancora non era mai riuscita a vedere: monumentale, il pavimento bianco e nero, il porticato circolare opera di un maestro del Settecento.

Palermo restava sempre Palermo, però non si poteva negare che pure Catania tesori nascosti ne possedesse un bel po'. Certo, in fatto di contrasti tra edifici sgarrupati (in qualche caso ancora bombardati dopo piú di settant'anni) e monumenti maestosi, la sua città continuava a detenere il primato, ma anche qui non si scherzava. La casa abbandonata, con tanto di vetri rotti e muri fatiscenti, davanti alla quale la sua macchina riposava indisturbata da quella mattina era piú o meno dirimpettaia di Palazzo Biscari, uno dei piú prestigiosi di Catania. E di una fila di altre casuzze messe peggio di lei.

S'immise in via Cardinale Dusmet e costeggiò gli archi della marina. A passo d'uomo. Erano le otto e dieci e i negozi avevano appena chiuso. Orario piú infame di quello non avrebbe potuto scegliere per muoversi dal centro storico.

Le dinamiche del traffico catanese sfuggivano a qualunque tentativo di analisi stocastica, ma c'erano momenti della giornata in cui era sicuro che se ti ci fossi trovato dentro ci saresti rimasto per un po'.

E infatti.

Vanina ebbe il tempo per due sigarette e tre telefonate. Una a Bettina, che quella mattina aveva lasciato in grandi ambasce appresso alla caldaia che aveva dato forfait: il tecnico era stato lí mezza giornata, e alla fine aveva dovuto montargliene una nuova. La seconda a Adriano, per avvertire del ritardo. La terza a sua madre, che evitava di sentire dal giorno in cui le aveva annunciato la festa a sorpresa per Federico.

La data si avvicinava e lei avrebbe dovuto darle una risposta. Ma la signora Calderaro evitò l'argomento. Le chiese di lei, se stava bene, se non eccedeva col lavoro. Domanda un po' anomala: se ogni tanto si divertiva. La tranquillizzò informandola su dov'era diretta.

– Ci vai sola?

– E con chi ci dovrei andare?

Sua madre restò un attimo in silenzio. Poi: – Nicoletta ha detto a Costanza che Paolo si è separato da lei perché vuole tornare con te. E che vi state frequentando di nuovo, – sparò, di punto in bianco. *A morte subbitanea*, si diceva a Catania. E mai come in quel caso rendeva l'idea.

Vanina rischiò di strozzarsi. Il fumo le rimase intrappolato in gola. La collera pure.

Che significava quella storia?

– Di' a Costanza che è meglio se si concentra sui preparativi del matrimonio, invece di stare a sentire 'ste minchiate, – rispose. Trattenendosi.

– Perciò non è vero? Non l'hai rivisto? – La voce di sua madre tradiva delusione. Chissà che voli pindarici aveva provocato, quella notizia.

– Ma rivisto chi?

– Come chi? Paolo!

– No, – la stroncò.

Dall'altro lato si sentí un sospiro.

– Ma allora che motivo aveva Nicoletta di dire...

– E che ne so io.

– Chissà, – fece sua madre, piú dubbiosa di prima. – Però... – iniziò. Però se per caso non fosse cosí, devi pensarci bene, Vanina mia. Perché i treni di solito passano una sola volta, perciò se invece a te sta capitando un'altra occasione, vedi che stavolta non puoi sbagliare piú.

La verità era che pure se erano passati quattro anni, pure se in mezzo c'era stato di tutto, a sua madre che Paolo Malfitano fosse l'uomo perfetto per lei non glielo levava nessuno dalla testa. Come non le levava nessuno dalla testa che la sua fuga da Palermo e da lui fosse stata una solenne minchiata. Di cui quel matrimonio, avventato, con

Nicoletta Longo era stato solo una conseguenza. E infatti era finito.

Meglio non chiedersi se per caso stavolta non avesse ragione lei.

La prospettiva dell'incontro con Giuli e compagnia ora aveva acquistato mille punti.

Non era la serata adatta per starsene sola sul divano grigio, che già di per sé bastava a rievocarle di tutto, a combattere contro l'istinto di chiamare Paolo e chiedergli spiegazioni.

Molto meglio lasciare che la cosa decantasse, possibilmente senza rimuginarci sopra.

Il tavolo dell'avvocato De Rosa, manco a dirlo, era un porto di mare. Considerato quante volte Giuli aveva tentato di portarla in quel posto, era verosimile che ne fosse un'habitué. Un locale nuovo, molto Milano style, gettonatissimo dai catanesi piú vitaioli. L'opposto di quello che avrebbe scelto lei, ma per una sera poteva andare bene anche cosí.

– Oh, finalmente t'arricampasti! Era assai che non ti vedevo, – scherzò Adriano. Quella mattina l'aveva lasciato felicemente piazzato al bar *Santo Stefano*, ad aspettare la brioche calda che stava per essere sfornata.

Vanina abbracciò Giuli, fece un saluto generale agli altri e si sedette accanto a lui.

– Ringraziami, Calí. Mi sto adoperando per procurare un poco di lavoro anche a te. Finora non m'è riuscito, ma questione di giorni.

– Sadica.

Giuli si piazzò in mezzo, le passò un intruglio giallognolo che le avevano appena portato e ne ordinò un altro.

– Tieni, intanto inizia con questo.

Vanina ne assaggiò un sorso, cauta. Grado alcolico alto. Improponibile senza mangiarci insieme qualcosa. Al centro del tavolo c'era solo un piatto pieno di roba dall'aspetto orientale. In mancanza di meglio, attinse da lí.

Il locale era strapieno, nonostante fosse un giorno feriale. Ma Vanina ormai non se ne stupiva piú. Anzi, l'«uscita infrasettimanale» compariva persino tra le *catanesate* che s'era segnata in una nota nell'iPhone, e che riguardavano gli aspetti piú disparati della vita sociale del «catanese tipico». Di cui Maria Giulia De Rosa era il prototipo assoluto. Insieme alla sua variegata truppa di amici.

Al secondo boccone di pollo fritto, che si chiamava in modo diverso ma che era preciso identico a quello che faceva sua nonna, e perciò buono, Giuli le si avvicinò.

– Con chi eri oggi a pranzo *da Nino*?

Vanina la guardò storto.

– Perché? – rispose con una domanda, cosa che di solito non le piaceva, ma che stavolta ci stava.

Non poteva muoversi un momento che subito quella curtigghiara di Giuli la sgamava.

Ma poi sgamare che cosa?

– No, perché poco fa ho visto Alfio Burrano. Mi ha tartassato di domande su di te, e su un fantomatico uomo con cui ti ha visto *da Nino* stamattina. Dice che sembravate in confidenza... Ma che è tornato a trovarti il tuo magistrato palermitano?

Il risvolto negativo del raccontare qualcosa a Giuli era che poi gliel'avrebbe tirato fuori di nuovo. Diretta come una freccia. *Tan!* Il magistrato palermitano.

– Non mi dire che c'è Alfio qua in giro, – disse Vanina, in allerta.

– Se n'è andato, non ti preoccupare. Allora? Mi rispondi?

– Ero con un amico. Palermitano pure lui –. Inutile andarle a spiegare che Manfredi Monterreale l'aveva conosciuto il giorno prima e che insomma, amico proprio amico non era.

– Quel poveretto di Alfio c'è rimasto male, dài retta a me. S'era preso una sbandata seria.

– Motivo per cui non era proprio il caso di illuderlo, – concluse Vanina.

Alfio Burrano era l'uomo che, qualche tempo prima, aveva trovato la famosa mummia nel montacarichi che aveva riportato alla ribalta il vicequestore Giovanna Guarrasi nelle pagine di nera. Una simpatica canaglia, di gran bell'aspetto e di altrettanto scarso spessore, fimminaro peggio del brancatiano Giovanni Percolla del film della sera prima. Uno con cui si sarebbe divertita volentieri, se non si fosse accorta che invece lui ci stava mettendo troppa testa. E perciò aveva deciso che non era piú cosa.

Era capitato proprio nei giorni in cui aveva appena rivisto Paolo.

Il suo pensiero stava già partendo per la tangente. Ci pensò Giuli a riportarlo indietro.

– A Roma ho incontrato Luca, – raccontò, saltando di palo in frasca.

Adriano, che pareva distratto, al nome Luca tornò vigile e s'introdusse subito.

– Sí, lo so, me l'ha detto! Eravate a cena nello stesso posto.

– Stava partendo per l'Iraq, – aggiunse Giuli, contrita.

Quel tono melodrammatico era consono alla circostanza, ma Vanina sapeva che non era legato solo a quella.

Sperò che l'ebbrezza da cocktail non stesse facendo perdere lucidità a Giuli. Che qualche volta – Vanina iniziava a temerlo – con quella fissazione avrebbe fatto scoppiare un casino.

Luca Zammataro, com'era ovvio, non l'avrebbe mai considerata manco per sbaglio, ma prima o poi si sarebbe accorto che lei gli sbavava dietro. E, cosa piú grave, se ne sarebbe accorto pure Adriano.

Quattro gamberi in tempura, tre pezzi di pollo, due roll con dentro del pesce crudo non identificabile e un Old Fashioned piú tardi, Vanina decretò che la massima quota di cazzeggio tollerabile era stata ampiamente superata. Incastrata sul divanetto, stretta tra quei due che drinkavano come dannati e che non accennavano ad alzarsi, non avrebbe resistito un minuto di piú. Con la scusa di uscire a fumare, scivolò fuori dal tavolo, determinata a non risedercisi.

Giuli la accompagnò fuori.

– Ti scrocco una sigaretta, va'.

Gliela offrí.

– Un giorno di questi ci vediamo solo io e te, – disse l'avvocato, col tono delle grandi comunicazioni.

– Me lo stai promettendo o me lo stai chiedendo? – scherzò Vanina.

L'avvocato le rispose con una smorfia. Aprí la bocca come per dire qualcos'altro, ma la richiuse subito.

– Oh ma c'è freddo! – constatò. Si coprí le spalle con una sorta di coperta a forma di mantella, con le sue iniziali in un angolo. Una delle tante «figate» che andava comprando in giro, o che ordinava online a cadenza bisettimanale.

Le venne in mente la ricerca sul conto della Iannino. Il modello perfetto della nota spese di una neolaureata che conduceva una vita conforme alle proprie possibilità economiche. Quadro che cozzava malamente contro l'evidenza.

Vanina qualche soldo in vestiario lo spendeva. Tre o quattro volte l'anno, piú o meno, si concedeva qualcosa dal valore consistente, con una predilezione per certi marchi giapponesi di tendenza, ma privi di loghi e scritte iconiche. Un anonimato che per lei valeva tanto quanto la manifattura. Ma la sua conoscenza in campo di prezzi finiva lí. Non aveva un'idea precisa di quanto Lorenza Iannino potesse aver speso per quel guardaroba, pieno di firme che nemmeno una petizione.

Chi meglio di Giuli avrebbe saputo illuminarla? Senza contare che poteva anche conoscerla.

– Senti, Giuli, secondo te una ragazza che campa con una borsa di studio, uno stipendio da neolaureata in uno studio legale, piú qualcosa per arrotondare da parte della famiglia, se li può permettere una borsa di Chanel, vestiti Dolce e Gabbana, Gucci e cose simili?

– No, con quelle entrate no.

– È possibile che abbia dei bonus, dei guadagni diversi, magari delle percentuali sulle cause vinte? Oppure c'è la possibilità che li abbia trovati in saldo su internet?

Giuli sorrise negando con la testa. – Manco da lontano. E vale per entrambe le ipotesi.

– Immaginavo.

– Ma di chi stai parlando, di Lorenza Iannino?

Stavolta fu Vanina a sorridere. – E tu che ne sai?

– Leggo i giornali, gioia mia. E poi della sua scomparsa ne parla tutto il tribunale.

Ovvio.

– E che si dice?

– Che chissà che fine fece, poveraccia. La versione piú gettonata è che qualcuno l'ha adescata e l'ha rapita.

Vanina sbuffò il fumo e non commentò, ma il sorriso si fece beffardo.

– Tu invece non la pensi cosí, – concluse Giuli.

– No, – le rispose.

Giuli si guardò attorno. S'era creata una piccola folla di fumatori.

– Poi mi racconti un'altra volta, – disse. – Comunque, tornando alla domanda iniziale: la persona di cui parliamo, per come la vedo in genere vestita e combinata, deve spendere piú di me e Adriano messi insieme.

Vanina finí la sigaretta e la spense nel vaso con la sabbia, pieno zeppo di mozziconi e messo accanto alla porta del locale.

– Che ti devo dire, avrà un sovvenzionatore segreto, – disse, mentre recuperava le chiavi della Mini dal fondo della borsa.

– Se ti riferisci a quello che penso io sei fuori strada, – la avvertí Giuli, muovendosi insieme a lei per accompagnarla alla macchina.

Il vicequestore drizzò le orecchie: – Perché?

– Perché un uomo piú pricchio di quello non credo che esista.

– Ah. Questa mi mancava. Lo vedi che ti devo arruolare nella mia squadra? – scherzò.

– Sí, cosí tra me, quel commissario in pensione, il baffone e la bellona bionda, facciamo l'armata Brancaleone.

Vanina rise per la citazione. Un omaggio a quella domenica in cui lei e Adriano, con la determinazione di due invasati, le avevano somministrato in bolo entrambi i film omonimi con Vittorio Gassman. Ancora glielo rinfacciava, Giuli.

La salutò e s'infilò in macchina.

Venti minuti piú tardi era acciambellata sul suo divano grigio col computer sulle gambe. Con una tazza di latte e una decina di biscotti stava ovviando a tutto quello che non aveva mangiato a cena, se cosí si poteva chiamare quella sorta di infinito happy hour. Peccato, perché quel poco che aveva mangiato non le era dispiaciuto per niente.

Per fortuna era troppo tardi per cadere nella tentazione di una telefonata chiarificatrice.

Dopo un quarto d'ora di zapping, in cerca di qualcosa di gradito, s'imbatté in una replica televisiva del *Marchese del Grillo*. Aprí Google e con un occhio al film e uno al monitor iniziò a scorrere tutte le informazioni che trovò sulle persone che avrebbe interrogato l'indomani. Ma forse per la stanchezza, forse perché ridendo e scherzando s'era fatta l'una, forse perché di notizia interessante non ne aveva trovata neppure mezza, non riuscí a finire.

S'addormentò che Gasperino il carbonaro era appena diventato marchese. Si risvegliò un'ora dopo, con i titoli di coda su Paolo Stoppa/Pio VII che benediceva i fedeli da una traballante sedia gestatoria.

Spense tutto e se ne andò a letto.

12.

Il vicequestore Guarrasi non sognava mai. O se capitava, non ricordava nulla. Autodifesa, aveva sempre pensato. E a giudicare dall'angoscia di quella mattina, era probabile che fosse cosí. Un altro paio di esperienze oniriche del genere e sarebbe finita dritta dritta dallo psichiatra.

Lo squillo del telefono la scosse dal dormiveglia.

Guardò il display e si stupí.

– Commissario, – rispose. Erano le otto meno un quarto.

– La svegliai? – Patanè la conosceva abbastanza da sapere che era plausibile.

– Sí. E meno male che l'ha fatto, perché per com'era presa chissà a che ora sarei arrivata in ufficio. Ma che capitò? Come mai mi chiama a quest'ora?

– M'arriminai una nottata appresso a un pensiero che mi venne ieri sera. Ma oramai era troppo tardi per telefonarle. Mi ricordai una cosa sul conto dell'avvocato di cui parlavamo. Se ha dieci minuti da dedicarmi vengo a raccontargliela in ufficio.

– Commissario, lo sa che dieci minuti per lei ce li ho sempre. Anche di piú, se serve. Ma non si preoccupi, vengo io da lei.

– Non babbiamo con le cose serie! A che ora posso venire?

– Facciamo verso le nove, che poi ho da fare in giro.

– Magnifico. Alle nove precise sono da lei.

– Va bene, a piú tardi.

Mentre la Nespresso si scaldava, Vanina si mise a indagare sul mancato risveglio.

Le prime due suonerie, quelle impostate sul cellulare, avevano funzionato regolarmente e altrettanto regolarmente lei le aveva disattivate nel sonno. La terza sveglia invece – una vecchia Veglia a carica manuale datata 1930, il cui trillo avrebbe buttato giú dal letto un reggimento di bradipi – non aveva suonato. L'aveva piazzata strategicamente in cucina. Per spegnerla avrebbe dovuto alzarsi e camminare fino alla mensola che quel cimelio, scampato allo sbaraccamento della casa dei nonni, divideva con la macchina del caffè.

La tazzina in una mano e le Gauloises nell'altra, aprí la vetrata che dava sull'agrumeto e uscí. La porta finestra di Bettina era sprangata, segno che era già uscita a fare i suoi giri mattutini. La *muntagna* era quieta, la sommità già spruzzata di neve. Un lieve pennacchio di fumo era quello che restava dell'eruzione che a fine settembre aveva ricoperto di sabbia nera ogni cosa.

Cercò di rievocare l'incubo che aveva fatto per colpa di quella vecchia sveglia. Ricordò in maniera confusa che c'era suo padre. Era davanti al liceo Garibaldi, nel punto esatto in cui l'avevano ammazzato. E stava parlando con Paolo. Lei era lí, e li guardava.

Non ricordava altro.

La voce amica del commissario Patanè l'aveva aiutata a cancellare tutto il resto.

Gli volle bene due volte.

Ma chissà che s'era ricordato di tanto importante da non averci dormito!

Andò ad aprire l'acqua calda, convinta di doverla lasciare scorrere parecchio, ma si accorse che era diventata subito bollente. Prodigi della nuova caldaia.

Si vestí con due maglie sovrapposte di peso diverso. A cipolla, diceva Bettina, cosí uno non si ammazza. Pantaloni neri, che snelliscono, e stivaletti bassi. Prese il giubbotto piú leggero ma infilò la sciarpa nella borsa. Non sapeva quando sarebbe rientrata. Se le cose prendevano la piega giusta, poteva essere anche a notte fonda.

Passò dal bar *Santo Stefano* e si fece incartare la colazione per due. Due cornetti alla crema e due cappuccini.

Arrivò alla Mobile alle nove meno cinque. La squadra era riunita nella stanza dei carusi. La scrivania della Bonazzoli pareva assaltata: Fragapane e Nunnari erano entrambi seduti davanti a lei e trafficavano.

– Che sta succedendo qua?

– Stiamo rintracciando tutti quelli della chat e li stiamo convocando.

– Reazioni?

Marta non commentò.

– Lassamu stari, – disse Fragapane.

Spanò era piazzato davanti al suo ufficio.

– Capo.

Vanina poggiò i cartocci della colazione sul tavolo e gli fece segno di entrare.

– Stamattina presto non avevo che fare e mi sono messo a smanettare col telefono della Iannino. Tanto ho fatto che sono riuscito ad accenderlo.

– Bravo, Spanò. E che ha scoperto?

– Che tutti 'sti signori, per non sapere né leggere né scrivere, ieri abbandonarono il gruppo WhatsApp.

– Scommetto che l'hanno fatto di mattina, appena hanno letto la notizia della scomparsa sui giornali.

– Quasi tutti, tranne quattro: l'onorevole Alicuti e suo figlio l'hanno abbandonato la notte stessa in cui è accaduto il fatto. Susanna Spada invece il giorno appresso. Ussaro alle undici e quaranta della sera stessa.

– E questo è strano.

– Lo pensai macari io, infatti mi misi a cercare tra le telefonate in segreteria. Una trentina, senza esagerare, erano del fratello. Riuscii a sentire i messaggi. Mischinazzo, faceva pena.

– Perciò riusciamo a sentire anche i file audio adesso?

– E là volevo arrivare, io!

– Vediamo se sta pensando la stessa cosa che penso io.

– Andai a vedere se per caso la Iannino nel cellulare aveva quella… come si chiama? Funzione… operazione…

– Applicazione.

– Ecco, applicazione, che permette di registrare le telefonate.

– Ce l'aveva?

– Certo che ce l'aveva, e ne aveva macari una che fa registrazioni ambientali.

Vanina rifletté sulla cosa.

– C'erano registrazioni?

– Assai, dottoressa. La cosa piú interessante è che l'ultima risale alla sera della festa. Solo che, porca miseria, proprio quelle non si riescono a sentire.

– 'Azz… E niente possiamo fare per recuperarle?

– Chiamai quelli della postale. Vediamo se con qualche sistema loro ce la fanno.

– Speriamo, Spanò, perché questa mi pare una cosa importante. Fragapane è andato alla scientifica?

– Sí. Ma al solito suo, arrivò troppo presto e non c'era nessuno. Penso che tra poco dovrebbe tornare.

Il commissario Patanè si affacciò nell'ufficio del vicequestore bussando alla porta.

Giacca spigata, cravatta bordeaux, giornali sotto il braccio. Fresco di barbiere.

Era tornato quello di sempre.

– Buongiorno a tutti, – fece.

– Buongiorno, commissario! – lo accolse Spanò, contento.

Li lasciò soli e se ne andò a sbrigare la faccenda del telefonino.

– Perciò, commissario! Che mi voleva raccontare? – disse Vanina, aprendo i pacchetti del bar e porgendogliene uno.

– Un attentato alla mia glicemia! – commentò Patanè, avventandosi senza remore sul cornetto. Avvicinò la poltroncina alla scrivania e si mise comodo. – Ieri sera, ripensando all'avvocato Ussaro, mi venne in mente una cosa di cui mi ero dimenticato –. Sventolò energicamente una bustina di zucchero, la aprí e la versò nel cappuccino.

Vanina aspettò che proseguisse. Conoscendo il soggetto, non avrebbe tralasciato nessun dettaglio.

– Una quarantina d'anni fa, nella famiglia dell'avvocato avvenne un fatto brutto. La prima moglie, non so come si chiamava, si suicidò. Si tagliò le vene dei polsi. Se non sbaglio la trovarono nella vasca da bagno piena d'acqua. Chiamarono i colleghi del commissariato di Piana dell'Etna, perché il fatto avvenne là, ma se ne parlò assai pure a Catania. Dubbi sul fatto che si fosse suicidata non ce ne potevano essere, questo me lo ricordo bene. Però mi ricordo pure che l'avvocato ebbe questioni con qualcuno della famiglia di lei. Una sorella, mi pare, che lo denunciò per istigazione al suicidio.

– E come andò a finire? – chiese Vanina, con in mano l'ultima punta del cornetto, da cui debordava crema piú del solito. Quella mattina Alfio il pasticcere aveva superato sé stesso.

– Ca come andò a finire, dottoressa? A niente, naturalmente. L'accusa era debole, l'avvocato aveva fior di testimoni che confermavano la sua condotta perfetta nei confronti della moglie. In tutta sincerità, anche se lui era notoriamente una cosa tinta, poteva essere pure vero.

– Sempre piú una bella persona, quest'avvocato.

– È un fatto vecchio, che fra l'altro non c'entra niente con la ragazza scomparsa. Ripeto, dubbi sul suicidio della moglie di Ussaro non ce ne furono mai. Se si procura il fascicolo lo leggerà lei stessa. Però per capire meglio il quadro complessivo del personaggio, pensai che magari poteva tornarle utile saperlo.

Era vero, una storia del genere non poteva avere a che fare con Lorenza Iannino. Però a Vanina fece venire voglia di approfondire.

– Piú di questo non si ricorda, immagino.

Patanè inghiottí l'ultimo pezzo di cornetto, si pulí la bocca con un tovagliolino di carta. Aveva zucchero a velo sparso ovunque: giacca, cravatta, pantaloni.

– No, dottoressa. Per saperne di piú dovremmo andarci a guardare il fascicolo. Ma saranno quattro fogli, penso che manco al processo arrivarono. Però mia moglie è di Piana dell'Etna. Qualche amica che ne sa di piú capace che ce l'ha.

– E sua moglie sarebbe disponibile a indagare un po', senza farsene accorgere? – Sorrise all'idea.

– Ca certo! La convinco io.

Vanina raccolse carte e bicchierini, infilò il tutto in uno dei due sacchetti bianchi e lo appallottolò per bene. Fu tentata di lanciarlo nel cestino, ma preferí alzarsi e andarlo a gettare. Un'altra palla di carta schizzata fuori dal suo balcone non sarebbe stato facile occultarla.

Spanò rientrò nella stanza del vicequestore, interrompendo il discorso.

– Un amico mio della postale mi consigliò di provare a

sentire dal computer, collegando il telefonino. Il computer della ragazza dovrebbe avere un sistema per farlo.

Vanina lo guardò come si guarda un genio. – E certo! Il computer della Iannino è un Mac. Vada a prenderlo, ispettore.

Patanè guardò perplesso Spanò che usciva di nuovo.

– Ma di che cosa parlate? Unni si ni partíu Carmelo?

Vanina gli spiegò. Visto che c'era, gli raccontò anche del gruppo WhatsApp «Serate tra amici». Dovette mostrargli sul suo iPhone in cosa consisteva una chat.

– Ma tu varda un po' che cose incredibili! – commentò il commissario, incredulo davanti a quella apoteosi della tecnologia. – Però, – ragionò poi, di nuovo concentrato, – se la sera in cui è stata ammazzata la carusa registrò qualche cosa, capace che questo qualche cosa può essere un indizio importante.

– È quello che penso anch'io.

Spanò rientrò col computer della Iannino, un cavo per collegare l'iPhone, e Nunnari per supporto tecnico.

– Mi ha appena chiamato Fragapane, – comunicò.

– Che diceva?

– Il volante della macchina per fortuna nostra è di un materiale liscio, perciò riuscirono a pigliare varie impronte. Ma non sono della Iannino. Ovvero, quelle della Iannino ci sono ma sono cummigghiate da altre. Una di queste altre è perfetta perché è stampata sullo specchietto retrovisore. L'hanno trovata anche sulla maniglia dello sportello, che è cromata. A Pappalardo gli venne l'idea e provò a vedere se per caso la stessa impronta c'era anche sul manico della valigia, che è di plastica liscia. Indovini un poco?

– La trovò, – rispose Patanè, attentissimo a tutta la storia. Di impronte digitali se ne intendeva pure lui, ai tempi suoi erano una delle poche indagini scientifiche a disposizione.

Collegarono l'iPhone di Lorenza al Mac e subito si aprí iTunes.

Di sentire i file audio non c'era verso.

– Nunnari, fammi aprire un po' qualche file di questo computer. Vediamo che c'è. Sapete com'è, lo controllò Lo Faro...

Il sovrintendente le cedette il posto e le si sedette accanto. Vanina cliccò sulle icone della scrivania. Cause. Relazioni. La maggior parte a firma Elvio Ussaro, ma non serviva essere dei geni per capire chi le avesse scritte in realtà.

Ricevute di biglietti aerei, a nome di Lorenza e a nome dell'avvocato.

Nella casella mail c'erano due account. Uno era quello affiliato allo studio, un altro era quello personale. In quei tre giorni era arrivato di tutto: pubblicità, spam, una quantità enorme di quelle mail fasulle che Vanina definiva *infettacomputer* perché, se mai sia uno s'arrischiava ad aprire l'allegato, poteva dire addio al suo pc.

Tre mail consecutive arrivate nella casella personale qualche settimana prima attirarono l'attenzione di Vanina. Erano inviate da Lorenza Iannino a sé stessa. Un sistema che si usa quando vuoi essere certo che un documento non vada perduto. O magari, volendo pensare male – e quello era il mestiere suo – se vuoi conservarti qualcosa senza che compaia tra i file del computer. La prima conteneva tre lettere scannerizzate. Scritte a mano, su fogli bianchi e senza data. Tutte simili: una serie di indicazioni dettagliate su come e dove versare una certa cifra, nomi di persone con cui «interfacciarsi». Nomi di società straniere: rumene, marocchine, maltesi. Le lettere erano firmate «E. U.»

Aprí la seconda. I fogli scannerizzati erano piú piccoli, ma sempre scritti a mano. Uno era intestato «Carissimo don Rino». Era una lettera in cui si parlava di una causa per un appalto vinto che qualcuno aveva contestato. La controparte veniva definita «ragionevole». Seguiva la richiesta di una cifra da investire in modo da essere sicuri che «quelli» continuassero a «ragionare». Seguiva una risposta. Grafia diversa. Intestazione «Carissimo Ussaro». In entrambe si faceva riferimento a «l'onorevole».

Vanina si appoggiò alla spalliera, pensierosa. La sigaretta ancora spenta tra le labbra.

– Capo, – disse Spanò.

– Eh, Spanò? – rispose la Guarrasi, distogliendo lentamente gli occhi dal monitor.

– Ma secondo lei sono... – Non finí la frase perché non ce ne fu bisogno. Lo sguardo del vicequestore rispondeva da solo. – Queste lettere basterebbero per mettere il telefono sotto controllo a Ussaro, – suggerí.

– Queste lettere valgono piú di qualunque intercettazione, Spanò.

Patanè, occhiali sul naso, aveva appena finito di leggere.

– E non solo per questa indagine, – aggiunse.

Vanina annuí. Era esattamente quello che stava pensando.

– E allora che facciamo? – chiese Nunnari.

– Niente di diverso da quello che avevamo deciso. Io e Spanò andiamo a parlare con Ussaro.

– Subito?

– Sí, subito –. Poi si rivolse a Nunnari. – Il computer della Iannino lascialo qua. Voglio passarci un po' di tempo io. Questi file trasferiscili in una chiavetta.

– Signorsí.

Vanina si alzò in piedi, rinfilò la sigaretta nel pacchetto e si mise il telefono in tasca. Aggiustò la fondina prima di infilarsi la giacca.

13.

Mentre Vanina accompagnava Patanè alla porta, il Grande Capo uscí a passo di carica dalla sua stanza e venne verso di lei. Ignorò quasi il commissario, che se la filò.

– Guarrasi, – tuonò, – posso sapere che sta succedendo?

S'infilò nell'ufficio di Vanina, che lo guardò senza capire. Già il fatto che l'aveva chiamata Guarrasi non deponeva bene.

Tito si andò a piazzare in mezzo alla stanza.

– Vassalli mi ha telefonato un attimo fa sbraitando che tu ti stai muovendo senza la sua autorizzazione e che stai convocando persone senza nemmeno avvertirlo.

Qualche fituso doveva essere andato a lamentarsi. Di corsa per giunta.

– Niente di particolare, Tito. Ho fatto chiamare quelle persone solo perché penso che potrebbero darci informazioni utili sulla sparizione della Iannino. Se dovesse emergere qualcosa di concreto naturalmente lo comunicherò subito al pm, – rispose, all'apparenza calma.

Macchia la guardò contrariato. – Ti sembro un coglione io, Vani'? No, dillo chiaramente se ti sembro un coglione.

– Scusami, – gli disse.

– Ora ripeti tutto senza prendermi per i fondelli.

– Non ti prenderei mai per i fondelli, Tito. Lo sai.

– E allora finiscila di parlare come se fossi Vassalli e spiegami che stai combinando.

Vanina andò a risedersi sulla sua poltrona e Macchia si mise sulla poltroncina davanti.

Gli fece un riepilogo di quello che avevano scoperto.

– Quindi Ussaro ci ha detto di non aver avuto notizie della ragazza, mentre invece quella sera l'ha sentita piú volte e l'ha persino aiutata a organizzare la festa.

– Se non gliel'ha addirittura organizzata lui, – precisò Vanina.

– E uno come lui fa una cosa cosí stupida come negare, sapendo che messaggi e telefonate sono la prima cosa che viene controllata?

– Proprio questo mi aveva fatto pensare già da prima che Ussaro ci fosse dentro piú di quanto pensiamo. Perché il telefono della Iannino, in teoria, è stato distrutto e gettato via insieme al cadavere. Questo lo può sapere solo chi se n'è liberato, o chi ha ordinato di liberarsene. Che quindi è tranquillo che non possiamo trovarlo e non ha remore a mentire. Nessuno immagina che invece ce l'abbiamo in mano noi. Cosí come nessuno immagina che abbiamo trovato la valigia e che siamo entrati nel villino. Almeno, i giornali non l'hanno scritto.

– Secondo te, perciò, queste persone della chat non hanno idea di quello che possiamo sapere.

– No. Ma una cosa è certa: tutte, a una a una, hanno abbandonato la chat appena la notizia della scomparsa della Iannino è uscita sui giornali. Tutte tranne, guarda caso, proprio l'avvocato, che invece l'ha abbandonata la sera stessa dell'omicidio. Seguito dall'onorevole Alicuti e da suo figlio.

– Che è anche il proprietario del villino.

– Esatto.

– Ma se dici che Ussaro era tranquillo che il telefonino era stato distrutto, come te lo spieghi che ha abbandonato la chat per primo?

– Potrebbe averla abbandonata prima ancora che il telefono venisse eliminato.

Tito la fissò dubbioso. Tirò un respiro lungo.

– Mah.

– Senza contare, – aggiunse Vanina, – che qualcuno è entrato in casa della Iannino dopo di noi. Presumibilmente, anche in questo caso, appena la notizia è uscita sui giornali.

– Come lo sai? – fece Macchia, drizzandosi sulla poltroncina.

Gli disse delle carte rimestate.

– Quindi qualcuno che cercava qualcosa.

– Già. Qualcosa di cartaceo che noi invece abbiamo trovato in formato digitale. Qualcosa che la Iannino voleva essere sicura di conservare, tant'è che infatti l'ha scannerizzata. Qualcosa, Tito, che basta e avanza per esserle costata la vita.

L'espressione del capo s'era fatta grave.

– Questa storia è una rogna, – disse.

Vanina aggiunse come corollario quello che le aveva raccontato Patanè.

– Questa mi sembra una storia vecchia, però, Vani', – commentò Tito, guardingo. Con la Guarrasi non si poteva mai stare tranquilli, da quel punto di vista. Era capace di ravanare tra i fascicoli di mezzo archivio per un ghiribizzo. Ma quanti ghiribizzi di quella sbirra nata poi si erano rivelati intuizioni? Assai. Nessuno lo sapeva meglio di lui.

– Vediamo se riusciamo a saperne qualcosa di piú, – disse Vanina.

Macchia si alzò faticosamente dalla poltroncina. Certo che una trentina di chili in meno male non gli avrebbero fatto. Strano che Marta non riuscisse a metterlo a dieta, pensò Vanina. Ma poi rifletté che certe cose uno o le vuole fare o non c'è verso di obbligarlo. Lo sapeva bene lei, che di chili ne avrebbe dovuti perdere otto e che non riusciva a eliminare un solo grammo. L'occhio le cadde sul cartoccio della colazione, testimone della mancanza assoluta di volontà. E Tito, in questo, era molto simile a lei. Fumatore, carnivoro, buongustaio, poco incline a rinunciare a quello che gli dava gusto. Povera Marta!

– Pensi ancora che avrei dovuto avvertire Vassalli prima di muovermi? – gli chiese.

– Non l'ho mai pensato.

– E allora perché sei arrivato che parevi una furia?

– Perché non hai avvertito me. Se devo pararti le spalle, devo sapere quello che stai facendo.

– Hai ragione. Comunque, a mia discolpa, in realtà credevo che lo sapessi.

– Perché avrei dovuto saperlo?

– Forse perché lo sapeva Marta?

Tito s'innervosí. – Vanina, quello che c'è tra me e Marta è una faccenda privata. Le questioni di lavoro ne restano fuori. Perciò se vuoi che io sappia qualcosa, vieni da me e me la dici. O se sei impegnata mi mandi qualcuno dei tuoi.

Vanina si sentí un'idiota.

– Certo, – rispose. – Anzi, scusami se ogni tanto ho esagerato con le battute. Non avrei dovuto.

– Ma smettila, va'! – fece Tito, rabbonito. – Sai benissimo che le tue battute non mi dànno nessun fastidio. Anzi, forse è proprio grazie a te che Marta sta cambiando atteggiamento. Solo non voglio che si mischi il lavoro con la vita privata.

– E fai bene.

– Comunque, ora per lo meno so cosa rispondere, o non rispondere, alle diecimila telefonate che riceverò, – disse, dirigendosi verso la porta.

Il vicequestore lo accompagnò.

– Ma sei d'accordo con me che dovevo sfruttare questo vantaggio senza che nessuno mi mettesse i bastoni tra le ruote?

Tito le mise una mano sulla spalla. – Vani', io sono sempre d'accordo con te, ormai dovresti saperlo. Anzi, ti dirò di piú: quello che hai trovato nel computer della Iannino può spianarti la strada come tu non immagini nemmeno.

– E chi ti dice che io invece non lo abbia immaginato?

Il primo dirigente sorrise. Annuí.

Stava per uscire quando Nunnari arrivò, caracollando affannato con un foglio in mano.

– Capo!

Vanina e Macchia lo guardarono entrambi.

Per rispetto delle gerarchie il sovrintendente si rivolse al primo dirigente.

– Finalmente sappiamo da dove sono partite le telefonate anonime che abbiamo ricevuto. È una cosa troppo strana!

Vanina gli levò il foglio dalle mani.

– La prima è stata fatta da un telefono che corrisponde al bar nell'area di servizio Sala Consilina Est.

– Sulla Salerno - Reggio Calabria, – disse Macchia, meravigliato.

– La seconda dal *Bar... Baccelli*, – Vanina alzò gli occhi, sempre piú sbigottita. – Roma.

– Roma? – ripeté Tito, allisciandosi la barba.

– Non è troppo strano? – fece Nunnari, guardando un colpo il capo e un colpo il Grande Capo.

Che per tutta risposta tornò indietro e prese possesso della poltrona del vicequestore.

– La cosa comincia a intrigarmi parecchio, – fece.

Vanina lo seguí. Il foglio in mano e la testa concentrata su quella notizia. Su cui intuiva che bisognava ragionare per bene, perché proprio in quanto inaspettata poteva essere la chiave per capire.

– Vanina? – la richiamò Tito.

Lo fissò senza guardarlo. Seguendo i suoi pensieri.

– Nunnari, lei mi conferma che quelli della chat sono tutti in sede?

– Sí, dottoressa.

– Che stai pensando? – chiese Macchia.

– Che evidentemente non tutti gli ospiti della festa erano in quella chat.

– Perché?

– Perché se cosí fosse mancherebbe qualcuno all'appello.

– Chi?

– La persona che mi ha telefonato due volte, e che sosteneva di essere presente al villino e di essere stata mandata via per non assistere alla morte della ragazza. Salvo poi scoprire, in un secondo momento, dove e come era stato eliminato il cadavere. Se vogliamo seguire un ragionamento, si può immaginare che questa persona abbia preso una macchina quella notte stessa e se ne sia partita per Roma. Poi presa da una botta di senso del dovere abbia deciso di avvertirci di quello che era successo.

– Il ragionamento fila.

– Quello che non fila è perché questa persona ha sentito il bisogno di scappare.

– Perché c'entra con l'omicidio? – ipotizzò Tito.

– Forse. O forse perché si sente minacciata. E se è cosí, questo confermerebbe che dietro a questa faccenda ci sono questioni piú grosse di quello che pensiamo.

La porta socchiusa dell'ufficio si aprí, lenta. La Bonazzoli si affacciò.

– Posso, Vanina? – Vide Tito seduto alla scrivania, ma stavolta non si bloccò. Anzi lo salutò.

Vanina le fece cenno di entrare. – Dimmi, Marta.

– Ho parlato con quelli della polizia di frontiera. Ovviamente non hanno novità sostanziali, altrimenti ci avrebbero avvertito, ma hanno recuperato degli oggetti. In mezzo c'è anche una scarpa da donna, che era incastrata sotto le basi d'appoggio della piattaforma di un lido, ad Aci Trezza.

– Potrebbe essere della Iannino, – commentò il dirigente.

– Potrebbe, – disse Vanina. – Facciamocela dare, appena possibile.

– Certo. Intanto mi sono fatta mandare una fotografia –. Marta aprí il telefono e la mostrò a Vanina.

Un sandalo nero, alto, tacco grosso.

La foto successiva era l'ingrandimento dell'etichetta, perfettamente leggibile. Saint Laurent.

Vanina sogghignò. – Tu glielo chiedesti, di fotografare la marca? – le chiese.

– Sí.

– Brava Marta, molto acuta, – si complimentò. – Diciamo che, considerato il brand di lusso, la probabilità che sia della Iannino c'è, – spiegò a Tito, che le guardava interrogativo.

– Te la stampo, – disse Marta.

– Sí. Proviamo a mostrarla alle persone che interroghiamo oggi. Magari qualcuno se lo ricorda.

– Mi sembra un po' ottimistico, – commentò Tito.

Bussarono alla porta. Giustolisi, il capo della Sezione criminalità organizzata infilò la testa nell'ufficio. Salutò.

– Dottore, avrei bisogno di parlarle, – disse.

Macchia si alzò dalla poltrona. – Arrivo.

Si voltò verso Vanina. – Vabbuo', Vani', tenetemi informato.

Accennò un sorriso a Marta, e se ne andò.

14.

Il sostituto procuratore Paolo Malfitano chiuse il fascicolo su cui aveva passato tutta la mattinata. Si stropicciò il viso e si alzò in piedi. Aprí la finestra il piú possibile, per far cambiare l'aria di quell'ufficio, al secondo piano del palazzo di giustizia piú leggendario d'Italia, nel quale in poche ore si erano avvicendate almeno una decina di persone.

L'aspirante collaboratore di giustizia che aveva appena finito di interrogare, insieme al capitano Gazzara dei Ros, era piú fituso di un campo di broccoli appena concimato. Sia in senso letterale che in senso figurato. Alla fine l'aveva spedito per direttissima all'Ucciardone, dove sarebbe rimasto parcheggiato in attesa che l'ispirazione giusta illuminasse la millantata collaborazione.

Sentí bussare due volte.

– Avanti.

Il procuratore aggiunto Stefania Trizi entrò mentre lui tornava alla sua scrivania zoppicando in modo piú vistoso del solito.

– Malfitano, tutto bene?

– Benissimo, grazie, – le rispose.

– Ti fa male? – chiese la Trizi, indicando la sua gamba.

– Non piú di tante altre volte.

La donna si sedette e lui fece lo stesso.

– Hai saputo che è stato bandito un posto di procuratore aggiunto?

Gli allungò un foglio stampato. Paolo lo guardò un attimo e lo poggiò sul tavolo. Annuí.

– Concorrerai, vero?

– Ovvio, – le rispose, quasi subito.

La Trizi captò il quasi.

– Hai dei dubbi?

Stefania era una con cui avrebbe potuto parlare senza problemi. Lavoravano porta a porta da tre anni, anche se non sulle stesse indagini, e da tre anni si stimavano reciprocamente. Paolo stava per raggiungere la soglia limite dei dieci anni di servizio alla Dda di Palermo, e molto presto sarebbe stato obbligato a lasciare il posto, per trasferirsi in un'altra sezione. Al procuratore aggiunto Trizi sarebbe dispiaciuto.

Un cambio di posizione, con le sue qualifiche, gli avrebbe consentito di essere assegnato di nuovo all'antimafia.

– Su cosa?

– Non lo so. Magari stai valutando se non sia una buona occasione per disintossicarti da tutto questo, e startene un po' tranquillo. Magari nell'ordinario. Per noi sarebbe una perdita enorme, ma nella tua situazione... lo capirei.

A Paolo scappò un sorriso. Stefania era in alto mare. La sua situazione – eufemismo con cui si alludeva ai proiettili imbustati e alle minacce di morte mormorate tra le mura di carceri di massima sicurezza che un giorno sí e l'altro pure continuavano ad arrivargli – non c'entrava niente.

– Ti sembro uno disintossicabile?

La Trizi lo fissò, strinse gli occhi.

– No. Ma non si può mai sapere. Allora che c'è?

– Niente. Tenterò senz'altro per il posto da aggiunto, – la tranquillizzò.

Che altro avrebbe potuto dire? L'idea che lo stava lambendo era ancora talmente campata in aria che non era il caso di andarla a raccontare all'unica collega, piú alta in grado, da cui poi avrebbe potuto ricevere un report attendibile sulle valutazioni che il Csm avrebbe fatto su di lui.

– Sperando di avere qualche possibilità di riuscita, – aggiunse.

– Su quello non avrei granché di dubbi. Poi, lo sai come sono queste cose. A volte riservano sorprese.

La Trizi si rialzò.

– Basta, ero venuta solo per dirti questo. Ora me ne vado a pranzo. C'è mio marito che m'aspetta qua sotto.

Paolo la imitò.

– Aspetta, esco con te. Ho promesso a mia madre che avrei pranzato da lei –. Si allungò verso l'appendiabiti puntandosi sulla gamba sinistra. Afferrò la giacca e se la infilò.

– Ma te la fai controllare ogni tanto, quella gamba? – fece Stefania, col tono che usava col figlio tredicenne.

– Non c'è molto da controllare.

– Io invece direi di sí. T'hanno sparato, non è che ti sei fatto un graffio.

– Stefania, m'hanno sparato piú di quattro anni fa.

La Trizi lo guardò dubbiosa.

– Sarà, però a me sembra che ti faccia male...

– Ormai ci ho fatto l'abitudine, – la rassicurò, mentre raccoglieva carte e fascicoli. Era vero. Anzi, quella morsa continua che da quattro anni gli serrava il quadricipite femorale a volte gli dava quasi un brivido di piacere. Il piacere di essere vivo.

Allungò la mano sul cassetto della scrivania, esitò prima di tirare fuori un foglio che aveva stampato qualche giorno prima. Lo uní al bando che gli aveva appena dato Stefania e infilò tutto nella borsa di cuoio che pareva scoppiare.

– Anche tu sei refrattario al formato digitale, vedo, – constatò la Trizi, mentre uscivano dall'ufficio.

– Assolutamente refrattario.

Scesero in fretta. Si fermarono sotto il porticato, in cima alla scalinata, un tempo molto piú lunga, che da quando avevano rialzato il piano stradale era ridotta a pochi gradini.

L'auto di Paolo era già pronta.

Salutò la Trizi e si fermò a contemplare piazza Vittorio Emanuele Orlando. Ci passava mille volte al giorno ma non la guardava mai. Scalinata a parte, negli ultimi dieci anni aveva subito un restyling totale. Avevano costruito persino un parcheggio sotterraneo. Eppure lui preferiva la vecchia versione.

Il capo della sua scorta lo raggiunse subito, contrariato. Dottore, ma proprio qua sopra? Aveva pure ragione, povero cristo. Già il suo non era un mestiere facile, né privo di rischi. Se poi oltretutto gli capitava da proteggere un agnostico, fatalista e indisciplinato come lui, diventava un percorso a ostacoli.

Paolo si infilò nell'auto, che partí subito. Sul sedile c'era la copia della «Repubblica» che aveva dimenticato quella mattina. L'aprí, scorse le pagine fino alla nera regionale. La scomparsa dell'avvocata catanese era di nuovo l'argomento principale. Tre articoli che Paolo saltò a piè pari fermandosi in fondo alla pagina, dov'era collocata una fotografia formato tessera del vicequestore aggiunto Giovanna Guarrasi. Che «brancolava nel buio».

D'istinto andò con la mano al telefono. Lo estrasse dalla tasca. Rimase a guardarlo per un tempo lungo, incerto. Sbloccò lo schermo, poi lo ribloccò. Buttò il telefono sul sedile, con rabbia.

Ma come cazzo gli era venuto in mente di sottoporsi a una promessa cosí inattuabile? Non chiamarla piú, non scriverle piú.

E ora non poteva che mantenerla. Perché se esisteva anche solo una possibilità…

In via Volturno trovarono il solito traffico. Davanti a Porta Carini la macchina rimase ferma per una manciata di secondi. Paolo si voltò a guardarla. Neanche se la ricordava piú l'ultima volta che c'era passato a piedi, magari addentrandosi nelle viuzze del mercato del Capo. Senza remore. Senza paura. Senza pericolo.

Aprí la borsa e tirò fuori il foglio preso dal cassetto. Lo lesse con attenzione, poi lo infilò in una tasca laterale insieme al bando che gli aveva dato Stefania. Per il momento era meglio che stesse là. Confinato. Insieme a quell'idea che gli martellava in testa da giorni, e che gli tenne compagnia finché l'auto non si fermò in via Emerico Amari.

Il telefono abbandonato sul sedile iniziò a squillare.

Paolo guardò il display con un sorriso accigliato. Sorpreso.

15.

Vanina aveva lasciato Spanò in macchina, e stava percorrendo veloce il corridoio della procura. Davanti alla porta del pm Vassalli si fermò e inviò il messaggio concordato. Se l'idea geniale che aveva avuto fosse andata in porto, avrebbe preso due piccioni con una fava. Bussò ed entrò.

La stanza pareva una sauna finlandese. Temperatura tropicale, finestre sprangate ed essenza di menta sparsa nell'aria. Aria irrespirabile. Lui che ruminava caramelle balsamiche con la determinazione di un testimonial della Ricola. Quasi totalmente afono.

Doveva esserci un'epidemia.

– Venga, dottoressa, s'accomodi. Mi diceva che abbiamo nuovi indizi sul caso della ragazza scomparsa –. Era ancora irritato per la faccenda delle convocazioni, anche se Macchia era riuscito ad ammansirlo parecchio.

– Aprendo il computer della Iannino siamo entrati in possesso di qualcosa che già di per sé costituisce un grave indizio di reato a carico di un paio di persone coinvolte nel suo presunto omicidio, – spiegò Vanina.

Gli passò la chiavetta su cui Nunnari le aveva caricato il file. Il magistrato la inserí nel suo computer.

– Giri, giri pure da questa parte, dottoressa Guarrasi.

Vassalli lesse tutte le lettere che lei aveva selezionato. Le rilesse di nuovo. Iniziò ad agitarsi e a sventolarsi con una cartellina.

L'odore di menta si sprigionò ancora piú forte. Vanina temette di andare in ipossia.

– Queste sono lettere molto delicate. Sono...

– Pizzini, – suggerí il vicequestore, mentre qualcuno bussava alla porta.

Il pm si toccò la fronte, che stava iniziando a imperlarsi.

– Avanti, – disse, col massimo della voce di cui era dotato.

Il sostituto procuratore Eliana Recupero entrò nella stanza.

– Mamma mia! Franco, ma qua non si respira.

Si voltò verso Vanina.

– Dottoressa Guarrasi! Che piacere rivederla.

Da come s'abbracciarono e baciarono si poteva dire che non si vedessero da molto tempo.

Vassalli sapeva che quelle due erano unite da profonda stima e da uguali opinioni, cosa che gliele rendeva doppiamente antipatiche. Già la Guarrasi di suo tendeva a pigliare tutto di petto, ci mancava solo la Recupero a metterle il turbo ai motori e non l'avrebbe ripresa piú nessuno.

Piú o meno era quello che, in senso positivo, ognuna per conto suo, pensavano anche Vanina e Eliana.

– Ma scusate, non voglio disturbare il vostro lavoro, – fece la Recupero, senza però muoversi di un centimetro.

Vassalli ci mise qualche minuto in piú dei tre che Vanina aveva ipotizzato per iniziare a illuminarsi. Vedi un po' che quasi quasi riusciva a sbolognare quella patata ustionante in mani altrui.

– No, no, nessun disturbo. Anzi, capiti proprio a proposito. La dottoressa mi stava mostrando giustappunto qualcosa che forse potrebbe essere di tuo interesse.

Quelli della Dda Vassalli li considerava gente di un altro pianeta, che stimava ma che non avrebbe mai imitato. Piuttosto si sarebbe buttato sul civile, e tanti saluti a tutti.

La Recupero si avvicinò e visionò in pochi minuti tutte le lettere. I pizzini, come confermò.

– Questi sono elementi importantissimi per un'indagine che sto conducendo io. Dottoressa, ma lei come li ha trovati?

Vanina le spiegò per sommi capi il caso di Lorenza Iannino.

– Comunque, dottoressa, a questo punto ritengo sia utile che collaboriamo. Col suo caso, com'è evidente, lei potrebbe trovare altri elementi importanti e per noi sarebbe necessario acquisirli immediatamente. Intanto, se mi dà un paio d'ore, faccio intercettare subito Ussaro. Vediamo che dice. Mettiamo che la ragazza lo stava ricattando con quelle lettere, sicuramente dopo che la dottoressa Guarrasi sarà andata a sentirlo qualcosa dirà. Franco, facciamo cosí: chiedo al procuratore di affiancarci.

Vassalli, che stava per sospirare di sollievo, rimase in apnea. Porca miseria, s'era messo nei guai con le sue stesse mani.

Spanò aveva parcheggiato in doppia fila davanti al panificio all'angolo. Mentre aspettava s'era fatto fuori una cartocciata e un trancio di pizza e stava tornando dal bar dove aveva preso il caffè.

Vanina entrò in macchina con un mezzo sorriso stampato in faccia. Era stata un genio.

– Mi scusi, ispettore, ma questo passaggio in procura era necessario.

Spanò partí.

– Ussaro non è in facoltà, e neppure in studio. La segretaria mi ha detto che è a un convegno, nell'aula magna dei Benedettini, – comunicò.

– E andiamo, – fece il vicequestore. Aprí un pacchetto di sigarette e gliele offrí.

– Una l'accetto, grazie –. Dopo il caffè, un paio di volte alla settimana, era il massimo che si concedeva.

Vanina tirò fuori il telefono e fece una chiamata.

– Marta, raggiungici tra un quarto d'ora al monastero dei Benedettini. Aula magna, dovrebbe esserci un convegno. Portati Lo Faro, per compagnia. Non vi avvicinate a noi. Rimanete nei paraggi finché io non ti chiamo e non ti dico cosa dovete fare.

Riattaccò.

Spanò stava cercando di capire.

– Dottoressa, posso chiederle che stiamo facendo?

– Stiamo andando a parlare con Ussaro.

– Questo lo sapevo, ma Bonazzoli e Lo Faro?

– Ci servono per dopo.

Niente, era il momento in cui la Guarrasi dosava le notizie. Uno doveva andarle dietro senza capire fino in fondo che aveva in mente. Era seccante, soprattutto per lui che sapeva di essere il suo preferito, ma faceva parte del suo sistema. Cosí era e cosí doveva essere per funzionare bene. Ormai Carmelo l'aveva capito. Al momento opportuno gli avrebbe detto tutto.

Vanina fece un'altra telefonata, stavolta a Nunnari.

– Nunnari, ascoltami bene: tra poco tornerà in ufficio Ferlito, della Criminalità organizzata, con un decreto d'intercettazione per Ussaro. Avviatela subito, mi raccomando.

– Va bene, capo, non si preoccupi.

Chiuse e guardò Spanò che sorrideva sotto i baffi. Sicuramente iniziava a capire.

Il monastero dei Benedettini di San Nicolò l'Arena per Vanina fu una scoperta. Per scovare l'aula magna Mazzarino, dove il professor Elvio Ussaro declamava da circa mezz'ora in un convegno dal tema «Lotta alla corruzione», lei e Spanò se l'erano dovuto girare in lungo e in largo. Scalinate solenni, chiostri settecenteschi, corridoi che non finivano mai e che sbucavano in altri corridoi, tutti costellati di porticine. Celle monastiche, adibite a stanze dei docenti, e aulette del dipartimento di Scienze umanistiche.

Dopo averli visti spuntare per la terza volta dalla medesima apertura, due studenti caritatevoli avevano deciso di trarli in salvo e di accompagnarli. Convinti di aver raccattato due turisti sprovveduti, s'erano improvvisati ciceroni e avevano condito quel percorso labirintico con un centinaio di informazioni sull'edificio, sulla sua storia e sul perché e il percome da convento ecclesiastico dell'epoca dei Viceré, transitando attraverso tre secoli, era finito col diventare una sede universitaria. Alla fine di quella full immersion derobertiana, a Vanina quasi dispiacque quando dal vecchio refettorio, oggi aula magna, invece che un don Blasco Uzeda satollo di cibo, vide venirle incontro il professor Elvio Ussaro.

– Dottoressa Guarrasi, buongiorno! La mia segretaria mi aveva avvertito che mi stava cercando, – la accolse, ignorando come al solito Spanò.

Cravatta a pois giallo limone, giacca marroncina, pantaloni marroncini, mocassini color cuoio. Un pugno nell'occhio per chiunque avesse il minimo senso del gusto.

Appresso a lui, un codazzo di persone, tra cui Susanna Spada e Nicola Antineo. Ultima, un po' defilata, Valentina Borzí combinata in un modo che pareva pronta per essere ordinata monaca di clausura.

Vanina scorse Bonazzoli e Lo Faro che s'aggiravano intorno all'aula con indifferenza. Come avevano fatto a essere già là?

– Avvocato, mi dispiace averla disturbata, ma l'alternativa sarebbe stata convocarla in ufficio. Penso che una chiacchierata possiamo farla anche qui, che ne dice?

– Ma naturalmente. Vogliamo uscire fuori?

Il portone a vetri davanti all'aula magna era aperto e dava su un giardino. Delle scale di ferro portavano giú. Piú avanti, oltre un arco, s'intravedeva un'uscita diretta sulla strada.

– A saperlo prima, – sfuggí a Spanò, che senza conoscere a menadito la storia del monastero aveva campato benissimo per cinquantasei anni, e se la sarebbe scansiata volentieri anche quel giorno.

Ussaro fece segno ai ragazzi che potevano aspettarlo su, ma Vanina gli comunicò che la chiacchierata includeva anche l'avvocato Spada. Che li seguí perplessa.

Scesero giú e si misero in una zona tranquilla del giardino. Lontano da occhi e orecchi estranei.

– Andrò subito al dunque, – esordí Vanina. – L'altra mattina, quando vi ho chiesto se lunedí sera avevate piú visto o sentito Lorenza Iannino dopo l'orario di lavoro, voi non mi avete detto la verità. Posso sapere perché?

I due rimasero interdetti.

– Di cosa parla, dottoressa? – chiese il professore, raddrizzando le spalle di colpo e alzando gli occhi che, come suo uso, stavano scannerizzando il selciato.

– Del fatto che entrambi non solo avete sentito piú volte la Iannino, ma avete anche partecipato attivamente alla festa che lei aveva organizzato.

L'avvocato sorrise. – Non so chi possa averle raccontato una simile stupidaggine!

Vanina lo fulminò con uno sguardo, grigio lama di coltello.

– Avvocato, voglio ricordarle che le ho usato una gentilezza venendo qui, invece di convocarla come ho fatto con tutti gli altri.

– Allora mi perdoni per la franchezza, ma in tutta sincerità non capisco di cosa stiamo parlando, – occhieggiò la Spada, che taceva. La faccia piú nera dei suoi capelli.

– Ah. Dunque la chat «Serate tra amici» non vi dice niente?

I due trasecolarono. Stavolta in modo visibile.

– Ne fate parte entrambi. Anzi, scusate, ne facevate parte, dato che il gruppo è stato abbandonato da tutti i partecipanti, alla notizia che Lorenza era scomparsa. Lei, avvocato, ha battuto tutti sul tempo. Ha abbandonato la sera stessa della festa.

I due non risposero.

– La definirà di nuovo una «stupidaggine», avvocato, oppure possiamo cominciare a parlare seriamente?

– Posso chiederle come ha saputo di quella chat?

Il fituso si stava arrovellando sicuramente su chi fosse il traditore che aveva spifferato delle loro serate.

– Importa poco. Piuttosto vorrei che rispondesse alla mia domanda.

– Dottoressa, cerchi di capirmi. Sono un uomo sposato. Era una festa a cui avevo partecipato senza mia moglie, mi è venuto lo scrupolo.

Vanina faticò per non ridere.

– Ah, lo scrupolo –. Si rivolse alla donna. – Anche lei, avvocato Spada, aveva di questi scrupoli?

– No. Volevo solo evitare di essere infilata in una faccenda cui sono completamente estranea.

– Quale faccenda? La scomparsa di Lorenza?

Ussaro intervenne: – Ma sí, certo, dottoressa. Perché, vede, di ciò che è successo dopo alla povera Lorenza, noi non sappiamo nulla. A quella festa c'era un sacco di gente.

– Sí, sí, sappiamo. Musica, ostriche, champagne –. Si fermò, li fissò per un secondo. – Cocaina.

I due si pietrificarono.

– Addirittura cocaina? – fece Ussaro.

Da Oscar.

– Come mai non lo sapeva?

– Ma come vuole che lo sapessi... io!

La Guarrasi iniziava a innervosirsi. Spanò se ne accorse.

– Avvocato, forse è meglio che parliamo chiaro. Noi conosciamo esattamente il contenuto della chat. Parola per parola. E non solo di quella.

Ussaro saltò. – Dunque qualcuno vi ha addirittura fatto vedere delle conversazioni che potevano includere anche qualcosa di riservato! Io sono allibito...

– Non allibisca, avvocato. Nessuno dei suoi amici si è preso la briga di raccontarci niente. La conversazione l'abbiamo recuperata noi.

Il silenzio che seguí era assordante.

Vanina interpellò di nuovo Susanna Spada.

– Riformulo la domanda che le avevo già fatto. Quando è stata l'ultima volta che ha parlato con Lorenza Iannino.

La Spada rimase impassibile.

– La sera della festa.

– Mi sa dire l'orario?

– Ma non saprei, intorno alle undici. Io sono andata via presto.

– Ispettore, tiri fuori la fotografia, – fece Vanina.

Spanò tirò fuori la foto della scarpa, stampata e infilata in una custodia di plastica.

Il vicequestore la diede in mano alla Spada.

– Sapreste dirmi se questa è la scarpa che Lorenza indossava quella sera?

– Non lo so, non ricordo, – fece quella, scuotendo la

testa. La bocca piegata in giú. La passò con noncuranza a Ussaro, che rivendicò subito una maschia incapacità di valutazione sull'argomento.

– Avvocato Spada, per ora non ho piú niente da chiederle. Si tenga a disposizione, – la congedò Vanina, infilando la fotografia in una carpetta e porgendola di nuovo a Spanò.

Susanna prese la borsa, che aveva appoggiato su un muretto. Fece per andarsene. Poi si voltò.

– Scusi, vicequestore. Perché?

– Perché cosa?

– Perché la scarpa dovrebbe essere di Lori?

Vanina esitò. Ma sí, prima o dopo la bomba doveva scoppiare.

– Perché pensiamo che Lorenza Iannino non sia scomparsa, ma che sia stata uccisa. Il suo cadavere probabilmente è stato gettato in mare, dalle parti di Aci Trezza. Stiamo lavorando per recuperarlo. Quella scarpa è stata trovata proprio lí.

La Spada rimase intontita.

– Uccisa? Ma... come? E da chi?

– È quello che stiamo cercando di scoprire. Per il momento abbiamo trovato il suo sangue, sia in casa che nella valigia in cui probabilmente è stata rinchiusa per essere gettata in mare –. Vanina aveva calato l'asso.

– Dunque lei sta indagando su un presunto omicidio. La prossima volta che vuole parlarci, la pregherei di convocarci in presenza di un nostro collega penalista, – fece Ussaro. Ostile.

– Se lei ci tiene. Ma non so quanto le convenga, avvocato, ufficializzare troppo il suo coinvolgimento. Soprattutto visti i suoi «scrupoli».

– A cosa si riferisce?

Vanina congedò per la seconda volta la Spada, che se ne andò.

– Vede, avvocato, nella valigia che pensiamo contenesse il corpo di Lorenza, c'era il suo iPhone. Malmesso, mezzo fracassato, ma non in condizioni tali da non permetterci di recuperarne il contenuto. Lei lo sa, cosa c'è in quel telefono, vero?

Ussaro rimase momentaneamente a corto di argomenti.

– Bene, vedo che lo sa, – disse Vanina.

– Questo non ha nessuna attinenza col fatto che qualcuno l'abbia ammazzata, – replicò l'avvocato, con tono piú arrogante di prima.

– No, ma ha di sicuro attinenza con i rapporti che Lorenza intratteneva con lei. E con i vantaggi che ne traeva. Vuole parlarmene qui o preferisce ancora che la convochi ufficialmente?

– Non c'è niente da dire, oltre quello che lei ha già capito. Avevo una relazione extraconiugale con Lori. Sí, lo so, poteva essere mia figlia. Ma non credo di essere né il primo né l'ultimo uomo che cede alle lusinghe di una donna molto piú giovane. E che poi la ricompensa come può.

– Questo è certo! In ogni caso non è quello che mi interessa. A me interessa sapere come mai lei, che con Lorenza aveva dei rapporti, diciamo cosí, speciali, ha abbandonato la chat per primo, la sera stessa della festa.

Ussaro muoveva gli occhi da destra a sinistra, sempre al di sotto dell'orizzonte visivo del vicequestore. Aiuola, scala di ferro, di nuovo aiuola.

– Io avevo deciso di lasciarla.

Bella trovata, pensò Vanina.

– E perché?

– Perché avevo il sospetto che andasse con altri uomini. Non mi piace essere uno dei tanti.

– E sapeva anche chi fossero, questi altri?

– Qualche sospetto, ma nessuna certezza.

Vanina non gli fece il favore di chiedergli i nomi.

– Capisco. Quindi è per questo che se n'è andato dalla festa in fretta e furia insieme a tutti gli altri invitati?

– In fretta e furia? E perché mai?

– Non lo so, me lo dica lei. Abbiamo un testimone che sostiene di aver visto la sua Ferrari correre via dal villino, insieme a molte altre auto intorno alle ventitre e trenta. Appena dieci minuti prima che lei abbandonasse la chat.

Ussaro ripassò con gli occhi il selciato di tutto il giardino.

– Gliel'ho detto, dottoressa. Volevo rompere la relazione. Me ne sono andato quando sono andati via gli altri perché non era il caso di restare lí con lei –. Si portò la mano sugli occhi. – Mi scusi. Non riesco ancora a realizzare che...

Vanina non replicò. Finalmente doveva essersi reso conto che almeno un po' di pathos davanti alla notizia che la sua amante era stata ammazzata doveva inscenarlo.

– Si ricorda se qualcuno è rimasto lí con Lorenza?

– No. Non lo ricordo.

Bastava cosí. Per il momento.

– Bene, avvocato. Per ora mi pare che altro da chiederle non ci sia.

Ussaro fece per cederle il passo verso la scala.

– No, io e l'ispettore usciamo da questo lato.

– Allora arrivederci, dottoressa Guarrasi.

Le porse la mano flaccida e Vanina gliela strinse.

– Ah, un'ultima domanda, – fece il vicequestore, quando l'uomo era già a metà scala. – Ricorda dov'era parcheggiata l'auto di Lorenza quella sera?

– Piú avanti lungo il marciapiede. Sotto un albero, mi pare di ricordare, – rispose l'avvocato, senza doverci riflettere.

Vanina lo salutò di nuovo.

Un minuto dopo, quel giardinetto appartato divenne il refugium peccatorum di tutti i fumatori del convegno in pausa pranzo. Avevano fatto appena in tempo.

Il telefono di Vanina squillò. Un numero che non conosceva.

– Pronto?

– Vicequestore Guarrasi?

– Sí.

– Sono Fortunato Bonanno, il vicino di casa della ragazza scomparsa.

– Ah, buonasera. Mi dica.

– La chiamo perché... mi sono ricordato la marca della macchina rossa che avevo visto quella sera nel cortile. Era una Ferrari.

Vanina sorrise, piú bonaria che ironica.

– Grazie per l'informazione, signor Bonanno.

– Mi consideri a sua disposizione, dottoressa.

– Ne terrò conto.

Riattaccò, riflettendo su un'idea.

Il percorso per tornare alla macchina da lí era piú semplice. Dritto dritto lungo una passerella di ferro, attraverso i resti di un muro antico. Giú per un'altra scala e poi a destra, verso una stradina con un cancello in fondo.

Vanina si fermò e chiamò la Bonazzoli.

– Marta, siete davanti all'aula?

– Sí, siamo qui.

– Il tizio con cui mi hai visto parlare prima è Elvio Ussaro. Da questo momento in poi, tienilo d'occhio.

– È qui. Parla fitto con la ragazza con i capelli neri.

– Non mollarlo mai. E cerca di captare quello che dice. Sciroppatevi tutto il convegno se necessario, aspettate che vada via e poi seguitelo.

– A quanto ho capito stanno aspettando che aprano il lunch.

– Bene, imbucatevi.

– Una parola! Se non sei iscritto al convegno non puoi entrare neanche in aula, figurati al lunch!

– Iscrivetevi allora.

– Ok. Ma guarda che costa cinquanta euro.

– Che me ne frega a me che costa cinquanta euro, Marta! Chiederete il rimborso spese.

– Va bene.

– Buon convegno.

L'idea di Lo Faro seduto ad ascoltare una serie di interventi, piú o meno ampollosi, era comica.

Spanò le indicò un palazzo antico sulla sinistra.

– Qua prima c'era l'istituto di Medicina legale dell'università. Oramai lo trasferirono al Policlinico –. Palazzo Ingrassia, c'era scritto.

Uscirono attraverso un cancelletto pedonale e tornarono verso piazza Dante. Oltrepassarono la chiesa con la facciata incompleta e arrivarono davanti all'ingresso principale dei Benedettini. Vanina rallentò un attimo e riguardò il prospetto. Maestoso.

– Bene se la dovevano passare, 'sti monaci, – fece Spanò, mentre recuperavano l'auto sotto gli alberi.

– Alcuni sicuramente molto bene, – fu il commento del vicequestore, di nuovo sintonizzata sugli Uzeda. Ma la versione cinematografica dei *Viceré*, ce l'aveva nella sua collezione?

S'erano fatte le due.

– Dottoressa, ma intenzione di pranzare non ne ha? – chiese Spanò, stupito. Erano fuori da tre ore e non l'aveva vista prendere neppure un cappuccino.

– Le risulta che io abbia mai saltato un pasto, ispettore?

– Veramente no.

– E allora! Lei, piuttosto?

– Io mi pigliai due pezzi di tavola calda al panificio. Però se vuole le faccio compagnia lo stesso. Cosí magari mi racconta quello che sta succedendo, altrimenti lo sa che poi mi dispiace se combino minchiate.

Vanina sorrise per quella contestazione travestita da premura. A Spanò non calava che lei lo tenesse all'oscuro di quello che stava facendo.

Ma gli poteva raccontare mai che s'era inventata un teatro per mettere fuori gioco Vassalli?

– Quello che sta succedendo le prometto che glielo racconto piú tardi. Mi faccia un piacere, mi lasci davanti al tribunale, che devo pranzare con una persona.

Prese il telefono e chiamò Nunnari. Gli disse di portarle una macchina di servizio.

– Veramente mi ero messo qua con l'intercettazione di Ussaro.

– Ah, di già. E che dice?

– Niente, per ora fece solo una telefonata alla moglie, ma la liquidò in un minuto dicendo che stava andando a pranzare.

– Va bene, lascia lí Fragapane e vieni a portarmi la macchina. Che viceversa non posso fare, se no perdiamo un sacco di tempo.

Percepí uno sghignazzamento senza sonoro.

Chiuse la telefonata e si rivolse di nuovo a Spanò.

– Ora, ispettore, lei aspetta Nunnari e se ne torna in ufficio. Strada facendo passate dalla scientifica. Dia loro la custodia di plastica della fotografia e chieda di confrontare le impronte che ci sono sopra con quelle trovate nella macchina della Iannino e sulla valigia.

Spanò annuí. – Va bene, capo –. Non aveva bisogno di chiedere il perché di questa richiesta. Anzi, ora forse iniziava davvero a capirci qualcosa.

– Appena arriva dia il cambio a Fragapane all'intercettazione di Ussaro. Tra poco dovrebbero arrivare i convocati della chat. Li fate accomodare in sala d'attesa e mi aspettate. Mi raccomando, dica a Fragapane di stare attento se per caso ricevono telefonate.

– Stia tranquilla, dottoressa. Se Salvatore appizza le orecchie, macari gli ultrasuoni sente.

16.

Eliana Recupero aveva risposto al messaggio che Vanina le aveva mandato un momento prima. Si erano date appuntamento al caffè all'angolo di piazza Verga. Era un posto frequentato da tutti i magistrati e gli avvocati di Catania, ai suoi tavoli erano stati partoriti fiumi di sentenze e discussi piú casi che nelle stanze del palazzo di giustizia. Avrebbero preferito altro, ma nella mezz'ora che avevano a disposizione, piú di questo non si poteva fare.

Quando Vanina arrivò, la pm stava giusto entrando nel bar. Nunnari era appena sceso dall'auto e si stava avvicinando con le chiavi in mano.

I due uomini se ne andarono e Vanina raggiunse la Recupero.

Scelsero un tavolino in fondo alla sala, che a quell'ora era già meno piena.

– Mi sono mossa subito, e con procedura d'urgenza, – fece Eliana. – Il decreto d'intercettazione, come le avevo detto, l'ho dato all'ispettore Ferlito. Le utenze sono già sotto controllo.

– Sí, l'ho appena saputo dai miei uomini. Grazie, dottoressa.

– Grazie a lei. In uno dei conti correnti scritti nei pizzini della sua ragazza uccisa ci eravamo imbattuti tempo fa. Non riuscivamo a collocarlo da nessuna parte. Quando stamattina mi ha chiamato per chiedermi di aiutarla, ho accettato subito di prestarmi a quel teatrino anche perché immaginavo che per farmi una proposta cosí singolare doveva avere in mano qualcosa di importante. Solo una persona con la sua esperienza poteva capire al volo di che si trattava e muoversi cosí velocemente.

– In realtà l'ho fatto anche per un altro motivo.

– Lo so, ma in questo caso l'aiuto sarà reciproco. Lei, muovendosi per indagare sul presunto omicidio della Iannino, potrebbe incappare in altri reati, diciamo cosí, accessori. Io, da parte mia, le darò carta bianca per qualunque richiesta lei farà.

Si chinò sulla borsa e tirò fuori dei fogli.

– Intanto cominciamo da qui. Questi sono i tabulati telefonici di Ussaro.

Vanina la guardò esterrefatta.

– Come ha fatto a riceverli cosí presto?

– Ho le mie risorse.

Ordinarono due toast e due spremute d'arancia.

– Ora però mi ragguagli un momento sull'indagine, – fece la Recupero. – Tenga conto che da domani io e Vassalli saremo ufficialmente affiancati.

– Questo non so se le è convenuto, – ironizzò il vicequestore.

Eliana se la rise.

– Ma no! Guardi che Vassalli non è una cattiva persona. È un pavido, come purtroppo ce ne sono tanti a tutti i livelli, altrimenti a quest'ora avevamo già vinto da quel dí. Non squetare mai il cane che dorme è una buona regola se vuoi campare tranquillo. E Vassalli non aspira ad altro, le assicuro.

– Non lo metto in dubbio, ma capisce pure che in una situazione simile è una bella palla al piede.

– Certo che capisco. E infatti siamo qua!

S'erano conosciute qualche tempo prima e si erano sintonizzate subito. Eliana, insieme a Tito Macchia, era stata anche la fautrice numero uno di un possibile reinserimento del vicequestore Guarrasi nella Sezione criminalità organizzata. Ipotesi che Vanina aveva stroncato sul nascere, senza accettare repliche da nessuno dei due.

Vanina spiegò un po' meglio quello che avevano in mano fino a quel momento.

– Quindi, che quelle lettere potessero essere un'arma di ricatto tale da costare la vita alla ragazza, è l'unica ipotesi che in questo momento regge un minimo, – concluse.

– In teoria potremmo anche immaginare la possibilità che qualcuno, magari l'altro ipotetico uomo cui accennava Ussaro, abbia raggiunto Lorenza dopo la fine della festa, che l'abbia aggredita e uccisa sulla sua poltrona. E che poi abbia architettato di chiuderla nella valigia, che immagino si trovasse in quella casa.

– Possibile, ma mi pare di capire che lei non ci creda.

– Invece lei ci crede?

– Non lo so. Io non do mai nulla per scontato. Valuto in base agli indizi.

– Perché lei è un magistrato, – Vanina sorrise, – mentre io sono uno sbirro. E gli sbirri a volte non valutano, intuiscono.

– E noi usufruiamo delle vostre intuizioni.

I toast arrivarono.

– Comunque, – riprese Vanina, – scherzi a parte, io a quello che dice Vassalli non credo assolutamente. Primo, perché sono abbastanza sicura di aver riconosciuto nel filmato la testa di Ussaro alla guida della Corolla della Iannino. Secondo, perché l'anonima che ci ha chiamato ha specificato di essere stata mandata via quando è successo il fatto. E questo corrisponde a quanto riferito dal vicino di casa, che ha visto andarsene di corsa tutti gli invitati.

– Compreso Ussaro, però.
– Compresa la sua auto, per la verità.
– Già. L'anonima che se n'è scappata addirittura a Roma. Bell'enigma.

Finirono il toast in pochi minuti, entrambe con un occhio all'orologio. La Recupero doveva andarsene a interrogare un 41-bis al carcere di Bicocca, e la Guarrasi aveva fretta di passare in un posto prima di andare a ricevere gli «amici» delle serate della Iannino.

– Ci aggiorniamo domattina, – disse la pm, mentre si stringeva con un colpo secco la cintura del trench.

Il vicequestore non poté che essere felice di confermarglielo.

– Vanina?

Era la Bonazzoli. Parlava a voce bassa.

– Dimmi, Marta.
– Il convegno è ancora in pieno svolgimento. Lo Faro e io ci siamo piazzati proprio dietro Ussaro, ma non si sente granché di quello che dice. Parla piú che altro con la bruna e ogni tanto con il ragazzo. L'unica cosa che ho capito è che massimo alle tre e mezzo deve essere fuori perché ha un appuntamento.
– Ha fatto telefonate?
– Un paio, ma s'è messo di lato.
– Va bene. Quando esce seguitelo.
– Ok. Vanina? – sempre a voce bassissima.
– Ma perché parli cosí piano? Dove sei, in aula?
– No, no. Sono in un cortile. Un posto bellissimo.
– Ci credo. E dimmi.
– Ma qualcosa sul motivo di questo pedinamento posso saperlo? No, giusto per capire.

Eccone un'altra. Anche in questo caso il copione era

lo stesso. Del resto, se Spanò era il suo braccio destro, la Bonazzoli era il sinistro. E spesso la stupiva.

– Ho lanciato un amo. Ora ho bisogno di sapere come si muove l'avvocato. A te e a Lo Faro non vi ha mai visti, perciò non può sgamare che siete miei uomini. Il resto te lo spiego dopo.

– Ok. Ti tengo informata.

Vanina arrivò in via dei Villini a Mare e parcheggiò davanti al cancello della Iannino.

Tornò indietro a piedi verso la casa dei Bonanno. Citofonò.

– Chi è?

– Signora Bonanno?

– Sí.

– Sono il vicequestore Guarrasi, avrei bisogno di chiedervi un'informazione.

– Entri.

La signora Bonanno le venne incontro.

– Buonasera, dottoressa.

Era piú giovane di come sembrava quella sera, quando li aveva interrogati a mezzanotte davanti al cancello.

– Buonasera, signora. Scusi il disturbo. Suo marito è in casa?

– Sí. Oggi pomeriggio è l'unico giorno in cui non ha il rientro.

– Sono stata fortunata, allora.

Andò a chiamare il marito, che si presentò subito. In tuta da ginnastica.

– Mi perdoni per l'abbigliamento, ma una volta tanto che sono a casa approfitto per mettermi comodo.

– Ci mancherebbe altro. Guardi, le rubo solo due minuti.

Si sedettero in un soggiorno bianco, arredato con divani chiari. Tappeti beige, mobili essenziali. Profumatori d'ambiente, di quelli con i bastoncini infilati nella bottiglia. Qua e là qualche mobile antico. Minimal senza essere troppo freddo.

– Mia moglie è architetto, – spiegò Bonanno, intercettando lo sguardo ammirato.

Vanina si complimentò con la signora.

Prese il telefono e cercò tra le foto la macchina della Iannino.

– Lei si ricorda se la sera della festa questa macchina era nel cortile del villino? O fuori, vicino al cancello? Oppure se invece non l'ha vista, perché magari era parcheggiata lontano? Piú avanti, per esempio, in fondo alla strada.

Bonanno allungò la mano su un tavolino pieno di riviste d'arredamento e prese un paio di occhiali chiusi in una custodia. Osservò la foto.

– Sí, certo. Me la ricordo bene perché la vedo qui abbastanza spesso. Quella sera era piazzata proprio accanto al cancello di casa mia.

– E lei non ha fatto caso se quando ha visto andare via tutti si è mossa anche quella macchina?

L'uomo rifletté.

– Non ci giurerei, ma credo di no. Essendo cosí vicina me ne sarei accorto.

– E poi, durante la notte, non si è accorto se è stata spostata?

– No, dottoressa. A un certo orario siamo andati a dormire, la nostra stanza affaccia dall'altro lato. Dove si vede meglio il mare.

– Va bene. Signor Bonanno, lei mi è stato molto utile.

– Mi fa piacere, – fece l'uomo sorridendo. – Sa, deve scusarmi se l'altra sera sono stato un po' esitante sull'auto rossa. Mi capisca, lí per lí uno si sente spiazzato. Oppure semplicemente è 'sta mentalità che è meglio farci i fatti nostri. Ce l'abbiamo impressa cosí bene che a volte ci viene spontaneo. Però è sbagliata, dottoressa. Io e mia moglie l'altra notte ci siamo arrovellati assai su questa cosa, – guardò la moglie, che annuí. – È scomparsa una ragazza. È un fatto grave! Noi abbiamo il dovere di collaborare come possiamo.

– Che l'auto fosse una Ferrari c'eravamo arrivati comunque. Però la ringrazio lo stesso per le buone intenzioni. E mi sento in dovere di avvisarla che probabilmente si è trattato di un omicidio.

I Bonanno rimasero turbati.

– Maria santa, – commentò lui.

La riaccompagnarono alla porta.

Mentre tornava in ufficio Vanina elaborò l'informazione. Che era esattamente quella che s'aspettava. Per intuito. Sbirresco.

La sala d'attesa, al piano terra della squadra Mobile, pareva quella di uno studio odontoiatrico. Una decina di persone, distribuite sui divanetti azzurri, aspettavano l'arrivo del vicequestore Guarrasi con la faccia preoccupata di chi deve farsi cavare un dente e non sa quando sarà il suo turno.

Di tanto in tanto, Fragapane faceva una capatina, sfidando il mare di domande da cui veniva sommerso ogni volta. Poi se ne tornava all'ingresso e si metteva in attesa.

Fu lí che lo trovò Vanina.

– Fragapane, che ci fa qua sotto?

– Sto aspettando mia moglie.

– Sua moglie? E che viene a fare qua?

– Veramente sta venendo assieme a una collega sua, che dice che ha qualcosa da raccontarci.

– Una collega di sua moglie? Un'infermiera, dunque?

– Sí.
– E che può avere da raccontarci?
– Non lo so, però a quanto capii c'entra con l'avvocatessa scomparsa. Le dissi di venire qua e di parlarmene di persona. A questo punto la faccio parlare direttamente con lei?
– Certo. Appena arrivano le porti da me. I convocati sono tutti qua?
– Sí. Tutti tranne due.
– Mi faccia indovinare: l'onorevole Alicuti e suo figlio?
– Esatto.
Ci si sarebbe giocata qualunque cosa.
– Va bene, tra cinque minuti li faccia salire. Uno alla volta.
Mentre stava per prendere le scale il telefono di Fragapane squillò. Una volta sola. – Arrivarono, – indovinò il vicesovrintendente.
Vanina gli disse di dare loro la precedenza e di portarle da lei dopo cinque minuti.
Salí le scale e percorse il corridoio deserto. Entrò nell'ufficio di Spanò, all'ascolto remotizzato dell'intercettazione.
– Novità?
– Ha fatto una telefonata. Non ha detto il nome della persona con cui stava parlando, ma piú o meno s'è capito. Secondo me era il figlio di Alicuti. Gli diceva di riferire a suo padre che sarebbe passato a trovarlo appena finiva il convegno. Poi ha detto che sapeva che avevano ricevuto un invito, e di aspettarlo prima di andare a trovare la... signora che li aveva invitati.
– Ma vedi questo! – fece Vanina. – La «signora»!
Spanò nicchiò, imbarazzato.
– Spanò, cosa non mi sta dicendo?
– Niente...
– Spanò!

– Veramente... le parole precise furono la «bella signora».

Vanina non commentò. La faccia però parlava da sola.

– Resti in ascolto.

Se ne andò nel suo ufficio. Fragapane bussò che aveva appena avuto il tempo di togliersi la giacca.

– Dottoressa, possiamo?

– Prego.

Il vicesovrintendente entrò con le due donne davanti a lui.

– Mia moglie Serafina, – presentò, – e la sua collega, Agata Rizza.

Serafina, che Vanina aveva sentito nominare piú volte da Spanò come Finuzza, era diversa da come l'aveva immaginata. Media altezza, forme abbondanti, bel sorriso. Piú o meno coetanea del marito, che andava per i sessanta. Una Marisa Merlini dei giorni nostri. E bravo Fragapane!

L'altra era piú giovane. Bionda, magra come un chiodo.

Vanina si sedette e le fece accomodare davanti a lei.

– Signora Rizza, il vicesovrintendente mi ha riferito che ha qualcosa da raccontarmi.

La Rizza deglutí. Poi annuí.

– Si tratta della ragazza scomparsa –. Si fermò.

Fragapane le fece segno di continuare.

– Qualche giorno fa questa ragazza mi chiamò. Aveva bisogno di un prelievo di sangue. Io veramente le dissi che di solito a domicilio facevo solo iniezioni, al massimo appizzavo fleboclisi, ma prelievi non ne facevo. Lei però insistette. Mi disse che tempo per mettersi in fila in un laboratorio di analisi non ne aveva, e che le avevano prescritto degli esami urgenti, insistette assai. E alla fine le dissi di sí.

– Quando è successo?

– Lunedí mattina.

La telefonata anonima era arrivata martedí, e la valigia era stata gettata nella notte.

– Che analisi erano? – chiese Vanina.

– Questo non lo so. La ragazza si fece lasciare tutte cose, che poi ci avrebbe pensato lei a portarle al laboratorio. Però pareva ansiosa di togliersi il pensiero. Non si lamentò per niente, eppure sangue gliene dovetti tirare assai perché doveva fare una sfilza di esami che non finiva mai.

Vanina valutò in silenzio l'utilità dell'informazione.

– Fragapane, che sta pensando?

– Niente, dottoressa. Un'idea. Ma può essere una fesseria.

– Lei la dica, intanto.

– Secondo lei, – fece il vicesovrintendente, rivolto alla Rizza, – poteva essere incinta, la ragazza?

– Non lo so, – rispose la donna, perplessa.

– Salvatore, non è che siccome siamo infermiere al reparto di Ginecologia, abbiamo il radar per capire se una è incinta! – fece Finuzza, divertita.

– Ma che c'entra! Io dicevo magari come donna...

– E manco come donne ce l'abbiamo!

Vanina sorrise. Però l'idea non era peregrina.

– Grazie, signore –. Si alzò.

Le altre la imitarono. Due strette di mano vigorose, e se ne andarono verso la porta.

– Fragapane, le accompagni giú e tra cinque minuti faccia entrare la prima persona, – disse Vanina, prendendo il telefono in mano.

Fece il numero di Marta.

– Marta, come va lí?

– Bene. È appena salito su una Punto mezza scassata e ora lo stiamo seguendo.

– Quando si ferma, chiama Spanò e digli l'indirizzo. Io sto iniziando a sentire quelli della chat.

– Ok. Prima di andarsene ha avuto una specie di diverbio con il ragazzo che gli stava dietro.

– Antineo?

– Non lo so. Un suo assistente, credo.

– Che diceva?

– Parlava a bassa voce, ma sono riuscita a capire che gli intimava di non fare qualcosa. Non ho sentito cosa. Per l'esattezza, gli diceva: se t'azzardi te ne faccio pentire. Non ho sentito altro.

– Va bene, grazie.

Chiuse e si avvicinò al balcone. Aprí una vetrata e si accese una sigaretta.

Aveva una strana sensazione. Piú passi avanti faceva e piú quell'indagine le sembrava una forzatura.

E non era per il cadavere che mancava ancora all'appello, né per il fatto che le due rivelazioni piú importanti le avevano ricevute in forma anonima. Era tutto l'insieme che pareva posticcio. Le evidenze cominciavano a essere abbastanza, iniziava anche a metterle in fila. Eppure.

Fragapane bussò alla porta.

– Capo. Faccio passare?

Vanina spense la sigaretta, accostò il battente.

– Sí, – si andò a sedere alla scrivania.

Il primo membro del gruppo «Serate tra amici» che si presentò si chiamava Giammarco Pedara. Anni quarantasei. Imprenditore, molto conosciuto. Nota al lato scritta a penna da Spanò: «In odore di politica, nella cordata di Alicuti».

– Buonasera, signor Pedara.

– Buonasera.

– S'accomodi.

Quello si sedette.

– Potrei sapere perché sono stato chiamato?

– Una chiacchierata. Nulla di formale, – lo tranquillizzò Vanina. – Ci risulta che lei abbia partecipato a una festa in casa di Lorenza Iannino, la sera in cui è scomparsa.

L'uomo impallidí leggermente.

– Di quale sera stiamo parlando? – prese tempo.

Vanina gli fece un sorriso che piú beffardo non poteva essere.

– No, signor Pedara, questa non è una risposta intelligente. Prima di tutto perché è una domanda, e secondo perché presuppone che io sia stupida.

– Ma io, davvero, non mi permetterei mai...

– Allora facciamo cosí: io le dico tutto quello che so, cosí le evito altri errori –. Aprí la cartella in cui Nunnari aveva infilato le conversazioni scaricate dal telefono della Iannino. – Lei ha inviato un messaggio alla chat delle «Serate tra amici» alle 16.46 di lunedí 7 novembre. Si informava sull'orario della festa. Alle 20.51 comunica di avere un'ospite, chiede di poterla portare. Le viene risposto di sí dall'avvocato Ussaro. Chi era quest'ospite?

Pedara era sbigottito. – U... una ragazza...

– Posso sapere il nome e il cognome?

– Ma... cosa c'entra con la scomparsa di Lorenza?

– Signor Pedara, lei continua a sbagliare. A fare domande invece di rispondermi. Le ricordo che oggi stiamo chiacchierando, domani potrei interrogarla.

– Mi scusi. È una mia amica, ma se la mettete in mezzo... succede un casino. Io sono un uomo conosciuto...

– Lei è sposato?

– Separato.

– La signora in questione è sposata?

– No.

– Qual è il problema, allora?

Pedara nicchiava. Vanina qual era il problema l'aveva capito prima ancora di chiedergli il nome della persona, da un paio di termini usati nella chat. Un'amica nuova. Fresca fresca. Un fiore.

Al secondo minuto di silenzio: – Be', qua facciamo notte. Va bene, le rispondo io: è minorenne.

L'uomo saltò sulla sedia. – Dottoressa, la prego...

Avrebbe potuto infierire, ma decise di non farlo. Aveva altre nove persone da sentire e non era quello il nodo della questione.

– Quella sera ha visto o sentito qualcosa di strano? – divagò.

– No, non mi pare.

– È vostra abitudine, sua e dei suoi amici, lasciare le feste in carovana?

– No, non lasciamo mai le feste in carovana. Ma perché lo chiede? Scusi... ho di nuovo fatto una domanda –. Era preoccupato, ma sembrava davvero che non capisse di cosa si parlava.

– A che ora se n'è andato?

– Presto. Io e... la mia amica volevamo stare un po' per conto nostro.

– Dunque prima delle 23.30?

– Molto prima.

– Qualcuno può provarlo?

Pedara non rispose.

– La informo di un altro dettaglio che lei non sa. Lorenza Iannino è stata ammazzata. Il suo cadavere buttato a mare e ancora non l'abbiamo ritrovato.

L'uomo oscillò sulla sedia. Fragapane si buttò in avanti per evitare che cadesse, ma quello si riprese.

– Allora, signor Pedara. Lei magari va con le minorenni, si fa di coca, ma non credo sia un assassino, giusto?

– Dottoressa, ma che assassino! – S'era risvegliato di colpo. – Ma non era una chiacchierata informale?

– Infatti lo è.

– Sono andato in un albergo. Se vuole può controllare l'orario del check-in –. Diede il nome dell'albergo a Fragapane che lo annotò.

– Ha notato se c'era qualcun altro di estraneo al gruppo, oltre alla sua «amica»? – continuò Vanina.

– No, l'unica estranea era lei.

– Un'ultima domanda: chi forniva la coca?

Pedara sbiancò di nuovo.

– La c... coca?

– Cocaina, sí. Chi la forniva?

L'uomo ci pensò su, poi: – Lorenza.

Vanina si trattenne a stento dall'insultarlo. Ma era solo una testa di cazzo, di grandezza nazionale ma solo quello.

– Se ne vada. E si tenga a disposizione –. Erano parole d'effetto, da film poliziesco. Che però ottennero il risultato voluto.

– Nunnari! – chiamò, appena quello sparí con Fragapane.

Il sovrintendente sbucò in un attimo.

– Controlli per piacere a che ora è stato fatto questo check-in –. Gli diede il foglietto con scritto il nome dell'albergo e della persona.

La seconda che entrò era una donna. Sui cinquanta, bionda mesciata sul platino, magrissima, seno visibilmente rifatto, botulino come se piovesse. Elisa Bini, di mestiere commerciante. Bini: questo cognome non le era nuovo. Cercò tra le carte e lo trovò. Era il cognome della madre di Ussaro, nonché dell'Oreste da cui l'avvocato aveva comprato la Ferrari. Il complice della truffa al barone, in poche parole.

Le pose la solita domanda. Ebbe la solita risposta. Stavolta piú immediata. Era una festa come un'altra, sí c'era un po' di cocaina, ma lei non la toccava mai! E non sapeva chi l'aveva fornita. Fino al momento in cui il vicequestore non chiese quando la donna fosse andata via, e perché ci fosse stato quell'esodo in massa.

– Erano le undici e mezzo. Non so perché abbiamo deciso di andarcene tutti insieme...

Non si cavava un ragno dal buco.

– Con chi era lei?

– Con Nunzio Lomeo. È qui giú anche lui.

– Le devo chiedere di rimanere a disposizione. E di fare mente locale su quello che può aver... dimenticato di dirmi. Lorenza Iannino purtroppo non è scomparsa, è stata uccisa.

La reazione alla notizia che Lorenza fosse morta fu un po' piú freddina di quella del predecessore, ma comunque parve autentica.

– Un'ultima domanda, – disse Vanina quando la Bini era già sulla porta. Molto piú instabile sui tacchi rispetto a prima. Quella si voltò.

– Lei è parente dell'avvocato Ussaro?

– Elvio è mio cugino di secondo grado.

La lasciò andare via.

La versione di Lomeo era copia conforme. Sessantasei anni, ex funzionario di banca in pensione. Unica differenza: insisteva che alla festa non ci fosse cocaina. Solo dopo aver saputo che si trattava di un omicidio, che la casa era stata rivoltata dentro e fuori dalla scientifica, allora ammise che sí, forse qualcuno che aveva queste abitudini lí dentro poteva esserci. No, non c'erano estranei. Naturalmente sulla ragazzina portata da Pedara non una parola. Lorenza Iannino era una giovane tanto graziosa, poveretta. Che brutta fine! Vanina gli chiese se sapeva della relazione tra lei e Ussaro. Lomeo iniziò a dire che dovevano convocarlo col suo avvocato, che non era quella la procedura corretta.

– Guardi che per me abbiamo finito, se ne può andare, – tagliò corto il vicequestore.

Gli altri sei furono altrettanti buchi nell'acqua. Uno solo, un professore universitario di Giurisprudenza in pensione, perciò ultrasettantenne, piú gaudente degli altri, ammise che due tiri di coca ogni tanto non avevano mai fatto male a nessuno.

– Peccato che sia illegale, professore.

– Quante cose sono illegali, e uno le fa lo stesso senza accorgersene. E poi per uso personale…

– Veramente qui stiamo parlando di una festa, con molta gente.

– E sempre personale resta, per quanto mi riguarda.

– Chi gliel'ha data, la cocaina?

– A me personalmente? Elvio. Ma gliela chiesi io, non so di chi fosse, eh!

E poi alla fine, alla domanda sul perché se ne fossero andati in massa, rispose che lui aveva visto tutti andare via e s'era unito. Via dei Villini a Mare d'inverno è buia, lo sa. Io ho la cataratta, non vedo tanto bene.

– Le sembrava stessero andando via di corsa? Le sembrava che fosse successo qualcosa?

– Mah, forse. Però non so cosa. Non chiesi. Scusi, questo perché dovrebbe entrarci col fatto che Lorenza è sparita? Capace che la carusa se ne andò da qualche parte…

– Perché Lorenza non è sparita. È stata ammazzata.

Il professor Turano, cosí si chiamava, se ne scappò a gambe levate. Mettendosi a completa disposizione per qualunque cosa. Le raccomandò di salutarle Franco Vassalli.

L'ultima, in ordine di arrivo ma anche in ordine di importanza nella scaletta di Vanina, era Mara Perrotta, una giovane avvocatessa ex collega di università della Iannino.

Alla fine fu lei quella che parlò di piú.

– Lori è morta, vero, dottoressa? – chiese subito.

– Crediamo di sí.

La ragazza scosse la testa. – Io ho sempre pensato che se continuava cosí si sarebbe messa nei guai, ma non immaginavo che potesse finire in questo modo...

– Continuare cosí come? – domandò Vanina.

– Aveva storie strane. Anche con Ussaro stesso, si diceva che fossero amanti ma non solo. Lei era diventata una specie di sua portavoce, anche in tutte le stronzate, scusi il termine ma è quello giusto, che lui fa all'università.

– Tipo?

– Tipo favorire apertamente alcuni a scapito di altri.

– E Lorenza che c'entrava?

– C'entrava, innanzitutto perché mirava in alto. Voleva fare carriera. Perciò s'era fatta fagocitare dal sistema di Ussaro. Schiavitú totale in cambio di favori.

– Lei che ci faceva alla festa di Lori?

La ragazza fece un sorrisino tirato.

– Doveva esserci anche una persona, che poi non è venuta.

– Faceva parte della chat?

– Sí.

I casi erano due, e avevano lo stesso cognome. Per età era piú facile fosse uno: – Armando Alicuti?

La ragazza si limitò ad annuire.

– Perciò lui non c'era?

– Non finché ci sono stata io.

– Quando se n'è andata lei?

– Verso le undici e mezzo. Hanno spento la musica di colpo, pare che ci sia stato un problema con l'impianto. Tutti sono andati via e io ho approfittato di un passaggio. Armando l'ho visto in macchina poco dopo, ma credo dovesse prendere il padre.

Quando anche lei se ne andò erano le sette di sera.

A Vanina bruciavano gli occhi, e aveva la sensazione di non aver concluso nulla.

Tirò fuori una tavoletta di cioccolata e se ne fece fuori metà. Poi uscí sul balcone e si accese una sigaretta.

Tito Macchia comparve sulla porta senza fare rumore.

– Ué.

Vanina saltò in aria.

– Tito! E che ca... volo.

La raggiunse e occupò tutto il balconcino.

– Allora? Come finí? – chiese, accendendosi il sigaro che, ligio, teneva spento tutto il giorno.

– Allora, a occhio e croce questi sono andati a una festa, hanno sniffato, hanno flirtato, usando un eufemismo, hanno bevuto, poi se la sono fatta sotto e se ne sono scappati di corsa. Ma io ci scommetto che la macchina di Ussaro non la guidava lui.

– Perché?

– Perché sono sicura che lui c'entri qualcosa con la valigia abbandonata sugli scogli. Primo, perché la testa che si intravede vagamente dal filmato alla guida della Toyota sembra la sua. Secondo, cosa piú importante, quando gli chiesi dove aveva parcheggiato la macchina Lorenza quella sera, lui, senza fare una piega, mi rispose che era nel posto in cui poi l'abbiamo trovata noi. Peccato che un testimone, attendibile, sostiene che la Corolla grigia all'inizio della serata fosse parcheggiata da tutt'altra parte. Perciò le possibilità sono due: o il testimone mente, e non penso sia questo il caso, oppure a mentire è Ussaro.

– Mi pare piú probabile la seconda.

Spanò bussò alla porta ed entrò.

– Dottoressa, ho novità. Ma assai.

Macchia si mise comodo, stavolta sul divanetto. Approfittando del balcone aperto fece uno strappo e mantenne il sigaro acceso.

– Innanzitutto le impronte sulla custodia della fotografia corrispondono a quelle sul volante dell'auto e sulla valigia.

Vanina sorrise soddisfatta. – Capo, che ti dissi? – comunicò al primo dirigente.

– Sono di Ussaro? – chiese Tito.

– In teoria, potrebbero anche essere della Spada. Pure lei toccò la foto, – fece Spanò.

– In pratica, però, – ribatté il vicequestore, – la chioma della Spada si sarebbe vista nel filmato delle telecamere di Monterreale. Mentre lí è evidente che alla guida c'era un uomo. Vada avanti, ispettore.

– Bonazzoli mi chiamò e mi comunicò dov'era andato Ussaro. Disse di controllare l'indirizzo, ma io non ne avevo bisogno: là c'è la segreteria politica di Alicuti. Tempo mezz'ora, l'avvocato fece una telefonata. Disse a qualcuno, una donna pareva, che stava arrivando e che dovevano farsi trovare tutti a casa, marito e figli. Bonazzoli e Lo Faro lo seguirono fino a San Cristoforo. Lo videro scendere e tuppuliare a una porta. Mi diedero l'indirizzo da controllare. Corrisponde all'abitazione di Colangelo Vincenzo. Precedenti per traffico di stupefacenti, furti vari. Affiliato al clan dei Nola. Altrimenti detti i Vastasi.

– Come si chiama il capo dei Nola? – chiese Vanina. Al solo sentire quei nomi le veniva la nausea. Non le andava di trovarsi obbligata, suo malgrado, ad avere di nuovo a che fare con quella melma. Però ormai ci si era infilata, aveva pure tirato in mezzo la Recupero.

Spanò sorrise sardonico. Avrebbe scommesso mezzo stipendio che la Guarrasi sapesse di cosa stavano parlando, e che facesse parte di quello che ancora non gli aveva raccontato.

– Rosario, – rispose, – detto...

– Rino, – lo anticipò Macchia. – Latitante da tre anni. Collegato con famiglie della 'ndrangheta calabrese ecc. ecc., – aggiunse. Poi guardò Vanina, che si faceva sempre piú seria.

– Guarra', mo' ti tocca! – fece, quasi divertito.

Vanina lo guardò storto. – A me interessa trovare l'assassino di Lorenza. Possibilmente anche il suo cadavere.

L'ispettore fece segno di no, per dire che non si avevano notizie.

– Per il resto, Tito, – continuò il vicequestore, – io credo sia meglio che decida la Recupero se è il caso che ci affianchino quelli della Sco. Come lei affiancherà Vassalli, del resto.

Macchia si tolse il sigaro dalla bocca, sorpreso.

– La Recupero?

Vanina annuí. Sorrise. – È una storia lunga!

– In poche parole?

Gli raccontò il teatro che aveva organizzato nella stanza di Vassalli.

– Te l'avevo detto io, che quei pizzini ti potevano giovare assai!

Nunnari comparve sulla porta.

– Ispettore! Ussaro sta telefonando!

Andarono tutti, Macchia compreso.

Il telefono squillò a lungo.

Rispose un uomo, giovane.

«Digli a papà che è tutto a posto. Qua il silenzio è assoluto. Manco ci conoscono».

«Va bene».

– Ma vedi tu 'sto fetente come parla in codice, – fece Spanò, irritato.

– E infatti noi gli abbiamo piazzato Bonazzoli alle calcagna. Coi due dati incrociati lo fottiamo lo stesso, Spanò, – fece Vanina.

Macchia scosse la testa. – Guarrasi, io te l'ho detto tante volte: tu sei sprecata...

– Tito, – lo bloccò.

Il Grande Capo alzò la mano: – Come vuoi tu. Tanto lo sai.

Il telefono di Vanina squillò.

– Marta, – rispose.

– Ussaro ha appena parcheggiato in piazza Europa e sta entrando in un portone di viale Africa, con le chiavi.

– È casa sua, – suggerí Spanò, sottovoce.

– Sta entrando in casa sua. Vi potete arricogliere, – comunicò Vanina.

– Come? – fece Marta.

– Potete tornare, – tradusse il vicequestore.

Quando Marta e Lo Faro s'arricolsero, ad attenderli erano rimasti solo Vanina e Nunnari, che era di turno e sarebbe rimasto piazzato all'intercettazione di Ussaro.

Macchia, con aria indifferente, s'era chiuso nella sua stanza, ma a giudicare da come la Bonazzoli occhieggiava la porta, la stava aspettando di sicuro.

Lo Faro era sfinito. Era di nuovo afono e si sentiva la febbre. Ma era soddisfattissimo di quel pomeriggio cosí attivo.

– Ora per premiarti ti do un altro compito, – gli disse Vanina. – Domani mattina ti prendi una macchina e ti giri tutti i laboratori di analisi di Catania. E chiedi se lunedí mattina è andata a richiedere delle analisi Lorenza Iannino.

– Va bene, capo. Se lo trovo che faccio?

– Niente, mi chiami subito.

– Ricevuto.

– Ora vattene a casa e prenditi un'aspirina.

– Grazie, capo.

Il vicequestore lo richiamò: – Lo Faro?

– Sí.

– Ti ho dato il permesso di chiamarmi capo?

Il ragazzo abbassò gli occhi. Aveva sperato, dopo quell'incarico, che finalmente la Guarrasi lo considerasse uno dei suoi. Solo i suoi la chiamavano capo. 'Sto fatto che gli era precluso, lui lo viveva come una diminutio. E il vicequestore lo sapeva.

– Vabbe', facciamo cosí: se alla fine di questo caso ti sarai comportato come si deve, forse ti do il permesso.

– Certo, dottoressa. Grazie.

– Ah, un'ultima cosa. Diciamo che l'amica tua giornalista stasera potrebbe anche sapere che sulla Iannino indaghiamo come presunto omicidio, e magari pure qualche notizia sui ritrovamenti di valigie e di scarpe. Ma guai se esce qualcosa sui dettagli e sui sospetti che abbiamo, intesi?

Il ragazzo annuí. Lo sentirono saltellare nel corridoio.

– Poi si lamenta che non gli do fiducia. Ma se è completamente deficiente! – commentò Vanina.

Risero tutti.

– Però, sai, non è cosí male come credi, – fece la Bonazzoli.

– Marta mia, siete stati fianco a fianco per mezza giornata. Capisco che alla fine uno, come compagnia, s'abitua puru a uno sceccu!

Macchia emerse dalla sua stanza.

– Chi è lo scecco?

Per fortuna non rispose nessuno, perché Lo Faro entrò in quel momento, quasi in scivolata, nell'ufficio di Vanina.

– Marta! Scusami, m'ero portato dietro il tuo scaldacollo.

– Tienilo, altrimenti ti aggravi ancora di piú.

– Sicura?

– Certo.

– Grazie bella!

E se ne andò.

Tito si voltò lentamente verso Marta.

– Bella? – fece. Una botta di gelosia che traspariva a dieci metri di distanza.

– Nunnari, vai a controllare l'intercettazione, va'! – disse Vanina.

Il sovrintendente se ne andò.

– Bella, – ripeteva Macchia, contrariato.

Marta rise. – Ma ti pare!

– Pure lo scaldacollo gli ha prestato, – disse Tito, rivolto a Vanina che se la rideva.

– Che ridete?

– Tito, va bene tutto ma geloso di Lo Faro... – fece il vicequestore.

Cinque minuti e li vide andarsene, distanziati da pochi secondi.

'Nsamai Nunnari poteva scoprire qualche cosa!

Vanina uscí dalla Mobile che s'erano fatte le nove, in preda a un colpo di stanchezza e a una fame lupigna che non sapeva come avrebbe placato, dato che Sebastiano non avrebbe riaperto fino all'indomani. Decise di fare il giro largo, per passare da un panificio salumeria che stava all'incrocio tra la statale per Aci Castello e l'ingresso di Cannizzaro. Se era fortunata, doveva essere ancora aperto.

Non le andava di sentire musica. Voleva riposarsi le orecchie. Rimettere a posto i pensieri. Riesumare anche i suoi personali, che aveva accantonato per tutta la giornata.

Il numero di Paolo non compariva sul suo telefono da quasi tre giorni, dalla sera in cui aveva ceduto e l'aveva chiamato. Gliel'aveva fatto promettere lei, di non cercarla piú per un po'. Che altrimenti riflettere bene su di loro, sulla situazione che s'era creata, su quello che lei voleva o non voleva, sarebbe diventato complicato.

Ma c'era ancora qualcosa su cui riflettere?

L'evidenza dei fatti aveva attestato il fallimento della sua strategia di autodifesa.

Anni passati a scappare, a non volerne sapere piú nulla, a tentare di gabbare il destino impietoso che l'aveva fatta infilare dritta dritta di nuovo nella stessa condizione. Le aveva ripresentato gli stessi dolori. Lo stesso maledetto finale, che le era toccato ribaltare a colpi d'arma da fuoco. Forse era stato questo, il senso di tutto. Rivivere un trauma per poterne capovolgere le conclusioni.

L'aveva pensato anche allora: aveva salvato Paolo come non aveva potuto fare con suo padre. Aveva chiuso il cerchio. Ma la forza di aprirne un altro, quella non ce l'avrebbe avuta piú. Restare a Palermo, restare con lui, questo avrebbe voluto dire. L'idea che darsela a gambe potesse servire a preservarla da un'altra prova, e poi un'altra ancora, era stata l'unica a sembrarle valida.

E invece.

Paolo per lei era rimasto Paolo, e la sberla della nuova prova era arrivata lo stesso potente, con quattro anni di arretrati.

Passando davanti a Ognina, le tornò in mente l'indagine.

Perché, nonostante i progressi, nonostante una possibile ipotesi di colpevole, le pareva ancora che quel caso stesse procedendo sui binari sbagliati?

Arrivò al panificio che stava per chiudere, le luci smorzate. Lungo il marciapiede non c'era piú una sola vetrina accesa. Scese dalla macchina e s'avvicinò all'unico avventore che se ne stava fermo, in attesa davanti alla saracinesca mezza abbassata.

– Hanno chiuso? – gli chiese.

L'uomo rispose voltandosi. – Purtroppo sí, io sto solo ritirando una cosa che avevo ord... Vanina!

Era Manfredi Monterreale.

17.

Vanina si svegliò in piena notte. Non sapeva che ore fossero. Ma sapeva dov'era.

Si alzò senza fare rumore, piano piano recuperò tutto quello che la sera prima aveva disseminato casa casa.

Una casa non sua, dove s'era ritrovata senza manco rendersene conto. E dove, sempre senza rendersene conto, s'era fermata. Prima a cena, poi il resto. Che era venuto cosí spontaneo da non suscitare interrogativi, né a lei, né a Manfredi.

Per fortuna lui non s'era svegliato. Se fosse riuscita a sgusciare via senza farsi sentire avrebbe evitato un problema. O quantomeno l'avrebbe rimandato.

Nel soggiorno c'erano ancora i rimasugli della cena. Niente di che, a detta del dottore: due spaghetti con le sarde *a mare*, in altre parole fatti senza sarde. Due crispelle, che è San Martino, vicequestore! Non vogliamo festeggiare? Qua si usa cosí. E perciò anche le caldarroste. E i biscotti, che noi sempre palermitani siamo. Una bottiglia di Beaujolais interamente scolata.

Le copertine dei vinili di De André erano buttate sul divano.

Vanina scosse la testa. Ma come le era venuto di andarsi a infilare in quel casino?

Manfredi non era cosa da una botta e via. Le erano bastate le poche ore passate insieme per inquadrarlo perfettamente. Era piacevole, era premuroso, ma soprattutto era uno serio, che non si prendeva in giro e che, soprattutto, non prendeva in giro gli altri. Uno per cui o si era fedeli oppure ci si lasciava. O si era onesti fino in fondo, oppure non lo si era affatto. Senza mezzi termini.

Si autoinsultò un centinaio di volte, mentre apriva e chiudeva la porta d'ingresso e scendeva le scale esterne che portavano giú, dal lato del mare.

La sua Mini era parcheggiata lí, piú o meno dove qualche notte prima s'era fermata la Corolla della Iannino. Vanina entrò in macchina e si allontanò dalla visuale. Metti che Manfredi s'era svegliato sentendola uscire, la prima cosa che avrebbe fatto sarebbe stata guardare attraverso la vetrata. Quella vetrata pazzesca, che valeva da sola l'affitto della casa. Che la sera prima, con tanto di luna quasi piena, mare argentato e faraglioni sullo sfondo, aveva dato il suo contributo.

Se la fece piano piano, fumando una sigaretta. Non c'era nessuno, in giro. Del resto, alle due di notte di un venerdí di novembre, chi volevi che ci fosse?

Uscí dal paese, andò in direzione di Acireale. Anche da lí si poteva arrivare a Santo Stefano. La strada a un certo punto saliva sopra la Timpa, una riserva naturale di macchia mediterranea inerpicata lungo un muraglione di roccia lavica, che andava da Capo Mulini a Santa Maria la Scala. Qualcosa di meraviglioso, se non fosse stata in gran parte deturpata da una fila di palazzoni che la dominavano dall'alto e che s'affacciavano sulla strada statale.

A destra c'era il mare. Calmo che pareva olio.

Quello stesso mare in cui, chissà dove, era dispersa Lorenza Iannino.

L'indomani, anzi, quel giorno appena iniziato, era sabato. Il 12 novembre. Il compleanno di Federico Calderaro, cui Vanina aveva promesso che non sarebbe mancata. Considerando che l'indagine stava camminando, questo significava farsi 190 chilometri ad andare e 190 a tornare nella stessa serata.

Entrò in casa, nel silenzio della notte, che a Santo Stefano era assoluto.

Senza togliersi la giacca uscí nel terrazzino che dava sull'agrumeto, si mise comoda su una sedia di ferro, i piedi incrociati su un'altra. Si fumò una sigaretta.

Un messaggio comparve sul telefono. Vanina lo controllò subito.

Manfredi Monterreale: «Ma non si usa salutare? Buonanotte vicequestore».

Due parole, gentili per giunta, ma lei si sentí piú in colpa di prima.

Chiuse tutto e se ne andò a dormire.

Angelina s'era prestata al gioco e aveva iniziato la campagna di acquisizione notizie. Aveva interpellato la sua amica d'infanzia, residente a Piana dell'Etna dalla nascita e unica persona con cui la signora Patanè avesse mantenuto rapporti nel suo paese natio, dopo che s'era sposata con Gino suo e s'era trasferita a Catania. Nella città.

Quello che aveva saputo su Laura Di Franco, la prima moglie di Ussaro, nonché sulla gioventú dell'avvocato stesso, voleva riferirlo personalmente alla Guarrasi. Il commissario non era riuscito a convincerla che bastava raccontare tutto a lui.

– Che è: ti siddía avermi in mezzo ai piedi?

Davanti a una insinuazione simile, detta papale papale, Gino aveva preferito abbozzare.

Il vicequestore Guarrasi arrivò in casa Patanè alle nove e mezzo. Aveva all'attivo, nell'ordine: tre ore di sonno, due caffè, due sigarette, una treccia alla crema e un cappuccino. Piú una chiacchierata con Bettina, che non incrociava da due giorni e da due giorni surgelava ogni sorta di ben di Dio da consegnarle, per le emergenze. Che oggi, domani, dopodomani, sempre a mangiare fuori ci si sfascia lo stomaco!

Non sapeva nemmeno lei per quale motivo stesse perdendo tempo a sentire vecchie storie, con le novità che invece potevano aspettarla in ufficio. Ma un po' perché le pareva brutto nei confronti di Patanè, un po' perché le vecchie storie – come i vecchi film – la affascinavano sempre assai, aveva pensato che mezz'ora in piú o mezz'ora in meno poco avrebbero inciso nell'economia della mattinata.

Il commissario Patanè non era uno di quegli uomini che davanti alla moglie cambiano contegno. Galante era da solo e galante restava anche di fronte ad Angelina. Vanina non osava immaginare con quale disinvoltura, da giovane, gliene avesse combinata una al giorno, presentandosi poi la sera a casa col suo sorriso contagioso e quel modo di fare che conservava appeal persino adesso che aveva ottantatre anni.

– Venga, dottoressa, s'accomodi, – disse il commissario, spingendola leggermente con la mano sulla spalla. La fece sedere su una poltroncina di finto broccato, con centrino inamidato sul poggiatesta.

Angelina si sedette subito nel posto piú vicino a lei, relegandolo in un angolo. Soddisfatta. Pure la mano sulla spalla, 'sto sciagurato!

– Angelina ha saputo un po' di cose su...

– Gino, che facciamo? Parlo io o parli tu?

Vanina capí l'antifona.

– Mi racconti tutto, signora.

Angelina si mise comoda, allargò le mani e poi le intrecciò sulle ginocchia. – Perciò, – attaccò, – io a Laura Di Franco non l'ho conosciuta mai. Di vista conoscevo sua sorella Maria Carmela, che ha l'età mia. Aveva dieci anni piú di Laura. Si sposò con uno cchiú brutto di non so che cosa, ma coi soldi che gli uscivano dalle orecchie. Matrimonio cumminato, si disse. A ddi tempi, ancora, non era detto che una si riusciva a sposare con l'innamorato! – Si voltò a guardare il commissario, che si schermí.

– Forza, Angelina, non divaghiamo, che la dottoressa tempo da perdere non ne ha!

Vanina non osò pronunciarsi, ma si stava divertendo.

– Comunque, un'amica mia invece a 'sta Laura l'accanusceva bona, perché era intima amica di sua sorella cchiú nica. Dunque la storia è questa: Laura Di Franco studiava al conservatorio di Catania. Era bedda, ma bedda assai, dottoressa! Bionda, occhi azzurri. L'amica mia mi fece vedere una fotografia di gruppo. 'Sta ragazza tutti sapevano che i genitori l'avevano destinata all'avvocato Ussaro, macari iddu brutto forte, ma pieno di soldi. Per giunta poi figlio di uno che al paese era molto rispettato. Non mi chieda il perché, che non l'ho mai capito.

Patanè fece un sorrisetto come per dire: io sí.

Angelina non gli diede conto. – Solo che i tempi erano un poco cambiati, o forse era la ragazza che era piú ribelle della sorella grande, di azzitarsi con lui non ne voleva sapere manco di calata. Se ne voleva andare a finire gli studi a Roma e non sentiva ragioni. Un giorno in paese si sparse la voce che Laura aveva uno zito a Catania. Per zittire le malelingue e fare calmare le cose, i genitori acconsentirono a mandarla a Roma, a casa di una zia. Con la scusa del diploma che si doveva prendere là, al conservatorio. Dopo un anno tornò, che manco s'era diplomata, e tempo uno e due la fecero sposare. Con Ussaro. E poi successe quello che successe. La famiglia di lui disse che la ragazza era disturbata assai, che lui l'aveva macari fatta curare da uno specialista. Questo è quanto mi contò l'amica mia.

– E questa Maria Carmela sarebbe la sorella che denunciò Ussaro per istigazione al suicidio? – chiese Vanina.

Il commissario tirò fuori il suo bloc-notes pre-bellico e lesse.

– No, la denuncia la fece Angelica. Piú giovane di Maria Carmela, ma piú grande di Laura di due anni.

– E la misero a tacere subito.

– Praticamente sí. Ieri mi andai a cercare il fascicolo e mi appuntai le cose principali. Come immaginavo c'era scritto picca e nenti. La cosa che mi colpí di piú è che macari i genitori della ragazza testimoniarono che Ussaro era innocente.

– E questa Angelica vive a Piana dell'Etna? – chiese il vicequestore ad Angelina.

– Questo non lo so. Gino mi disse di fare un poco di cuttigghio su Laura, e io questo feci.

Vanina si alzò in piedi.

– La ringrazio, signora.

La donna si alzò appresso a lei. Si mosse per accompagnarla alla porta.

– Lassa stari, gioia mia, ci penso io ad accompagnare la dottoressa, – fece Patanè. Angelina rimase interdetta. Poteva guardarlo in cagnesco dopo che l'aveva chiamata gioia mia? Abbozzò.

– Dottoressa, io oramai m'ero preso l'impegno e perciò lo portai a termine. Con la scusa, mia moglie si fece una passeggiata al paese suo e ci fermammo pure a cena là. Ma 'sta storia, per davvero vecchia è. Piuttosto, come finí con il gruppo che si scriveva messaggi e via dicendo?

Ho visto che oggi sul giornale si parla di omicidio. Ora si scateneranno!

Vanina lo aggiornò sulle novità, comprese quelle sostanziose del pomeriggio prima.

– Mizzica che godimento se riuscite a incagghiare uno come quello! Che a svicolare è piú bravo di un serpente.

– Speriamo di trovare qualcosa di piú consistente di quello che abbiamo, altrimenti non so cosa potremo concludere.

– Intanto, già quello che mi contò reati ne contiene a tinchité, dottoressa. Altri reati, ma sempre da punire sono!

Certo che erano da punire. Pure se le sarebbe toccato avere a che fare con ambiti che ormai rifuggiva come la peste.

Spanò le venne incontro a metà corridoio.

– Buongiorno, capo. C'è una persona che è qui dalle otto e mezzo di stamattina e chiede di parlare con lei.

– Chi è?

– L'avvocato Nicola Antineo. Disse che voleva parlare soltanto con lei. L'ho messo nella sala d'attesa.

Una fissazione stava diventando!

– Lo faccia salire. Mi raccomando che non si accorga in nessun modo che stiamo intercettando Ussaro. A proposito, novità da quel fronte?

Spanò le fece un report delle telefonate.

– L'avvocato e la Spada, altro che rapporto professionale! – fece l'ispettore, con un movimento rotatorio della mano.

– Pure con lei?

– A quanto pare vuole che vada all'università ad aiutarlo. Senza la Iannino solo con quel coglione di Antineo, cosí disse, non ce la può fare.

– E la Spada che gli rispose?

– Che dipendeva da lui.

– Niente per niente. Ma per lui dovrebbe essere normale, no?

– Infatti subito le disse che la faceva abilitare, non ho capito bene per cosa. Le spiegò pure tutta una faccenda che oggi toccava a uno, domani a un altro, poi col fatto che Lori non c'era piú...

– Cioè già si stanno spartendo il suo posto?

Spanò annuí.

– Mandami su il ragazzo, vediamo che vuole –. Stava per dire «il coglione» ma si trattenne. Poi, a pensarci bene, se Ussaro lo riteneva un coglione poteva pure darsi che Antineo fosse una persona perbene. Quelli come l'avvocato una persona perbene la considerano solo stupida.

Sulla sua scrivania c'erano gli articoli usciti quella mattina, compreso quello di Tammaro che era il piú dettagliato. Era andato in onda anche un breve servizio al Tg3 regionale, piú vari Tg locali.

Spanò bussò dopo due minuti.

– Dottoressa, l'avvocato Antineo.

Gomiti sui braccioli, mani intrecciate, sguardo grigio lama, Vanina girava lentamente la poltrona a destra e a sinistra. Ecco a chi assomigliava quel ragazzo con la faccia da bambino confuso, il capello liscio con la riga laterale. Alessandro Momo nella parte dell'attendente di Vittorio Gassman in *Profumo di donna*, solo qualche centimetro piú alto.

– Buongiorno, vicequestore, – fece Antineo.

– Buongiorno, avvocato –. «Ciccio», le sarebbe venuto di chiamarlo, come faceva il cieco capitano Fausto nel film. – L'ispettore Spanò mi ha detto che voleva parlarmi.

Antineo si sistemò sulla sedia. Prima si appoggiò indietro, poi si raddrizzò.

– Sí –. Guardò Spanò, che non si muoveva dalla sua posizione.

– Perciò? – lo esortò Vanina.

– Io sono qui perché... non riesco piú a tenermi dentro questo peso –. Si sistemò di nuovo sulla sedia, alzò gli occhi. – La sera della festa di Lori, verso le undici e un quarto, mi chiamò il professore Ussaro. Mi disse che dovevo raggiungerlo, e che dovevo pure fare in fretta. Io gli chiesi di che si trattava, ma lui... si mise a urlare, dicendomi di non perdere tempo. Mi precipitai all'indirizzo che mi diede lui, una casa sul mare. Quando arrivai c'era un fuggi fuggi generale. La gente pareva spaventata. Qualcuno s'era sentito male, dicevano. Anche Susanna se ne stava andando.

– L'avvocato Spada l'ha vista arrivare?

– Non credo, era di spalle. Il professore mi aveva detto di non farmi vedere da nessuno. Incrociai solo Armando Alicuti che se ne stava andando col padre. Il professore era sconvolto. Mi disse che dovevo aiutarlo a fare una cosa, e che se mi fosse scappata una parola me l'avrebbe fatta pagare. Prese la macchina di Lori, la portò nel cortile. Mi disse di entrare in casa e recuperare una valigia che c'era nel salone. Dentro capii che c'era qualcosa di strano. La poltrona al centro della stanza era macchiata di sangue e i vestiti di Lori erano... sparsi in giro, in mezzo al disordine piú assoluto. Tornai indietro e chiesi al professore cos'era successo. Lui mi portò di nuovo dentro, mi disse di fare quello che diceva lui e non domandare altro, che era meglio per me. Prese i vestiti di Lori e se li portò appresso.

– Erano macchiati di sangue?

– Sí –. Il ragazzo abbassò gli occhi, arrossati.

– E poi?

– Poi obbedii. Andammo in fondo ai muretti, pretese che mi facessi pure una mezza scarpinata con la valigia in mano per buttarla lí.

– Era chiusa?
– Sí.
Vanina e Spanò si scambiarono un'occhiata.
– Prosegua.
– Poi tornammo indietro e l'avvocato parcheggiò la macchina in fondo alla strada, in una zona un po' buia. Non disse piú nulla. Quando lo riaccompagnai a casa gli chiesi dov'era la sua macchina. Appena arrivato l'avevo vista nel cortile. Lui mi disse che dovevo farmi i cazzi miei. E che dovevo dimenticarmi tutto quello che era successo.
Vanina lo guardò in silenzio.
– Perché ha aspettato tanto prima di parlarcene?
Il ragazzo si agitò. – Perché il professore mi aveva assicurato che lo sapeva lui dov'era Lori. Mi minacciò. Io cado sempre in piedi, mi disse. Invece tu se cadi finisci col culo per terra. Ed era la verità, dottoressa. Poi però quando oggi ho letto sul giornale che nella valigia c'era stato il cadavere di Lori… che lei era morta… – Non finí.
– Mi scusi, ma lei non se n'era accorto che la valigia pesava molto? Anzi, moltissimo, visto che conteneva il cadavere di una donna che, per mingherlina che fosse, doveva pesare i suoi cinquanta chili.
– Sí, certo, era difficilissima da trasportare. Solo che in quella situazione… non ho riflettuto su nulla, dottoressa! Ero spaventato. Ora, col senno di poi… io non ne sono sicuro, però ho la sensazione che per terra ci fosse anche un coltello. Un coltello da cucina, sa? Lí per lí non ci ho badato, ma poi…
Spanò aveva iniziato a segnarsi tutto su un foglio.
– Avvocato, lei lo sa come funziona, non penso di dover essere io a dirglielo. Quello che mi ha appena detto dovrà ripeterlo al magistrato. Dovrà firmare una denuncia, – disse Vanina.

– Certo che lo so. Sono pronto. Anche a costo di passare un guaio.

Vanina fece segno a Spanò di portarlo di là. Quanto aveva raccontato Antineo molto probabilmente era la verità. Le impronte digitali di Ussaro erano sul volante dell'auto. Bastava fare una ricerca e vedere se quelle di Antineo erano da qualche parte sul lato passeggero. E poi la storia era cosí circostanziata che coincideva benissimo.

Alzò il telefono e chiamò la scientifica. A scanso di equivoci chiese direttamente di Pappalardo.

Che le rispose dopo un minuto.

– Dottoressa, mi dica.

– Senta, Pappalardo, i coltelli che c'erano in giro nel villino della Iannino, li avete repertati?

L'uomo rimase in silenzio.

– Veramente non c'erano coltelli in giro. Solo nel lavello della cucina... – Si accorse tardi di aver detto una fesseria. – Scusi, dottoressa. Non ci abbiamo pensato proprio. Non essendoci un cadavere...

A essere onesta, non ci aveva pensato neppure lei. La cosa la faceva imbufalire.

– Faccia una cosa: torni nel villino e recuperi tutte le lame che trova. In particolare i coltelli da cucina. Veda se ci sono tracce di sangue. E impronte digitali, anche se temo sia difficile.

– Va bene, ci vado subito.

– Poi mi faccia sapere.

Staccò con Pappalardo e compose il numero di Vassalli, che non rispondeva.

Provò al cellulare, ma era staccato.

Chiamò Eliana Recupero.

– Buongiorno, dottoressa. Lei sa per caso che fine ha fatto il dottor Vassalli? Lo sto cercando ma non riesco a rintracciarlo.

– È malato, – rispose la Recupero, una punta d'ironia nella voce.

– Ah, e quindi?

– Mancherà per un po', quindi il caso verrà riassegnato. Nel frattempo ci sono io, che avrei dovuto affiancarlo, ma finché non nominano un altro ne faccio le veci.

Vanina non riusciva a crederci. Un colpo di culo incredibile.

Vassalli aveva deposto le armi e s'era dato malato.

Le comunicò che le stava mandando l'ispettore Spanò, con Antineo.

Iniziò a meditare sulla storia che il ragazzo aveva raccontato. Si alzò di scatto e andò nella stanza accanto, dove Spanò stava verbalizzando.

– Una domanda, avvocato, – disse.

Antineo si mise in piedi, ma lei gli fece segno di risedersi.

– Che lei ricordi, nella stanza dove ha visto i vestiti di Lorenza sparsi, c'erano anche le scarpe?

Il ragazzo ci pensò su, poi scosse il capo. – No. Le scarpe no.

In automatico Spanò tirò fuori la fotografia.

– Potrebbe essere una scarpa di Lorenza?

Antineo la guardò. – Non lo so… Come genere, sí. Susanna potrebbe saperlo. Le scarpe se le compravano sempre insieme, me lo ricordo perché lo facevano online, dallo studio.

Online significava che di quegli acquisti probabilmente rimaneva traccia. Vanina non era una grande esperta, ma sapeva a chi chiedere.

Tornò nel suo ufficio e chiamò Giuli.

L'avvocato non rispondeva. La richiamò dopo un momento.

– Scusami, ma mi sono dovuta allontanare. Sono in fila alla Posta da tre quarti d'ora per ritirare una raccomandata. Ormai non c'è piú lo sportello dedicato: ti tocca prendere un numero e aspettare in mezzo alla bolgia che esca sul cartellone. Cosí il rischio che almeno uno dei servizi funzioni in modo veloce è azzerato!

Vanina sghignazzò. – Lo so. Un ingranaggio perfetto!

– Dovevi dirmi qualcosa?

– Sí. Senti, tu che fai spesso acquisti online, spiegami come funziona: quando compri qualcosa, tipo un paio di scarpe, fai l'acquisto e che succede?

Giuli rise. – Ti stai convertendo allo shop online?

– No, ho solo bisogno di sapere come funziona.

– Ti arriva una mail con i dettagli dell'ordine, poi un'altra con quelli della spedizione. E se l'articolo non va bene glielo rispedisci indietro. Tutto qui.

– Quindi ti arriva una mail.

– Sí, esatto... Eccomi!!! – urlò. – Scusa, Vanina, ti devo salutare! – riattaccò. Il vicequestore aprí il computer della Iannino. Non c'erano password. Ma questa cosí sprovveduta era? Notò che tra le mail risultavano vari acquisti fatti online e li guardò uno per uno finché non trovò quello che cercava.

Sandalo nero, Saint Laurent, 38. Prezzo improponibile. Controllò il numero della carta di credito, criptato tranne che per le ultime cifre. Chiamò Fragapane per farsi portare i documenti bancari della Iannino.

Il vicesovrintendente arrivò subito.

Nessuna carta della ragazza corrispondeva.

– Fragapane, faccia una cosa, rintracci la carta di credito con cui sono stati eseguiti questi acquisti e mi dica a chi è intestata.

Non sapeva a cosa potesse servire scoprirlo, ma sicuramente si sarebbe fatta un quadro piú ampio.

Aveva di nuovo fame. Era sempre cosí, meno dormiva e

piú aveva fame. Un trend disastroso. Ma quella giornata era lunga, e si sarebbe conclusa con un viaggio a Palermo. Del rientro in serata cominciava a non essere piú tanto sicura.

Aprí la stanza dei carusi.

– Io faccio un salto al bar e torno subito. Qualcuno vuole qualcosa?

Tutti scossero il capo. Nunnari alzò lo sguardo, incerto.

– Forza, Nunnari, pronunciati, – fece Vanina, divertita.

– Un panzerotto, se c'è?

– Va bene.

Stava per richiudere la porta e andarsene quando il telefono sulla scrivania di Marta prese a suonare.

L'ispettore rispose.

Si fece seria, poi contrita.

– Mi dispiace, davvero. Quand'è successo?

Ascoltò ancora, poi:

– Capisco. Sí, c'eravamo accorti che non stava bene.

Salutò e riattaccò.

– Che fu? – fece Vanina. Chissà perché le era venuto in mente Vassalli, magari ritenere che si fosse finto malato era stata una malignità gratuita. E invece.

– Era la signora Iannino, la moglie del fratello di Lorenza. Il signor Iannino è morto stamattina. D'infarto.

Vanina andò a sedersi sulla scrivania di Marta.

– Poveraccio, mi dispiace. Era giovane. Però si vedeva che stava male, ti ricordi?

Marta annuí, turbata.

– La moglie ha detto che prima di morire ha nominato sua sorella, tante volte. Dice che sembrava in delirio.

– Dobbiamo andare dalla vedova, – decretò Vanina. Chissà a che ora ci sarebbe arrivata, a Palermo, quella sera.

Non uscí piú. Se ne tornò nel suo ufficio. Aprí il balcone e si accese una sigaretta.

Ricominciò a meditare su quello che aveva raccontato Antineo. A quel punto Ussaro sarebbe stato convocato in modo ufficiale. Certo, avrebbero dovuto trovare qualche riscontro, ma il passo avanti era enorme.

Si ricordò all'improvviso i tabulati telefonici che le aveva dato la Recupero. Il giorno prima li aveva infilati nel cassetto. Li tirò fuori e controllò la sera incriminata. Alle 23.27 c'era una telefonata. Il numero corrispondeva a quello di Antineo.

– Dottoressa? – fece Fragapane, aprendo la porta.

– Trovò l'intestatario della carta di credito?

– Sí, è una ricaricabile. Intestata a Susanna Spada.

Strano che la Spada non avesse riconosciuto una scarpa acquistata con la sua carta di credito.

Doveva risentirla. Tanto valeva farlo subito. Cercò il numero nei tabulati della Iannino e lo compose. Era irraggiungibile. Provò a chiamare lo studio legale, sperando che di sabato fosse aperto.

La solita segretaria le rispose che l'avvocato Spada era in tribunale, per consultare un fascicolo in cancelleria.

Vanina spense la sigaretta e uscí.

Passò nella stanza accanto e precettò la Bonazzoli.

– Marta, accompagnami in tribunale.

Dieci minuti dopo passavano i tornelli d'ingresso del palazzo di giustizia. Santa motocicletta e beati quelli che erano capaci di guidarla, pensò Vanina. Con il suo solido automezzo a quattro ruote a quest'ora non sarebbe stata neppure a metà strada, e avrebbe girato come una scimunita per un'ora in cerca di un buco dove parcheggiarlo.

– Dove la cerchiamo, la Spada? – chiese Marta.

– La chiamiamo.

Vanina tirò fuori il telefono e richiamò il numero che

aveva preso dai tabulati di Lorenza, e che aveva memorizzato. Stavolta squillò.

– Avvocato Spada, buongiorno. Sono il vicequestore Guarrasi.

– Buongiorno, dottoressa. Mi scusi ma sono in tribunale.

– Lo so. Dove, di preciso?

– Come?

– Le chiedevo in quale zona del tribunale si trova.

– Perché?

Vanina si spazientí.

– Avvocato, ho bisogno di parlarle un momento, sono qui in tribunale. Se mi vuole dire dove posso raggiungerla facciamo prima, altrimenti non si preoccupi che la trovo io.

La Spada disse che l'avrebbe raggiunta subito.

Si misero di lato ad aspettarla.

– Vanina!

Il vicequestore si voltò e vide Maria Giulia De Rosa che pestava a suon di tacchi il pavimento dell'androne, tutta contenta. L'avvocato la abbracciò e baciò, e fece altrettanto con Marta, che quasi non conosceva.

– Che ci fate qui?

– Dobbiamo parlare con una persona.

– Chi, se posso?

– Susanna Spada.

– Ah, Mortisia.

Vanina e Marta risero.

– Perché? Non ci assomiglia, a Mortisia Addams? – fece Giuli, sogghignando.

– Una stampa e una figura! – confermò il vicequestore.

La Spada era spuntata da una porta laterale, e si guardava intorno in cerca della Guarrasi.

Vanina salutò Giuli e le andò incontro.

– Avvocato, le rubo solo pochi minuti.

Si spostarono in un punto tranquillo.

– Mi dica, dottoressa –. Susanna era tesa, Vanina lo avvertí. Non si capiva bene se perché aveva dovuto lasciare quello che stava facendo, o per le domande cui avrebbe dovuto rispondere.

– Perché ha negato di riconoscere in fotografia la scarpa di Lorenza?

– Non ho negato di riconoscerla. Non l'ho riconosciuta.

– Strano, visto che è stata acquistata con una carta di credito intestata a lei.

La Spada rimase impassibile.

– Ogni tanto ho prestato a Lori la mia ricaricabile, ma non ho idea di cosa ci abbia comprato.

– Quindi non era vostra abitudine fare acquisti online insieme?

– Poteva capitare, ma non era la norma.

– E come mai Lorenza chiedeva la carta di credito a lei? A quanto ci risulta ne possedeva una sua.

L'espressione della Spada virò verso il sardonico. Ma la risposta no.

– Probabilmente perché la mia era una ricaricabile, quindi piú adatta a essere usata negli acquisti online. C'è sempre il rischio che la clonino.

– O magari perché i soldi Lorenza ce li aveva in contanti, e metterli in una ricaricabile era l'unico modo per fare un acquisto online? – suggerí Vanina.

La Spada accentuò l'espressione sardonica, ma non replicò.

– Senta, – divagò Vanina, – lei ricorda di aver visto arrivare Nicola Antineo, la sera della festa in casa di Lorenza?

Susanna sembrò sorpresa.

– Mi pare di averlo intravisto. Molto tardi, però. Un attimo prima che io me ne andassi.

– Era stato invitato alla festa?

– Non lo so –. La Spada buttò l'occhio all'orologio. – Tra poco la cancelleria chiude, – comunicò.

– Le faccio un'ultima domanda, dopodiché se avrò bisogno di sentirla ancora la convocherò, cosí non ci saranno problemi, – assicurò Vanina, sarcastica. Poi: – Lei ricorda per caso chi guidava la Ferrari dell'avvocato Ussaro quando siete andati via tutti insieme?

L'avvocato rimase a corto di parole. Guardò Marta, impassibile al fianco del vicequestore.

– No... cioè sí. Lui, ovviamente.

– Ne è certa?

– Perché non avrebbe dovuto guidarla lui? – chiese. Stava riacquistando smalto.

– Non lo so. Chiedo. Non ci crederà, avvocato, ma certe volte a fare la differenza sono proprio le domande piú assurde. Quelle che uno manco sa come gli sono venute in mente. Eppure servono. Assai.

– Questa non credo che le servirà molto.

– E può darsi che lei abbia ragione, – disse il vicequestore. Lo sguardo affilato che avrebbe messo a disagio pure un'anima limpida. Figurarsi una storta come la Spada. Che la fissò irresoluta, limitandosi ad annuire.

Vanina le comunicò che per il momento avevano finito.

Il vicequestore e la Bonazzoli si allontanarono senza proferire parola. Si guardarono tra loro.

– Secondo me, se c'entra anche lei, la prima cosa che farà sarà telefonare all'avvocato, – fece Marta, appena furono lontane.

Vanina sorrise. – Ovvio. E noi siamo pronti a sentire cos'ha da dirgli.

– Torniamo in ufficio?

– No. Passiamo prima dalla Recupero.

Presero le scale e salirono fino al corridoio della procura. Arrivarono davanti alla stanza della pm mentre Spanò e Antineo stavano per uscirne. Eliana Recupero la vide. – Dottoressa Guarrasi, – la chiamò.

Vanina le si avvicinò.

– Sembra che le cose inizino a quadrare.

– A quanto pare.

Antineo pareva provato, se ne stava accanto a Spanò che lo guardava con aria paterna.

– Dottoressa, io spero che la mia testimonianza possa servire davvero a dare una svolta alle indagini, – disse al vicequestore.

– Certo.

– L'avvocato Antineo ci ha dato molte informazioni utili anche su altri reati imputabili al professor Ussaro, – fece la Recupero.

Scambiò uno sguardo d'intesa con Vanina, che abbozzò un cenno d'assenso.

– Quello che ho appena fatto mi obbligherà a lasciare lo studio legale, l'università... Sarebbe bello sapere che non è stato tutto vano.

– Avvocato Antineo, come le ho già detto, se i reati sussistono non c'è motivo di dubitarne, – assicurò la Recupero.

Antineo guardava il vicequestore.

– Vada a casa, avvocato, – disse Vanina, – e ci comunichi qualunque novità, anche la piú banale. E soprattutto, ci informi immediatamente su eventuali tentativi di ritorsione da parte del professore.

Il ragazzo deglutí, poi annuí.

– Lo accompagno alla sua auto, – fece Spanò.

Vanina e Marta rimasero nella stanza della Recupero.

– Certo che s'è messo in un brutto guaio, – constatò il vicequestore, sorridendo a metà.

Eliana tornò dietro la scrivania, grande e piena zeppa di carte. – Non se riusciremo ad agguantare Ussaro.

– Intanto a questo punto va convocato con tutti i crismi.

– Chiaramente.

Il telefono di Marta interruppe il discorso.

– Dimmi, Nunnari, – rispose. Spostò lo sguardo su Vanina. – Te la passo, – disse.

– Nunnari, che successe? – fece il vicequestore.

– Capo, Ussaro ha appena ricevuto una telefonata da...

– Dall'avvocato Spada, – lo anticipò.

– Proprio lei! Ma che, già lo sapeva?

– No, ma lo prevedevo. E che si sono detti?

– Meglio che la senta lei stessa, quando torna.

– Sono in procura, la sento direttamente da qui.

– Allora, visto che c'è, si senta anche la telefonata delle 9.46. Col caso nostro non c'entra niente, ma è interessante assai!

Il vicequestore riattaccò. Guardò la Recupero con un mezzo sorriso.

– Abbiamo una registrazione interessante dal telefono di Ussaro.

La pm si alzò subito.

– Andiamo a sentire.

Mentre uscivano dalla stanza arrivò Spanò, che fu subito aggiornato.

– Minchia, questo un minuto fermo non ci sta. Nunnari mi disse che telefona in continuazione, – commentò l'ispettore. E continuò, mentre raggiungevano l'ufficio intercettazioni: – Comunque, capo, prima che lei arrivasse, stamattina, ero riuscito a fare qualche ricerca. Poi non ho avuto il tempo di riferirglielo. Approfitto adesso, che c'è anche la dottoressa presente, – si voltò verso la Recupero.

– Dica, ispettore, – fece Vanina, mentre Eliana si fermava in attesa di ascoltare.

– Colangelo Vincenzo, quello da cui Ussaro si precipitò ieri appena uscito dalla segreteria di Alicuti, è un cliente dell'avvocato. Ussaro in questo momento sta facendo vincere a sua moglie una causa di risarcimento per un incidente stradale. Centomila euro. Colangelo è un delinquente di bassa lega, uno che nella gerarchia della criminalità sancristoforina è un gradino piú in basso dello scecco, non so se mi spiego. Però gestisce per conto dei Nola una piazza di spaccio. Cocaina, prevalentemente.

La Recupero sorrideva, tra il bonario e l'ammirato.

– Complimenti, ispettore. Ha detto tutte cose esatte. La novità, per quanto mi riguarda, è che il Colangelo sia un cliente di Ussaro. In genere di soggetti simili conosciamo piú facilmente il difensore penalista.

– Allora Colangelo potrebbe essere la via d'accesso dell'avvocato alla coca, – sintetizzò Vanina.

– Questo pensai macari io, – fece Spanò.

– E perciò ieri Ussaro è andato ad accertarsi di persona che nessuno della famiglia si lasciasse sfuggire la cosa. O a creare qualche diversivo nel caso in cui dovessimo arrivare fino a loro.

– Probabile, – commentò la Recupero.

Marta si intromise. Il dito alzato, come un'alunna a scuola.

– Scusate, ma non sarebbe il caso di sentire anche Alicuti?

– Ca certo, – rispose Vanina. – Se è convinto di poter disertare una mia convocazione, anche solo come persona informata sui fatti, si sbaglia di grosso.

Arrivarono nell'ufficio intercettazioni.

Recuperato il numero progressivo, selezionato l'orario preciso della telefonata che Nunnari aveva fornito, si misero in ascolto.

USSARO Susanna, che vuoi? Sono occupato, non mi devi chiamare mai la mattina, lo sai.

SPADA Me ne sbatto se sei occupato. Ho appena ricevuto una visita della palermitana. Fino in tribunale è venuta a cercarmi, pensa tu. E lo sai cosa voleva sapere? Se mi ricordavo chi guidava la tua macchina la sera della festa.

USSARO E tu che le hai risposto?

SPADA Che non lo sapevo, ma che sicuramente l'avevi guidata tu stesso.

USSARO Brava. E il problema qual è? Hai risposto nel modo corretto. Non capisco il motivo per cui hai alzato il tono in questo modo. Inaudito. Che fa, ti scordasti con chi stai parlando?

SPADA E come me lo posso scordare! Il fatto è, mio caro, che di essere coinvolta in una cosa che manco so com'è andata, solo per averti fatto il piacere di portarti la macchina in garage, non ne ho nessuna voglia. Perciò vedi che devi fare.

USSARO Testa di cazzo che non sei altro!

Comunicazione interrotta di colpo.

– Mi pare che anche la Spada non abbia un rapporto propriamente professionale con l'avvocato, – commentò la Recupero.

– Già, – disse Vanina. – Però dal tono della telefonata si intuisce una cosa: pur essendo una sua, diciamo cosí, sottoposta, può permettersi di parlargli senza mezzi termini. E ha eseguito un ordine senza sapere cosa fosse successo davvero.

– Dottoressa, io direi che questa Spada andrebbe sentita di nuovo. E a Ussaro possiamo comunicare formalmente che è indagato. Lo convochiamo in via ufficiale, – disse la Recupero.

Vanina concordò.

Ascoltarono anche la telefonata delle 9.46.

Una discussione di mezz'ora tra Ussaro e un suo collega sulle dinamiche di cinque o sei concorsi. «Con tizio ci ho parlato io, con caio ci parli tu, sempronio non conta niente». Senza fare un nome. L'altro era piú cauto. Ma Ussaro era preso dalla discussione, una sorta di monologo in realtà, talmente preso che in alcuni momenti sembrava scordarsi che stava discutendo per telefono.

– Una gestione capillare della cosa, – commentò Vanina.

La Recupero fece una smorfia, come a dire che per uno cosí quella era normale amministrazione.

Tornarono indietro verso la stanza della pm.

– Quando interroghiamo Ussaro voglio che ci sia anche lei, dottoressa Guarrasi.

– Certo, stia tranquilla.

– Ah, per quanto riguarda il collega che dovrebbe sostituire Franco Vassalli, per il momento non è stato nominato. Il che significa che continuerò a occuparmi io anche del caso di presunto omicidio. Convocherò l'avvocato Ussaro per oggi pomeriggio.

Vanina ci aveva sperato. Soprattutto ora che le cose parevano muoversi sul serio.

18.

Giuseppe Alicuti, detto Beppuzzo, ricevette il vicequestore Guarrasi col sorriso sulle labbra. I dieci minuti di anticamera che lei e Spanò avevano dovuto farsi, in attesa che il questuante di turno uscisse dalla stanza dell'onorevole, erano bastati a innervosire Vanina oltremisura. Dovette sforzarsi di ricambiare il sorriso e la stretta di mano che il politico le porse, scusandosi per averla fatta aspettare.

Sguardo alto, eloquio pseudo-forbito, ma con forte inflessione dialettale. Untuoso quanto il suo amico, ma in modo piú subdolo.

– Io sono con lei, dottoressa. Se posso esserle d'aiuto, non esiti a domandarmi ciò che crede, – garantí Alicuti, con aria da paladino della legalità.

– Onorevole, lei la sera del 7 novembre ha partecipato a una festa in casa di Lorenza Iannino, la ragazza scomparsa che riteniamo sia stata uccisa, – disse Vanina.

– Non mi ci faccia pensare! Una ragazza cosí bella, cosí intelligente!

– Lei e suo figlio, che è il proprietario della casa, siete stati visti andare via per ultimi da un testimone. È corretto?

– Sí, siamo stati tra gli ultimi ad andare via. Armando era venuto solo a prendermi, quella sera non si sentiva troppo bene ed era rimasto a casa.

Come aveva detto l'amica della Iannino, che per quell'assenza c'era rimasta male.

– Il professor Ussaro rimase lí?
– Elvio? Ma sí, mi pare di sí.
– Lei ha visto Lorenza, prima di andarsene? L'ha salutata?
– Per la verità no. Era nel soggiorno, insieme a Elvio. Erano soli... lei sa come vanno queste cose, dottoressa. Nessuno vuole essere indiscreto. Che tra Lorenza e Elvio ci fosse qualcosa era il segreto di Pulcinella, lo sapevano tutti! – Aveva messo su un'espressione bonaria che a Vanina smosse i nervi peggio di prima. Bisogna essere comprensivi, in fondo, dottoressa. Ai sentimenti non si sfugge. Cosa da afferrare uno dei vari trofei schierati dietro la sua poltrona e tirarglielo in testa. Invece il vicequestore abbozzò.
– Perciò non vide neppure lui?
– Lui sí, lo vidi e lo salutai.
– Si ricorda se per caso ha visto l'avvocato Antineo?
Alicuti finse di riflettere. – Mi pare proprio di sí. Nicola arrivò tardissimo, alla stutata delle candele, come si suol dire.
– L'avvocato Susanna Spada l'ha vista, immagino.
Stavolta l'uomo rimase impassibile.
– Certo, – rispose.
– Si ricorda quando andò via?
– Prima di me, questo è sicuro.
– Si ricorda se l'avvocato Ussaro la incontrò, prima che se ne andasse?
Alicuti sorrise. – Dottoressa, ma come faccio a ricordarmi questi dettagli!
Vanina cambiò tono.
– Onorevole Alicuti, lei fa uso di cocaina? – sparò.
Quello rimase a corto di argomenti. Per una manciata di secondi, ma ci rimase. Un silenzio sufficiente perché il vicequestore lo prendesse come una risposta, positiva.

– Chi fu a fornirla, quella sera? – chiese.

– Dottoressa, io non le ho ancora risposto, – puntualizzò Alicuti.

– Allora lo faccia. Le ripeto la domanda: lei fa uso di cocaina? Uso personale, s'intende.

– Naturalmente no!

– Dunque non sa chi l'avesse portata quella sera nel villino di Lorenza.

– Non ne ho idea.

– Non si chiese come mai Susanna Spada se ne fosse andata prima di lei? – azzardò il vicequestore. Stava tirando a indovinare, ma qualcosa le diceva che non stava sbagliando.

Alicuti sfoderò il sorriso che metteva su ogni volta che la discussione cascava su certi argomenti.

– Dottoressa, lei sa troppe cose. Sono questioni private... – disse, con aria bonaria di finto rimprovero.

– Sapere troppe cose è il mio lavoro, onorevole. E davanti a un presunto omicidio non esistono questioni private per nessuno. Neppure per una persona informata sui fatti, com'è lei in questo momento.

Alicuti alzò le mani.

– Per carità, non vorrei mai essere d'intralcio alla giustizia! E se per giunta si tratta di omicidio, sono io il primo a mettere a disposizione tutto quello che posso. Susanna se ne andò prima di me perché Elvio le chiese di sbrigargli una commissione. Che vuole, dottoressa: quello, anche se è amico mio, sempre il suo datore di lavoro è!

– Una commissione alle undici di sera? Non le è parso quantomeno bizzarro?

– Bizzarro? Sí, forse un po'. Ma Elvio è cosí, davanti al lavoro non ci sono orari. E poi in realtà fu tutta la serata ad avere un che di bizzarro, sa?

– Che intende?

Alicuti prese un respiro, lungo, teatrale. – Mah, non saprei dirglielo di preciso. C'era un'atmosfera strana.

– Strana come? Insolita oppure inquietante?

– Non saprei. C'era in giro anche gente diversa. Amici di Lorenza probabilmente... – La pausa era a effetto. Chissà che gente aveva invitato, Lorenza.

– Perché invece di solito a quelle feste incontrava sempre le stesse persone?

– In genere sí. Erano serate cosí, informali. Ecco: tra amici. Lo dice il nome stesso del gruppo che avevamo creato.

– E che lei e suo figlio vi siete precipitati ad abbandonare quella notte stessa. Come mai, onorevole?

Alicuti si fece serio. – Dottoressa, lei mi crederebbe se le dicessi che è stato come una specie di sesto senso? Mio figlio aveva capito che Lorenza stava estendendo la cosa a estranei, che magari si sarebbero trovati in quel gruppo. Il mio numero di telefono sarebbe diventato quasi di dominio pubblico. Non c'è bisogno di dirle che questo io non posso permetterlo...

Vanina era tentata di ridergli in faccia, ma non sarebbe servito. Si sentiva troppo *sperto*, l'onorevole.

Non era il caso di continuare a perderci tempo.

Quando Vanina e Spanò uscirono dalla stanza la fila dei questuanti s'era raddoppiata.

– Questo lo sa benissimo, come sono andate le cose quella sera, – commentò Spanò appena furono in strada. – Dottoressa, ma a lei chi gliel'aveva detto che la Spada e Alicuti...

– Nessuno, ispettore. Ho intuito che doveva essere cosí quando gli ho chiesto se l'aveva vista quella sera e lui mi ha risposto subito, senza scomporsi. Scommetto che da qualcuna delle chat nel telefono di Lorenza la cosa si evinca.

– Perché?

– Perché Alicuti ha dato per scontato che io ne fossi già a conoscenza. E l'ha fatto sapendo benissimo che abbiamo in mano il telefonino di Lorenza. Gliel'avrà detto Ussaro quando s'è precipitato da lui.

Spanò ci rifletté mentre tornavano verso l'auto.

– Comunque secondo me Alicuti con l'omicidio non c'entra niente. Al massimo è al corrente di come sono andate le cose, ma non ha partecipato in modo attivo, – disse, entrando al posto di guida.

– Anche secondo me, – fece Vanina. Tirò fuori il telefono e chiamò la Recupero.

– Dottoressa, avrei bisogno di disporre un accertamento sulla Ferrari di Ussaro. Dobbiamo controllare se da qualche parte ci sono impronte di Susanna Spada. Ho bisogno della sua autorizzazione.

– Certo. Dopo l'interrogatorio di oggi pomeriggio mandi pure qualcuno della scientifica a occuparsene, – rispose la Recupero.

– Ah, volevo dirle che ho chiesto al sovrintendente Pappalardo, che fece il sopralluogo al villino, di tornarci, prendere tutti i coltelli che trova e analizzarli. Non so quanto valga, ma ci proviamo. Del resto, bossoli in giro non ce n'erano. Niente fa pensare che la presunta ferita mortale alla Iannino possa essere stata inferta da un'arma da fuoco. E Antineo ha un vago ricordo di un coltello.

– Ha fatto benissimo.

Quant'era semplice collaborare con una persona cosí. Simile a lei sotto molti aspetti, quanto diversa sotto altri. Uno su tutti: l'attenzione all'allenamento fisico, su cui la pm non transigeva mai, mentre per Vanina passava in cavalleria mese dopo mese.

– Pensa che sia stata la Spada a portarsi via la Ferrari di Ussaro, vero? – chiese Spanò.

– Non lo penso, ne sono certa. L'intercettazione su questo punto è chiarissima.

Arrivarono nel parcheggio delle auto di servizio. Uscirono dalla vecchia caserma che lo ospitava e attraversarono la strada verso il portone della Mobile.

– Dottoressa, me la leva una curiosità che mi porto dietro da ieri mattina?

– Da ieri mattina? Mentre c'era poteva aspettare un altro paio di giorni! Avanti, sputi il rospo.

Spanò rise. – Che le contò il commissario Patanè, mentre facevate colazione insieme? Entrando e uscendo dal suo ufficio, sentivo che le stava dicendo qualcosa che mi pareva c'entrasse con Ussaro.

Vanina sorrise al pensiero dell'indagine parallela che Patanè stava svolgendo. Senz'altro fine a sé stessa eppure tanto intrigante. Le tornò in mente che l'ultima volta s'era riproposta di cercare notizie su Angelica Di Franco. Non se l'era piú ricordato.

– Una vecchia storia, – rispose. – Poi gliela racconto, ispettore.

– Perciò, riepiloghiamo: l'avvocato Ussaro, a quanto pare, sarebbe l'assassino di Lorenza Iannino, – fece Macchia, che li aveva aspettati al varco e ora se ne stava in maniche di camicia a dondolarsi sulla poltrona, stavolta la sua. Il sigaro spento tra le labbra, la barba che tra un po' pareva stirata col phon per quante volte se la stava lisciando.

Vanina era seduta di fronte a lui, Marta in piedi, Spanò anche.

– Le cose potrebbero essere andate cosí, – attaccò il vicequestore. – Lorenza ricatta Ussaro.

– Perché avrebbe dovuto ricattarlo? – chiese Tito.

– Non lo so. Ma qualcosa doveva aver architettato, altrimenti non si sarebbe conservata le copie di quelle lettere –. Poi proseguí: – Ussaro la ammazza. Dopodiché, senza specificare cos'è successo, manda via tutti gli invitati. Alla Spada chiede di portarsi la sua Ferrari, che lí gli sarebbe d'impiccio. Chiama Antineo, che considera il suo schiavo, gli ordina di non fare domande e di eseguire gli ordini. Va a prendere la valigiona di Lorenza – lui sa benissimo dove la tiene – e riesce a farcela entrare dentro. Lorenza è minuta. Infila dentro anche il telefonino della ragazza per toglierlo di mezzo. Quando Antineo arriva, gli intima di caricarsi la valigia, lo accompagna sul lungomare dei muretti e lo obbliga a trascinarla fino agli scogli. Fanno in fretta, questo spiegherebbe l'aspetto della casa, abbandonata cosí com'era e mezza aperta. Alla fine torna indietro, parcheggia la macchina di Lorenza in fondo alla strada, sotto l'oleandro, e si fa riaccompagnare a casa. Anche se il telefonino l'ha eliminato, per prima cosa abbandona la chat della festa. E fa una minchiata, perché attira la nostra attenzione.

– Fin qui, mi pare che fili.

– Sí. Se non fosse per un paio di dettagli che mi lasciano perplessa.

– Ovvero?

– Primo, cosa fondamentale: non abbiamo tracce di una possibile arma del delitto. Secondo: qualcuno deve aver aperto la valigia e spinto in mare il cadavere, che altrimenti non si sarebbe mosso da lí manco con la piú forte delle mareggiate. Eppure le telecamere di Manfredi Monterreale non hanno ripreso nessuno che si sia diretto successivamente verso quegli scogli. Poi ci sono le telefonate anonime, la prima partita da un autogrill e l'altra da Roma. Fatte da chi? Da una persona in fuga, quindi implicata? Oppure da una testimone oculare?

Tito non rispose, annuiva soltanto.

Spanò prese la parola: – A quanto pare, quasi tutti gli invitati alla festa sono clienti dell'avvocato. Quello che s'era portato dietro la ragazzina, per esempio, deve a Ussaro la vincita di un ricorso milionario. Tutti clienti, tranne la cugina, la Bini. Che però ha un figlio laureando in Giurisprudenza, quindi deve ingraziarsi il professore in ogni modo. E durante quel festino – scusi la franchezza, dottoressa – chissà quante e quali possibilità avrà avuto di compiacerlo.

– Una serata tra *amici* proprio, eh! Comunque, Ussaro è stato convocato ufficialmente oggi pomeriggio. Lo sentiremo in procura, dalla Recupero.

Il telefono sul tavolo di Macchia squillò.

– Signor questore, buongiorno.

Vanina fece per andarsene ma la mano alzata del Grande Capo la bloccò. Gli altri due invece uscirono dalla stanza.

– Adesso? – diceva Tito. – Certo, signor questore. Arrivo subito.

Riattaccò fissandola, il sigaro stretto tra i denti.

– Convocato dal questore? – chiese Vanina.

– Già –. Macchia si alzò, prese la giacca dall'appendiabiti. Aveva le dimensioni di un cappotto, ma a lui stava quasi stretta.

– A piú tardi, Guarrasi, – la salutò, infilando il corridoio.

Vanina passò nella stanza accanto alla sua.

Gliel'aveva fatto tornare in mente Spanò, con la sua curiosità.

– Marta, fammi una cortesia. Dovresti vedere di rintracciarmi l'indirizzo e il contatto di una persona: Angelica Di Franco, si chiama.

– Certo. Chi è?

– La sorella della prima moglie dell'avvocato.

– Ussaro è divorziato? Non mi risultava...

– Vedovo.

– Ah. Ho capito. Te la cerco subito.

Il vicequestore se ne tornò nel suo ufficio.

Sulla scrivania c'era ancora il computer della Iannino. Aprí la posta elettronica e iniziò a scorrerla. Selezionò come chiave l'indirizzo stesso della ragazza, alla ricerca di eventuali altre mail autoinviate. Tra le piú recenti ne trovò una. Stavolta era un foglio scritto al computer, e aveva maggiore attinenza col caso. Una lista di nomi uno piú eccellente dell'altro, alcuni dei quali sottolineati. Quello di Ussaro era isolato in alto a destra, con un punto interrogativo accanto. Sotto, tra parentesi, si ripeteva uno dei nomi della lista: Fernando Maria Spadafora.

Vanina andò a controllare le generalità di Ussaro. Ricordava bene, Spadafora era il cognome della moglie.

Chiamò Spanò. L'ispettore arrivò subito, il telefono all'orecchio. Si attardò sulla porta finché non ebbe chiuso.

– Mi scusi, dottoressa. Lo Faro era.

– Ah, e che le stava dicendo?

– Niente, che si furriò tutti i laboratori di analisi del centro, ma nessuno ha ricevuto il sangue della ragazza. Ora sta allargando la ricerca in periferia. Posso dirle però come la penso, dottoressa?

– Certo.

– Secondo me è come cercare un ago in un pagliaio. Chissà quella dove le portò, 'ste analisi da fare. Soprattutto poi se poteva essere incinta.

Vanina meditò sulla cosa.

– Bella coincidenza, no? La mattina la Iannino si fa fare le analisi e la sera la ammazzano.

– Lei pensa a un'arma di ricatto della ragazza nei confronti dell'avvocato?

– Una in piú oltre a quelle che già aveva in mano? Può essere. Un'arma potente, oltretutto. Mettiamo che fosse incinta veramente e che quella sera lo abbia comunicato a Ussaro. Quello ha dieci centimetri di pelo sullo stomaco, ed è piú inturciniato degli alberi di piazza Marina, ma all'immagine della famiglia ci tiene. E pure assai. E non solo per questioni di facciata, oserei ipotizzare.

– Che vuole dire, capo?

– Che la partecipazione nella società che gestisce lo studio commerciale del suocero sicuramente è un incentivo a non creare fratture familiari –. Riguardò la mail con l'elenco di nomi. Era il motivo per cui l'aveva chiamato. – Lei sa se il suocero di Ussaro si chiama Fernando Maria Spadafora?

Spanò fece segno di aspettare e tirò fuori dalla tasca un mucchietto di carte.

– Aspittasse, che qua ce l'ho –. Si mise a ravanare tra foglietti ridotti quasi a brandelli.

Vanina sorrise. – Spanò, ma come fa a combinare cosí quelle cartuzze? Pare che hanno fatto la guerra –. Che poi non era neanche difficile capirlo: l'ispettore aveva il vizio, o meglio il vezzo, di indossare jeans a vita bassa che a rigor di logica non si sarebbe potuto permettere. Tutto quello che metteva nelle tasche si riduceva una sottiletta e veniva estratto con estrema difficoltà. Un foglio di carta indenne non poteva uscirne di sicuro.

– È che li infilo come capita, – si giustificò mentre eliminava due scontrini che s'erano intrufolati in mezzo.

– Eccolo! Sí, Spadafora Fernando Maria si chiama. La madre invece…

– Lasci stare la madre, per il momento non ci interessa, – lo interruppe Vanina. Fissò il portatile della Iannino. – Chissà che significano tutti quei nomi.

Si alzò, sigarette in mano. Si infilò la giacca.

– Se ne sta andando a pranzo? – s'informò l'ispettore.

– Sí. Ma una cosa veloce. Poi passiamo a trovare la moglie di Gianfranco Iannino, che a quanto pare è rimasta a Catania, perché la salma del marito la tengono in ospedale ancora fino a domani.

– Mischina… Ma passiamo chi?

– Come *chi*? Ca lei e io, Spanò!

– Ah! Mi scusi, non avevo capito.

Si trasferirono nell'ufficio dei carusi. Nunnari era piazzato all'intercettazione di Ussaro, che taceva da due ore. S'era apparecchiato la scrivania con una tovaglietta di carta e stava mangiando mezzo metro di filoncino imbottito di sano, anallergico salame.

Bonazzoli si alzò subito con un foglietto in mano.

– Vanina, questi sono tutti i contatti di Angelica Di Franco. Ho aggiunto qualche informazione in piú.

Spanò si chiese di cosa stessero parlando.

– Grazie, Marta, – disse Vanina. – L'ispettore e io stiamo andando dalla vedova di Iannino. Poi direttamente in procura dalla Recupero. Vuoi mangiare una cosa con noi?

– No, grazie. Io vado tra un po'.

Segno che l'incontro di Macchia col questore era durato poco, e che il primo dirigente era già sulla via del ritorno.

Vanina valutò la cosa con sollievo. Chissà perché, aveva avuto la sensazione che l'oggetto del colloquio fosse la sua indagine. Quella celerità suggeriva che s'era sbagliata.

Ma le sue sensazioni raramente sbagliavano.

E infatti.

Il Grande Capo la stava aspettando alla fine delle scale, davanti al portone chiuso.

– Ho sentito la tua voce e ho capito che stavi scendendo, – disse, serio.

– Che voleva il questore? – gli chiese subito Vanina.

Tito esitò prima di risponderle, guardò di sfuggita Spanò.

Che capí.

– Dottoressa, io intanto vado a prendere la macchina –. Uscí e si richiuse il portone dietro.

– Allora? – chiese il vicequestore, sempre piú incuriosita.

– Vieni qua, accompagnami di sopra con l'ascensore, – disse il Grande Capo.

Vanina lo seguí fino alla scala secondaria, entrò in ascensore con lui che da solo lo occupava quasi per intero.

– Tito, mi racconti che ti disse il questore? – insistette, schiacciata contro la parete, il collo in estensione.

– Voleva metterci in guardia.

– Metterci?

– Te e me. Ma soprattutto te.

– In guardia da cosa?

– Da Ussaro. Sembra che l'avvocato non si sia limitato a prendere atto dell'informazione di garanzia e della convocazione ufficiale. Ha smosso mezzo mondo. Ma del resto era ovvio.

– Figurati se uno simile non iniziava a darsi da fare subito, – commentò Vanina. – E il questore che dice? – chiese. Sperò che la risposta non demolisse l'opinione che aveva di lui. Non lo conosceva granché, ma a naso le aveva fatto una buona impressione.

– Dice che Ussaro cercherà di insabbiare tutto in ogni modo, e che di armi per tentare di farlo ne ha molte. Anche parecchio in alto. Ma il questore conosce le tue capacittà di resistenza, e ci garantisce il suo appoggio. Sapeva già che Vassalli s'era chiamato fuori per problemi di salute e che stai collaborando con Eliana. Mi è sembrato contento della cosa.

Opinione confermata.

– Credo che Ussaro sbatterà le corna sul duro, stavolta, – disse Vanina, uscendo finalmente da quell'ascensore, piú lento di un montacarichi a manovella.

– Anch'io. Ma fai attenzione, Vani'.

– Addirittura!

– Addirittura.

Spanò la aspettava in macchina.

– Tutto bene, dottoressa? – le chiese.

– Sí, tutto bene.

Partí.

– Ci fermiamo *da Nino* o preferisce qualcosa di piú veloce?

– Andiamo *da Nino*.

Nei cinque minuti che ci vollero per arrivare, Vanina rimase taciturna. La sigaretta accesa, la mente concentrata sul mucchio di tasselli che stava cercando di mettere insieme e che, non capiva perché, continuavano a sembrarle mal assortiti.

Occuparono un tavolino all'ingresso e attinsero dagli antipasti al bancone. Piú di questo non avevano il tempo di fare. Ma bastava e avanzava.

– Dottoressa, me la leva una curiosità? – attaccò Spanò appena si sedettero.

– E sono due! Dica, ispettore.

– Di chi erano i contatti che le cercò la Bonazzoli?

Vanina gli sorrise. Spanò era piú sbirro di lei.

– Niente, ispettore. È per quella storia che mi cuntò il

commissario Patanè, cui le accennavo prima. Una storia su Ussaro che però con la Iannino non c'entra niente. La prima moglie dell'avvocato morí suicida dopo nemmeno un anno di matrimonio. Nel '75. Laura Di Franco, si chiamava. Angelica Di Franco è la sorella. Dopo la tragedia questa Angelica denunciò l'avvocato per istigazione al suicidio. La cosa, manco a dirlo, fu fermata subito, assurdamente anche grazie alla testimonianza degli stessi genitori. Mi venne la curiosità di sapere la sua versione dei fatti.

Spanò rimase perplesso. 'Sta faccenda della Guarrasi che invece di starsene fissa sull'indagine giorno e notte assecondava una curiosità fine a sé stessa era del tutto inedita.

– E dove si trova, questa Angelica?

– A Riposto, a quanto vedo.

– Con la scusa si fa una gita. Quando pensa di andarci?

– Non lo so. Magari domani pomeriggio, ma dipende dall'indagine.

– Domani è domenica, pure se ogni tanto si concede una pausa dall'indagine male non le fa, dottoressa!

Già. L'indomani era domenica.

Vanina dette voce al suo pensiero. – Se penso che stasera mi aspetta una sgroppata di duecento chilometri...

Spanò sgranò gli occhi: – E dove se ne deve andare?

– A Palermo.

L'ispettore non le chiese altro. Ormai conosceva la Guarrasi abbastanza bene da sapere che i viaggi nella città natia non giovavano al suo umore.

– Ma dalla signora Iannino ci stiamo andando per visita di lutto, oppure pensa che possa dirci cose di sua cognata che il marito non ci aveva detto? – chiese.

– Una visita di lutto, – rispose Vanina. – Per il resto, Spanò, lo sa come si dice? Meglio un'informazione in piú che una in meno.

Finirono di pranzare in mezz'ora e si diressero verso il bed and breakfast dove aveva alloggiato Gianfranco Iannino, e dove ora avrebbero trovato la vedova.

Quando Vanina e Spanò arrivarono, la signora Grazia Sensini, vedova Iannino, era in compagnia di due persone che se ne stavano andando: cugini del defunto Gianfranco accorsi in supporto, che continuavano a esprimere «grande dolore» per entrambi i lutti che l'avevano colpita. E auspicavano di poter dare al piú presto una degna sepoltura anche a quella povera ragazza, che chissà che malafine aveva fatto.

La signora accolse i due poliziotti nell'appartamentino dove quella notte suo marito se n'era andato, stroncato da un infarto che gli aveva concesso giusto il tempo di finire in ospedale, per morire subito dopo averne varcato la soglia.

Era toscana, di Montevarchi per l'esattezza, ed era piú o meno coetanea del defunto.

Aveva il viso stravolto di chi non ce la fa piú.

– Quando sono arrivata, ieri, ho trovato Gianfranco distrutto. La scomparsa di Lori, la notizia che era stata uccisa. E tutti i segreti che stava scoprendo su di lei... Voi non lo sapevate, ma mio marito era cardiopatico. Prima o poi avrebbe dovuto farsi operare, e lui ne era consapevole. Purtroppo non c'è stato tempo... – Scoppiò in lacrime.

Spanò le allungò un fazzoletto.

– Mi dispiace tanto, signora, – disse Vanina.

– Quando era partito di corsa all'alba per Catania, terrorizzato per sua sorella, io avevo avuto un brutto presentimento. Avrei voluto seguirlo subito. Ma come si faceva? I bambini andavano organizzati con i miei genitori, e poi il lavoro...

– C'è stato qualcosa, una causa scatenante che gli ha causato il malore? – chiese il vicequestore.

Grazia Iannino scosse la testa. – Non lo so. Mi ci arrovello. Ero in bagno, l'ho sentito parlare, poi ha gridato aiuto. Mi sono precipitata fuori, ma lui era già a terra con la mano sul petto e respirava a stento. Biascicava parole senza senso. Parlava di Lori, diceva che dovevamo andare a prenderla. Insisteva, aveva persino il telefono stretto in mano. Chiamala, mi diceva, chiamala –. Iniziò a singhiozzare di nuovo. – Se penso che invece di Lori non avremo neppure le spoglie da piangere!

– Signora, le giuro che faremo di tutto per trovare il suo corpo, – disse Vanina. – E per prendere il suo assassino.

La signora alzò gli occhi, carichi di rabbia. – Allora mi giuri anche che quando l'avrete preso farete in modo che non esca di galera finché non ci sarà crepato. Perché quel maledetto, chiunque sia, ora di omicidi ne ha commessi due: quello di Lori, e quello di Gianfranco.

– Glielo giuro, signora.

– Io non mi capacito, – mormorò Grazia.

– Lei conosceva bene sua cognata?

– Credevo di sí, ma mi rendo conto che invece... ignoravamo tante cose.

– Non si è fatta un'idea su quello che potrebbe esserle successo?

– No. Però... Io penso che quando una prende una brutta strada può capitarle di tutto. E Lori una bella strada non aveva preso di sicuro.

– Si riferisce alla relazione con l'avvocato?

– Prima di tutto. Ma anche il resto. Aveva un villino sul mare in affitto, oggetti di lusso, tutte cose che non so come potesse permettersi. Da qualche parte i soldi li doveva prendere. Chissà da dove. Se penso che mio marito risparmiava per mandarle cinquecento euro al mese. Per darle una mano, diceva. Per lui sua sorella era sempre una bambina, da aiutare, da viziare...

Qualcuno bussò alla porta. La signora fece per alzarsi, ma Spanò la precedette.

– Stia, signora. Ci penso io.

Andò ad aprire e si trovò davanti una ragazza che lo guardava perplessa.

– Mi scusi, forse ho sbagliato, sto cercando la signora...

– Eugenia! – fece Grazia, alzandosi subito.

La ragazza entrò e le corse incontro. La abbracciò e iniziò a piangere insieme a lei.

– Grazie di essere venuta, – biascicò la signora Iannino.

Eugenia si ricompose e si presentò a Vanina e a Spanò.

– Eugenia Livolsi.

– Giovanna Guarrasi, – rispose Vanina.

– Ah, lei è il vicequestore Guarrasi. L'altro giorno mi ha mandato i suoi collaboratori per farmi delle domande, ma che Lori era stata ammazzata l'ho dovuto scoprire dai giornali, – recriminò.

– La capisco, e mi dispiace. Però mi creda, quando l'ispettore Bonazzoli è venuta a parlare con lei non potevamo davvero parlargliene.

Eugenia si ammansí. – Presumo che aveste dei buoni motivi. E comunque sarei venuta molto presto a parlare con lei –. Si accomodò su una sedia da cui la signora Grazia aveva appena tolto dei vestiti stesi. – Io non riesco a darmi pace, dottoressa, – sospirò.

Aveva lo sguardo diretto, limpido. Sicuro. Una ragazza con la testa sulle spalle, l'aveva definita Gianfranco Iannino. A occhio non c'era motivo di dubitarne.

– Voleva dirmi qualcosa? – chiese Vanina.

– Niente di preciso, in realtà. Sensazioni. Frasi dette da Lori che ora mi pare di interpretare in un altro modo.

Messaggi subliminali che magari lei mi stava mandando e io invece non ho capito... Ma forse è solo suggestione. Forse semplicemente sto cercando di capire se avrei potuto fare qualcosa per salvarla. Lori non era una cattiva persona, dottoressa. Lo so che l'idea che si è fatta di lei non sarà questa, però è cosí, mi creda.

– Ma io non mi sono fatta nessuna idea. Non è il mio compito, dottoressa Livolsi. Il mio compito è solo capire chi ha ucciso Lorenza e sbatterlo in galera. Il resto non mi interessa.

La Livolsi abbassò la testa.

– Mi pare tutto cosí incredibile. C'erano tante cose di Lori che ignoravo. Anche il povero Gianfranco, non se ne faceva una ragione... Eppure, col senno di poi, ripensando ad alcuni discorsi strani di Lori, ora ho la sensazione che negli ultimi tempi stesse cercando il momento giusto per confidarsi. Cosí come ho la sensazione che questa inquietudine c'entri con la sua morte –. Guardò Vanina negli occhi.

– Può darsi, – si limitò a rispondere il vicequestore.

– Anche Raffaele Giordanella, il suo ex fidanzato, è d'accordo con me. Lui dice che l'aveva sentita arrabbiata, l'ultima volta. Come se stesse covando vendetta nei confronti di qualcuno. Però non aveva voluto sbottonarsi. Era meglio per lui non sapere niente, diceva. Non sono parole strane, dottoressa?

Non erano parole strane. Erano parole criptiche. Erano le parole di chi accenna ma non può svelare fino in fondo. Il tutto collimava grosso modo con quello che Giordanella aveva detto a lei, quando l'aveva chiamato.

E collimava anche con la sua personale opinione. Lorenza stava covando vendetta.

Vanina e Spanò stavano per entrare in procura, diretti dalla Recupero in netto anticipo, quando una chiamata di Marta al telefono del vicequestore li costrinse a fermarsi.

– Marta, dimmi.

– Vanina, sei già in procura?

– Quasi, perché?

– C'è qualcuno qui che ci ha raccontato un bel po' di cose interessanti.

– Chi?

– La dottoressa Valentina Borzí, praticante nello studio legale dell'avvocato Ussaro.

Vanina vagliò la notizia.

– Cose che hanno a che fare con l'interrogatorio? – chiese.

– Fatti nuovi che aggravano pesantemente la posizione dell'avvocato.

Guardò l'orologio. Il tempo c'era.

– Va bene, sto arrivando.

Telefonò alla Recupero, le comunicò la novità e riprese la strada per l'ufficio con Spanò alla guida. Questa della Borzí non se l'aspettava. Eppure, ora che ci pensava, faceva parte del quadro d'insieme. Un quadro che somigliava a un'eruzione dell'Etna dopo un lungo periodo di calma. Via il tappo e fuori tutto. Prima l'esplosione, poi la colata lavica. Il materiale che aspettava di uscire, poco per volta, finalmente trovava la via.

Valentina Borzí era lí, seduta davanti alla Bonazzoli. Tesa da fare paura. Si torceva le mani come uno straccio da strizzare.

Appena vide arrivare il vicequestore Guarrasi si alzò in piedi.

– Stia comoda.

Marta cedette il posto a Vanina e si mise di lato, pronta a scrivere.

– Allora, dottoressa Borzí, vuole ripetermi tutto quello che ha già detto all'ispettore Bonazzoli?

La ragazza deglutí piú volte, annuí. Era spaventata, ma determinata.

– Un paio d'ore fa ho ascoltato, per sbaglio, una conversazione tra il professore Ussaro e Susanna Spada. Il professore è rientrato in studio senza preavviso durante la pausa pranzo e s'è chiuso nella stanza con Susanna. Gridava. Probabilmente era convinto che non ci fosse nessuno. Diceva che se lo incastravano lui avrebbe trascinato al fondo tutti, compresa lei e Nicola Antineo. Una «buttana» e un «coglione», mi scusi ma è cosí che li definí. Diceva che se lei si ritrovava a essere protetta da Alicuti era solo perché lui le aveva permesso di infilarcisi nel letto. E che come ce l'aveva infilata, avrebbe potuto farla buttare fuori quando voleva. Ma le parole che piú di tutte mi hanno colpito, dottoressa, quelle che mi hanno terrorizzato sono state: «Vuoi fare come quella scimunita di Lori, che chissà che s'era messa in testa?» A quel punto Susanna ha reagito, ha iniziato a chiedere che fine ha fatto Lori. Una volta, due volte, tre volte, finché il professore Ussaro non ha perso completamente le staffe e ha urlato: «A mare finiu, Lori!»

Aveva gli occhi arrossati.

– Dottoressa Borzí, lei è sicura di quello che sta dicendo, vero? – si sincerò Vanina. Una testimonianza simile, dopo quello che aveva dichiarato Antineo, per un giudice poteva essere determinante.

– Certo che ne sono sicura, dottoressa. E non solo, c'è dell'altro.

Vanina le fece segno di proseguire.

– Mi è tornato in mente in questi giorni, pensando a Lorenza. Qualche mese fa mi capitò di assistere a una sfuriata del professore verso di lei. Una sfuriata violenta, infatti mi ricordo che ne rimasi parecchio infastidita. M'era parso di capire che lei s'era permessa di intromettersi in una faccenda sua personale. Non ricapitò piú, però da quel momento Lorenza mi sembrò... diversa. Sarà impressione mia, dottoressa, ma mi sembrò che gli facesse una faccia davanti e una di dietro. Non so se sono chiara... Appena lui non poteva accorgersene, lo guardava con rancore. Qualche giorno fa l'avvocato era stato pessimo con me, mi aveva quasi aggredito per un errore stupido che avevo fatto. Lorenza venne e mi disse: resisti, Valentina, e non ti fare fagocitare. Che magari qualcuno che fagocita lui prima o poi lo troviamo. A me parve una cosa strana, sentirla parlare cosí. Io le voci su di lei con l'avvocato le conoscevo, e mi sembravano decisamente fondate...

Il vicequestore fece oscillare la sedia di Marta avanti e indietro.

– È stata chiarissima.

Si alzò.

La Bonazzoli guardò la Borzí. – Vuole raccontare al vicequestore anche il resto? – la invitò, gentile.

– Perché, c'è altro? – chiese Vanina.

La ragazza annuí, abbassò gli occhi un momento. Poi li rialzò.

– Questo riguarda me, però, dottoressa, – premise. A pezzi e a bocconi iniziò a raccontare una storia che in definitiva si riassumeva in una sequela di molestie. Subdole, tutte giocate sulla sottomissione psicologica al potere che Ussaro sapeva di esercitare su una ragazza come lei, che aveva l'ambizione di farsi strada. Molestie da cui finora era riuscita a difendersi strenuamente.

– Forse per un briciolo di rispetto verso mio padre, che è stato suo compagno di università, o forse perché per il momento aveva già qualcuno con cui divertirsi. Ma poi, appena è successa questa cosa di Lorenza, la situazione per me è precipitata. Ha iniziato perfino a minacciarmi. A modo suo, chiaramente. O ci sto o quella è la porta. Non in modo cosí chiaro, ovvio. Facendo giri di parole, esempi. Metafore. Proprio come fanno… – Si fermò. Esitò.

– I mafiosi? – suggerí Vanina.

– Non volevo dirlo, ma questo proprio sembrava. Ha detto che ora tutto veniva rimesso in discussione, e che se volevo potevo avere anche piú di quello che avrebbe dato a Lori. Ha detto che lui era influente non soltanto nell'appoggiare le persone che preferiva, ma anche nell'ostacolare chi riteneva non fosse all'altezza di determinati ruoli. Perché per avere delle posizioni bisogna essere provvisti delle capacità per meritarsele. Questo diceva. Che in teoria è giusto, dottoressa! Le cose uno se le deve meritare. Il problema è il metro di giudizio che viene usato! – Valentina aveva preso la calata. Tutto ciò che raccontò dopo rifletteva pari pari il quadro che ormai Vanina aveva bene in testa.

Alla fine di quella maratona di accuse, quando la Borzí non ebbe piú nulla da dire, Nunnari alzò la mano timidamente.

– Che c'è Nunnari? – chiese Vanina.

– Posso dirle una cosa, dottoressa?

– Certo.

– Di là, però, – fece il sovrintendente, guardando la Borzí.

Vanina uscí nel corridoio.

– Perciò?

Nunnari si avvicinò per parlare a bassa voce. – Volevo dirle che confermo. Un paio di telefonate dell'avvocato a quella carusa le ho sentite. Mi chiedevo che voleva dire con tutti quei discorsi campati in aria. Ora lo capii. Ma comunque, non è l'unica con cui parla cosí. Anche con altre persone, anche su altri argomenti, usa sempre lo stesso tono.

– Ho capito.

Il vicequestore lasciò Marta a occuparsi di concludere la deposizione della ragazza e uscí di nuovo con Spanò.

Sul portone incrociarono Lo Faro.

– Novità? – gli chiese subito Vanina.

– Nessuna, dottoressa. I laboratori che ho trovato aperti di sabato non hanno ricevuto niente. Di quelli chiusi rintracciai i titolari, e gli feci fare un controllo. Niente.

– Va bene, Lo Faro. Ti sei guadagnato la giornata. Se vuoi te ne puoi andare a casa.

Mentre recuperavano l'auto di servizio Vanina chiamò la pm. Le chiese di aspettarla perché aveva novità importanti.

– Andiamo allo studio Ussaro, – disse a Spanò.

L'ispettore non aveva bisogno di chiederle il perché.

– C'è l'avvocato Spada? – domandò subito il vicequestore.

La segretaria pareva confusa. – Sí, ma è occupata con un cliente.

– Non importa, la chiami lo stesso.

La donna partí verso il corridoio verde pistacchio e tornò con Susanna Spada. L'avvocato aprí la porta della solita saletta vintage.

– Si accomodi, dottoressa, – disse e le cedette il passo. Spanò entrò per ultimo, richiudendo la porta in faccia alla segretaria che s'era piazzata là davanti.

– Avvocato, la avverto: ha cinque minuti per raccontarmi la verità sulla sera della festa. Se tentenna ancora, la prossima volta la convocherà il magistrato, – iniziò Vanina.

La Spada si fece livida.

– Che intende, dottoressa Guarrasi? Io le ho detto tutto quello che...

– Susanna, ascolti a me: risparmi la pantomima e velocizziamo i tempi. Cosí magari se la sbriga qui, e non siamo costretti ad andare oltre. Io sono convinta che lei non c'entri niente con la morte di Lorenza. Le sembra intelligente farmene dubitare?

La Spada la fissava, esitante.

Vanina affondò ancora di piú il colpo: – L'avvocato Ussaro è in procura per essere interrogato. È accusato di vari reati, ma per primo dell'omicidio di Lorenza Iannino.

Susanna si appoggiò alla spalliera della sedia, rassegnata.

– Mi dica cosa vuole sapere.

– Mi racconti dall'inizio quello che è successo la sera della festa.

La Spada prese un respiro e raccontò.

A un certo punto della serata, intorno alle undici, gli invitati erano tutti in giardino, chi a fumare, chi a fare altro. Lori era rimasta sola con Ussaro e s'erano chiusi nel soggiorno mentre lei era in un'altra stanza con un amico. – L'onorevole Alicuti? – le chiese Vanina. Susanna dovette confermare. A un certo punto Ussaro aveva bussato alla loro porta. Aveva detto che era meglio se gli ospiti se ne andavano, perché Lori non stava bene. L'onorevole aveva chiamato suo figlio, che era appena arrivato. Elvio aveva chiesto ad Armando Alicuti di portarsi la sua macchina, che poi lui sarebbe andato via con Lori. Ma l'onorevole voleva tornarsene a casa e perciò alla fine era stata Susanna a guidare la macchina dell'avvocato fino al suo garage. Appena prima di allontanarsi dal villino s'era accorta che c'era Nicola Antineo. Di Lori invece non aveva piú avuto notizie.

Ussaro si presentò in procura accompagnato non da uno ma da due colleghi difensori. Due giganti del foro catanese che sorridevano a destra e a manca, ostentando confidenza con mezzo tribunale. Il professore poteva dormire tra due guanciali, questo era il messaggio che sarebbe dovuto passare.

Ma lui non sembrava tanto tranquillo.

Come non capirlo? Il sostituto procuratore Eliana Recupero, il vicequestore Giovanna Guarrasi e l'ispettore capo Carmelo Spanò erano il peggior assortimento di inquirenti che gli potesse capitare.

Non sapeva cosa aspettarsi, e questo lo rendeva sicuramente nervoso.

Vanina si limitò a parlare del caso Iannino, soprassedendo di proposito su tutto il resto, di cui sperava ardentemente che si occupassero quelli della Sco.

Sciorinò uno a uno gli indizi che avevano in mano. Le telefonate anonime, le testimonianze che indicavano Ussaro come il responsabile della morte di Lorenza Iannino e dell'occultamento in mare del suo cadavere. Le impronte digitali sulla valigia e sul volante dell'auto.

Ussaro ascoltò quello che il vicequestore aveva da dirgli senza proferire parola. Aria truce, sguardo piú sfuggente del solito, protervia elevata all'ennesima potenza.

I suoi difensori non si smuovevano di un millimetro dalla loro ostentata tranquillità.

Appena però Vanina fece riferimento al sangue trovato sulla poltrona e nella valigia i tre ebbero un leggero sobbalzo. Si guardarono tra loro, colti alla sprovvista.

Uno dei due prese la parola: – E potremmo sapere quale dovrebbe essere stata l'arma del delitto?

– A detta di un testimone, c'era un coltello insanguinato, – fece la Recupero.

– E voi lo avete trovato?

– No, avvocato. Non ancora.

Spanò si schiarí la voce. – Mi scusi, dottoressa, – fece.

Vanina e la Recupero si voltarono in simultanea.

– Ho appena ricevuto da quelli della scientifica i risultati della ricerca che avevamo richiesto a tal proposito.

I tre uomini lo fissavano col fiato sospeso.

Vanina si alzò e uscí un momento dalla stanza con lui.

– Allora?

– Pappalardo trovò il coltello da cucina di cui aveva parlato Antineo. Era buttato in mezzo agli altri nel lavello, ma aveva ancora un poco di sangue in un angolo. E un'impronta digitale, sulla lama proprio. Per comparare il sangue devono mandarlo a Palermo, ma l'impronta è quella dell'avvocato.

Vanina rientrò nella stanza e comunicò la cosa a Ussaro e al suo collegio di difensori.

La reazione dell'avvocato fu fulminea. Terreo, la fronte imperlata di sudore, le labbra serrate, fissò la Recupero.

– Mi avvalgo della facoltà di non rispondere, – disse.

I due colleghi si guardarono tra loro, di colpo avevano perso la loro baldanza.

La Recupero non fece una piega. Alzò le mani.

– Come preferisce lei.

L'avvocato aveva scelto una strategia che gli consentiva di prendere tempo, ma molto rischiosa. Uno come lui non poteva non saperlo, eppure aveva preferito cosí.

Un motivo doveva esserci.

Vanina e la pm erano rimaste sedute faccia a faccia. L'ispettore Spanò era impalato accanto alla porta che aveva appena richiuso dietro i tre uomini.

– Una mossa stupida, mi meraviglio che quei due gliel'abbiano lasciata fare, – commentò la Recupero.

– Non mi pare che lui li abbia interpellati.

– Comunque, dottoressa, il quadro si arricchisce di un nuovo tassello. Certo, l'ideale sarebbe trovare il cadavere, ma se continuiamo cosí si potrebbe anche arrivare a un processo indiziario. Anche se, per il momento, potrebbe tornarci utile che l'avvocato si senta ancora in grado di manovrare le sue carte. Per cercare di pararsi le spalle potrebbe fare dei passi falsi, che risulterebbero utili per le altre indagini che stiamo conducendo su di lui.

Vanina annuí.

Un nuovo tassello. Un altro grave indizio a carico dell'avvocato Ussaro.

Un elemento che, a rigor di logica, andava considerato determinante.

Eppure, in modo inspiegabile, la sensazione che qualcosa le stesse sfuggendo s'era fatta piú pesante. Come se quella calata improvvisa che le indagini sembravano aver preso, invece di spingerla ad accelerare verso la fase finale, le stesse trasmettendo l'impulso di frenare. Di fermarsi un attimo a riflettere, a capire perché qualcosa continuava a non tornarle.

Aveva un viaggio a Palermo e un fine settimana per meditarci su.

19.

Tra una cosa e l'altra s'era mossa da Santo Stefano alle sette. Bettina l'aveva seguita con apprensione mentre infilava in macchina un mini bagaglio e poi si metteva alla guida, vestita come non l'aveva mai vista: da femmina.

– Vannina, ma siamo sicuri che non è pericoloso guidare fino a Palermo con quei taccazzi?

I *taccazzi*, in realtà, non erano niente di che. Alti, ma non tanto da renderla disabile alla guida. Erano un fastidio, questo sí, che lei per prima avrebbe volentieri evitato se l'orario non gliel'avesse imposto. Con i migliori pronostici, non avrebbe attraversato l'uscio di casa Calderaro prima delle nove, in pieno svolgimento di festa. Possibilità di cambiarsi non ne avrebbe avute di sicuro.

Quell'ora e cinquanta di viaggio la rilassò. Un paio di sigarette, la musica dell'iPhone collegata al sistema della macchina. Un caffè all'autogrill, posto che per Vanina conservava sempre il suo fascino. Forse perché le ricordava i lunghi viaggi in auto con suo padre. Viaggi bellissimi, che non temevano confronti neppure con la piú strepitosa delle mete visitate nel resto della sua vita.

Il pensiero rimase fermo lí, sull'ispettore Guarrasi. L'indomani Vanina avrebbe rimediato alla mancanza che le pesava tanto e sarebbe andata a trovarlo, armata dei fiori che non aveva potuto portargli il giorno dei morti. E del solito carico di tristezza.

Succedeva sempre cosí: ogni volta che una riunione familiare le si prospettava all'orizzonte, il suo pensiero si fissava su di lui. Lui che col contesto di *quella* famiglia non c'entrava niente, e niente mai avrebbe potuto entrarci neppure se fosse stato vivo.

Era quasi alle porte della città quando Manfredi Monterreale la chiamò.

– Dove sei, vicequestore?

– In via Oreto.

Attimo di silenzio stupito. – A Palermo? E che ci fai?

– Ho una festa di famiglia.

– Scusami, non me lo ricordavo.

Non poteva ricordarselo, perché non gliel'aveva detto. Aveva parlato di quel viaggio a Palermo con pochissime persone, e lui non era tra quelle.

Questo la diceva lunga.

– Volevo proporti una cena da me, ma pazienza. Conserverò la proposta per un'altra sera. Ancora non sono riuscito a invitarti in modo ufficiale. Ogni volta capiti a casa mia quando posso offrirti solo roba arrangiata.

– Se quello è il tuo concetto di arrangiato, non oso immaginare cosa intendi per invito ufficiale!

– Qualcosa di adeguato all'importanza dell'ospite –. Vanina temette che venisse fuori qualche riferimento alla sera prima, ma Manfredi non vi fece cenno. Continuò sulla linea dello chef ansioso di dare il suo meglio di fronte a una commensale d'eccezione.

Quando chiusero, l'umore di Vanina era migliorato.

Alle nove e dieci stava imboccando via Cavour. Superò sulla sinistra la prefettura e intravide in lontananza un insperato posto a misura di Mini, proprio accanto al palazzo dove abitava la famiglia Calderaro e dove, suo malgrado, aveva vissuto anche lei. Un posto in cui avrebbe dovuto sentirsi a casa, ma che invece le risultava piú estraneo di qualunque appartamento in affitto che avesse occupato da quando un minimo d'indipendenza economica le aveva consentito di allontanarsi.

Scese dalla macchina, recuperò il bagaglio e il pacchetto con la sciarpa che era riuscita a comprare quel pomeriggio per Federico. Tirò fuori la chiave del portone e la infilò nella toppa.

– Buonasera, dottoressa.

Si girò di scatto. Il capo della scorta di Paolo Malfitano la salutò di nuovo, con la mano. L'agente accanto a lui fece lo stesso.

Vanina rimase immobile, la mano sul portone mezzo aperto. Rispose con un cenno, si sforzò di accompagnarlo con un sorriso, ma le riuscí male.

Che ci facevano quei due là davanti?

Salí all'ultimo piano. Attico come minimo, per la famiglia del professor Federico Calderaro.

Sul pianerottolo c'erano altri due agenti che s'avvicinarono all'ascensore appena videro aprirsi la porta.

– Oh, buonasera, dottoressa, – fece uno dei due, quasi scusandosi.

– Buonasera, – gli rispose Vanina.

Era tutto chiaro, ormai.

Cercò la chiave giusta nel mazzo, ma non ebbe il tempo di usarla. La porta dell'appartamento si aprí e sua sorella Costanza comparve sulla soglia.

– Vani! – la abbracciò. – Ho sentito l'ascensore arrivare! Speravo che fossi tu!

Vanina ricambiò l'abbraccio, forzò un sorriso.

– Che bella che sei, – le disse. Era vero.

Federico comparve un attimo dopo.

– Non ci posso credere! Pure questo regalo dovevo ricevere? – La strinse come se non si vedessero da un anno, eppure era passato poco piú di un mese dall'ultima volta a casa sua. Ma era stata una sorta di svolta per entrambi, ed evidentemente anche lui l'aveva intuito.

Se solo non avesse strafatto, come dimostravano quelle presenze fuori dalla porta, stavolta sua madre avrebbe rischiato di sorprenderla con una serata gradevole.

E invece.

Costanza le tolse di mano i bagagli. Vanina ebbe uno scatto istintivo verso la borsa, in cui aveva infilato il revolverino che si portava dietro quando la fondina non era proprio indossabile, ma si bloccò subito. Lasciò che la portasse via. Farsi pigliare per pazza da sua sorella non era una buona idea. La seguí nella sua stanza.

– Come stai, Cocò? – le chiese.

Lei le sorrise. – Bene. Non ci sentiamo da un sacco di tempo!

Aveva ragione.

Era sua sorella. Una mezza sorella, in effetti, però l'unica che avesse. Eppure non la sentiva mai. Ogni tanto lei le mandava qualche messaggio, sempre affettuoso, sempre pieno di emoticon. Vanina le rispondeva a tono. Niente di piú.

Ora stava per sposarsi. Ma non era un po' troppo giovane? E il suo fidanzato, quella specie di genio della cardiochirurgia che Federico aveva preso sotto la sua ala, che tipo era? Non gliel'aveva mai chiesto. Peggio: non se n'era mai preoccupata. Bastò darle il la, mostrarsi interessata, perché Costanza la aggiornasse in dieci minuti su tutto quello che per mesi, anzi per anni, lei aveva ignorato. Per poi spararle a bruciapelo una richiesta che non si sarebbe mai aspettata di ricevere, e che dovette accettare senza nessun tentennamento. Farle da testimone di nozze.

Quando approdò in salotto Vanina si sentiva stremata. In ansia per la sorpresa che sapeva di trovarci.

La signora Marianna attraversò quasi correndo la sua folla di amici *intimi*.

– Gioia mia! Finalmente sei arrivata! Hai bisogno di qualche cosa? Vuoi ritirarti un momento in camera tua, vuoi rinfrescarti? – la assalí.

– No, mamma, non ti preoccupare. Sono freschissima.

Sua madre si rabbuiò. – È successo qualcosa?

Vanina la fissò con rassegnazione.

– Non lo so, dimmelo tu.

Marianna capí. Temette per un attimo che la figlia se ne andasse via con una scusa, ma poi la vide salutare sorridendo un gruppo di persone. Sapeva che di autentico quel sorriso non aveva nulla, sperò solo che potesse durare il piú possibile.

Abbastanza da dare tempo al tempo.

In quattro anni di relazione che Paolo aveva avuto con sua figlia, la signora Marianna Partanna Calderaro l'aveva chiamato sí e no tre volte. Era un puro caso che lui si ritrovasse ancora il suo numero memorizzato nel telefono. Per questo la sua chiamata, quella mattina di due giorni prima, l'aveva lasciato di stucco.

Non sapeva come, non sapeva perché, s'era ritrovato lí: in casa Calderaro, a festeggiare il compleanno di Federico. Una persona che Paolo stimava, ma con cui non aveva mai avuto granché da spartire. Prima, con Vanina, perché lei se ne teneva alla larga. Poi, quando s'era sposato con Nicoletta, perché aveva mantenuto i rapporti con Costanza, molto amica di sua moglie, ma non col resto della famiglia.

Ora era solo, ed era lí.

L'unica certezza era che quella sera avrebbe visto Vanina. Senza cercarla, senza muovere un dito, senza contravvenire alla promessa fatta. A costo zero.

Non si sarebbe perso quell'occasione per niente al mondo.

Vanina lo localizzò subito.

Bicchiere in mano, appoggiato al muro accanto alla vetrata aperta che dava sulla terrazza; ostaggio del professor Guccino, un neurochirurgo amico intimo di Federico. Uno che quando attaccava a parlare ci voleva un'alzata d'ingegno per liberarsene.

Paolo aveva ripreso l'aspetto di quando si erano conosciuti. Barba di nuovo rasata, capelli mezzi brizzolati pettinati all'indietro, aria accigliata. Il sosia di Michele Placido nei panni del commissario Cattani. Allora l'aveva ritratto cosí. Lui aveva riso.

Almeno a sé stessa doveva ammetterlo: vedere Paolo Malfitano le provocava un piacere difficilmente catalogabile. Un piacere che lei aveva deciso di precludersi, ma che si ripresentava suo malgrado di volta in volta intonso, dimostrandole che la convinzione di essere padroni del proprio universo emotivo era una solenne minchiata. Cui lei si ostinava a voler credere.

Si avvicinò abbastanza da farsi vedere, ma non sufficientemente da essere inglobata nella conversazione fiume del professor Guccino. La famosa alzata d'ingegno che Paolo colse subito.

Non era la serata adatta per stare in terrazza, ma la signora Marianna aveva piazzato stufe a fungo a ogni metro. Quattro camerieri in livrea e guanti bianchi servivano alternativamente fritture di ogni genere, timballi di anelletti, mini parmigiane, mini caponate, mini sformati, mini piatti di pesce e di carne. Un menu a misura di Federico, col quale in fatto di cibo Vanina era sempre andata perfettamente d'accordo. Si accese una sigaretta e andò ad affacciarsi dalla balaustra. Quella vista sui tetti di Palermo valeva da sola i centonovanta chilometri di scarrozzata e l'immersione fino al collo nel mondo dei Calderaro.

– Meglio che non m'affacci anch'io, se no a Nello lo ricoverate per infarto, – fece Paolo. Nello era il capo della sua scorta, quello che Vanina aveva incontrato davanti al portone.

Ci scherzava sempre, su quell'argomento. Come se scherzarci esorcizzasse le paure. Da fuori poteva sembrare un incosciente; in realtà, lei lo sapeva, cercava solo di difendersi. La difesa fisica gliela forniva la scorta, ma a quella psicologica doveva provvedere da solo. E lui lo faceva cosí: minimizzando l'utilità della scorta stessa.

Tanto se vogliono ammazzarti t'ammazzano lo stesso. Era la conclusione cui giungeva sempre.

Vanina arretrò di un passo. – Quant'è bella 'sta città, – disse.

Paolo la fissò per un attimo.

– Se ti piace tanto, perché non ci torni, in questa città?

Vanina fece una smorfia, come per dire che sapeva già la risposta. Tirò il fumo, lo soffiò.

– Perché a me Palermo fa bene solo a piccole dosi, – rispose.

– Ne sei convinta?

– Assolutamente.

– E Catania, invece?

– Catania è un toccasana, – rispose Vanina, d'istinto. Non sapeva come le era venuto, ma in fondo era quello che pensava. – È una città che trasmette energia. Io sostengo che la colpa – o il merito, dipende da come la vedi – sia della *muntagna*. Tutta quell'attività sotterranea, la terra che ti ribolle sotto i piedi. Uno non se ne può accorgere, però penso che qualcosa faccia.

– Ma che ti innamorasti veramente di Catania? – fece Paolo. Ironico, finto incredulo, ma con una punta tangibile di fastidio.

– Dico solo che ci vivo bene.

Paolo si fermò a pensare. Di colpo serio.

– Perciò, – riprese, guardando altrove, – tu la consiglieresti.

Vanina stava per rispondergli, quando le luci nel salotto si smorzarono e la musica aumentò di volume.

Rientrarono tutti.

– Certo che tua madre fece le cose in grande, – constatò Paolo.

Vanina girò gli occhi e vide i camerieri che portavano una torta a tre piani, di quelle ricoperte di zucchero che sembrano uscite da una bakery newyorkese. Il numero 68 sventolava in cima accanto a una candela accesa.

Federico pareva imbarazzato. Se lo conosceva bene, in quella coreografia con tanto di musica e battiti di mani il professore non si trovava a suo agio. Si schermiva, mentre Marianna e Costanza facevano di tutto per enfatizzare ancora di piú la cosa.

Lo vide cercare con gli occhi, in modo insistente.

– Discorso! Amuní, Federico, due parole! Non ti fare pregare! – vociava il suo amico Guccino. Lui sí che avrebbe saputo cosa dire. Ore di soliloquio.

Paolo si voltò verso di lei.

– Vedi che sta cercando te, – le suggerí.

Vanina esitò prima di rassegnarsi a prenderne atto.

Si fece strada tra la gente. Appena Federico la vide

sorrise e allungò la mano, facendole cenno di avvicinarsi. La attirò nel quadretto. Il tavolo con la torta davanti, alle spalle l'angolo con i divani, il camino scoppiettante che strizzava già l'occhio al Natale, anche se era ancora addobbato con zucche e castagne. Con effetto disastroso sull'umore di Vanina.

– Ecco, finalmente la famiglia è al completo, – dichiarò. – Mia moglie Marianna, mia figlia Costanza e Vanina, l'altra mia figlia, – si girò a guardarla, – che oggi è qui apposta per festeggiarmi –. Le sorrise, le disse in un orecchio: – Ora posso spegnere 'sto numero 68, che mi cade pesante come un chiummo.

Prese per mano lei e Costanza e soffiò.

A Vanina venne voglia di fuggire.

Attraversò il salotto, abbozzando un sorriso malriuscito a quelli che incrociava. Entrò nella sua stanza, che Marianna aveva lasciato identica a quando lei ci aveva abitato. Senza neppure guardarsi intorno afferrò la borsa, la giacca e passò dal corridoio di servizio filando via verso la porta d'ingresso.

Uscí sul pianerottolo. Fece un cenno di saluto ai due agenti di piantone.

Doveva evadere. Ma per andare dove? Per tornare a Catania, di notte, col carico di stanchezza che aveva addosso? Aveva pure lasciato il bagaglio. E poi l'indomani voleva andare a trovare suo padre. Il suo unico, vero padre.

S'infilò nell'ascensore e scese giú.

Stava per aprire il portone quando il telefono le vibrò in tasca. Al novantanove per cento era sua madre. O Paolo.

Lo tirò fuori e aggrottò la fronte: «Pappalardo scientifica».

– Pappalardo, – rispose, sorpresa.

– Dottoressa, mi deve scusare se mi sono permesso di chiamarla di sabato a quest'ora, ma non ho potuto farne a meno.

– Non si preoccupi. Che successe?

– Oggi pomeriggio, dopo che comunicai a Spanò i risultati delle analisi sul coltello, incominciai a scervellarmici sopra. C'era qualche cosa che non mi quadrava. S'immagini che ero già arrivato a casa, e anziché sedermi a cena me ne tornai in ufficio e mi rimisi al lavoro. Riguardai bene il residuo di sangue che c'era tra la lama e il manico e capii che aveva un aspetto strano.

– In che senso «strano», Pappalardo?

– Le spiego: il sangue, quando è all'esterno, coagula. Nell'angolo in cui era rimasto, e tra l'altro ne era rimasto pure abbastanza, per logica avrei dovuto trovare sangue coagulato. Invece l'aspetto e la consistenza sembravano di sangue... fluido. Vecchio di qualche giorno, ma fluido. Io non lo so perché, ma tanto mi amminchiai su questa cosa che non me ne potevo uscire se prima non ci vedevo chiaro. Allora mi misi a fare qualche esame, cosí, a muzzo, finché non uscí fuori un risultato che non mi sarei mai aspettato.

– Cioè?

– C'erano tracce di Edta.

– Che cos'è l'Edta?

– Una sostanza che si usa per non far coagulare il sangue. Un additivo che serve per mantenerlo fluido, soprattutto quando deve essere trasportato.

Vanina soppesò quella notizia.

– Senta, Pappalardo, per caso questa sostanza si può trovare anche in una provetta?

– Certo.

Era assurdo. Però...

– Va bene, la ringrazio.

– Aspetti, dottoressa, c'è un'altra cosa. Questa però è una mia impressione.

– E lei me la dica.

– Mi ristudiai macari l'impronta digitale, e mi accorsi che era messa in una posizione un poco stramma.

– Ovvero?

– Il pollice premuto sulla lama, come per fare forza lateralmente. Ora: noi cadavere ancora non ne abbiamo, perciò non sappiamo di che ferita si tratta, ma in quella posizione infliggere un colpo mortale mi pare complicato.

Vanina incassò anche quella notizia.

– Sono due informazioni molto importanti, su cui dobbiamo riflettere bene. Grazie, Pappalardo, lei è sempre indispensabile.

– S'immagini, dottoressa. Il lavoro mio è.

Lo salutò e riattaccò.

Paolo era dietro di lei e la stava fissando.

– Tutto bene?

Lo guardò, senza filtri. Senza la forza di tenerlo a distanza. Senza costringersi a nascondergli che in realtà era felice di vederlo. Che aveva bisogno di lui.

Si avvicinò, lo abbracciò.

– Non va bene per niente.

20.

L'ispettore Giovanni Guarrasi sorrideva da sotto la visiera del berretto d'ordinanza. Nella foto era stato immortalato cosí, ma a Vanina piaceva credere che quel sorriso fosse per lei. Aveva ripulito i due vasi ai lati della lapide, li aveva riempiti di fiori. E ora se ne stava seduta sulla lastra di pietra che lo copriva, a guardarlo negli occhi.

«Ho combinato un casino, vero, papà?» gli chiese.

Si sforzò di immaginare quale sarebbe stata la sua risposta, se fosse stato lí a dargliela.

Non era facile immaginarlo. Anche perché, se lui fosse stato davvero lí, probabilmente quel casino, in ognuna delle sue componenti, non avrebbe neanche avuto motivo di sussistere.

L'unica risposta che riuscí a formulare fu il mantra che lui le ripeteva sempre. Se lo ricordava come fosse stato l'altro ieri. E invece erano passati venticinque anni.

«Tu cosa pensi sia giusto, nica mia? Perché questo comanda, nella vita: quello di cui hai bisogno tu per guardarti allo specchio e sapere che non hai nulla da rimproverarti. Che stai facendo tutto quello che puoi perché la tua vita sia il piú possibile simile a come la vorresti. Precisa identica, amore mio, non potrà essere mai. E la maggior parte delle volte non dipenderà da te».

Forse se l'era scordato. O forse non sapeva piú come interpretarlo. Ogni cosa poteva essere un bene o un male: lei era ancora in grado di distinguerli?

Federico non si era accorto della sua fuga, o quantomeno non s'era accorto di esserne stato la causa. Sua madre s'era convinta che il colpo organizzato per farle incontrare Paolo avesse prodotto un risultato sorprendente e già iniziava a immaginare di rivederla a Palermo. Ricondurla alla ragione, quella mattina, era stata un'impresa sfibrante.

Ma il vero casino, che avrebbe lasciato segni indelebili nel suo equilibrio già precario, era quello che Vanina sentiva di aver combinato con Paolo.

Prima gli aveva chiesto di non cercarla, di rispettare la sua scelta di rinunciare alla loro storia in favore di un'ipotetica, o meglio utopistica, serenità. E alla prima occasione che aveva fatto? Gli si era fiondata tra le braccia e aveva passato metà della notte con lui. Per la seconda volta in poco piú di un mese.

E ora se ne sarebbe tornata a Catania lasciandosi dietro un tappeto di nodi irrisolti.

Si alzò dalla lapide e si chinò in avanti. Si baciò le dita e accarezzò la fotografia. Gli occhi asciutti, ma un nodo in gola che pareva strozzarla.

Uscí dal cimitero di Santa Maria dei Rotoli che s'era fatto mezzogiorno.

La telefonata di Pappalardo della sera prima era rimasta incastrata tra la fuga dai Calderaro e la nottata a casa di Paolo. Sul momento era passata in secondo piano, ma poco dopo aveva iniziato a martellarle in testa senza darle tregua. Insieme a un'ipotesi, che poteva sembrare assurda ma che invece aveva grosse chance di risultare plausibile.

Ne aveva parlato anche con Paolo, che era d'accordo con lei.

– Ma tutti i casi piú strani a te capitano! – aveva commentato.

Su Ussaro, per come gliel'aveva descritto lei, non aveva avuto mezzi termini: proprio la brutta copia di Tano Cariddi. E se glielo diceva Cattani, poteva metterci la mano sul fuoco.

Pure quella minchiata, aveva fatto Vanina, la sera prima. Ricordargli la somiglianza che gli aveva appioppato a quei tempi. Una cosa che in mezzo secondo l'aveva riportato indietro di otto anni, alimentando ancora di piú la sua convinzione che il pezzo di vita passato senza di lei fosse stato tempo sprecato.

Una quintalata di sentimenti messi a nudo.

Poi a mente fresca, come se niente fosse, aveva preso e se n'era andata.

Equilibrio ristabilito.

Ma Paolo sapeva – e in fondo lo sapeva anche lei – che quando uno cede ai sentimenti e inizia a fare fatica a ignorarli, prima o poi finisce che deve prenderne atto. Questione di tempo. Altrimenti rischia di rimanere infelice a vita.

Superò l'Arenella e scese verso l'Acquasanta. Passò davanti al *Villa Igiea*, l'albergo piú bello di Palermo, set cinematografico di molti dei film della sua collezione.

Tagliò la città, prese viale Regione Siciliana e finalmente entrò in autostrada.

Infilò gli auricolari e chiamò Spanò.

– Dottoressa, – le rispose al primo squillo.

– Ispettore, mi scusi se la disturbo di domenica.

– E che deve disturbare? In ufficio sono.

– E che fa in ufficio?

– Ho il turno. E mentre ci sono mi porto avanti con le scartoffie. Lei ancora a Palermo è, o tornò in nottata?

– Sto tornando adesso.

Gli riferí quello che le aveva detto Pappalardo.

Se lo vide allisciarsi i baffi con aria meditabonda.
– Perciò non può essere sangue da accoltellamento, – concluse Spanò.
– Ma manco da taglio, ispettore. Quello è sangue trattato, trasportato.
– Come quello che la Iannino si fece tirare dalla collega di Finuzza. È questo che pensa, vero, dottoressa?
– Esattamente, ispettore.
– Mi dica che devo fare.
– Contatti la signora Rizza, l'infermiera che ha fatto il prelievo, e le chieda se ha usato una provetta con quell'additivo.
– Lo faccio subito.
Vanina riattaccò e fece un'altra chiamata.
– Pappalardo, mi scusi per l'orario.
– Dottoressa Guarrasi, ma s'immagini.
– Devo chiederle una cortesia. In teoria potrei chiamare il suo ufficio, chiedere a chi è di turno, spiegargli la faccenda...
– Si perderebbe dalla casa, dottoressa!
– Temo di sí, mentre a me serve una risposta celere.
– Mi dica tutto.
– Lei ha modo di sapere se quella sostanza anticoagulante, l'Edta, è presente anche nel sangue che c'era sulla poltrona del villino e nella valigia?
– Certo.
– Può farlo entro oggi?
– Lo vado a fare immediatamente.
– Ma no, pranzi con calma, tanto è domenica. Ora piú ora meno, non mi cambia granché.
– Ma a me sí, dottoressa.
– Perché?
– Perché di pomeriggio ho una partita a calcetto. Preferisco rinunciare al pranzo!

Vanina chiuse sorridendo.

All'una era all'autogrill di Scillato. Ordinò un Camogli e una Coca-Cola.

– Vuole il menu? – le chiese la ragazza alla cassa.

– Il menu?

– Sí: panino piú bibita e dolcetto.

Sbirciò la vetrina dei dolci, individuò un tortino con la nutella. Se lo poteva conservare per dopo.

Optò per il menu.

Rientrò in macchina con un sacchettino di carta bianco e rosso in mano.

Alle due e mezzo era a Santo Stefano.

Le finestre di Bettina erano sprangate, segno che era uscita per una gita domenicale con le vedove. Prima delle sei non si sarebbe arricampata di sicuro.

Vanina si preparò un caffè, poi aprí la vetrata del soggiorno e uscí nell'agrumeto.

Si sedette sulla solita sedia di ferro e si accese una sigaretta.

Eccola lí, la *muntagna*. Quieta, già mezza imbiancata. L'inverno precedente, con Giuli e Adriano, aveva provato le sue piste da sci. Vista mare. Una cosa unica.

Non aveva idea di come avrebbe passato un pomeriggio sano.

Adriano, afflitto dall'assenza di Luca, s'era andato a rintanare nella casa di Noto, in ritiro spirituale tra le mura barocche che lui e il suo compagno avevano eletto luogo dell'anima. L'aveva pure invitata, ma da Palermo non era cosa per la quale.

Giuli era in piena giornata wellness, con un gruppo di amici, in un nuovo relais alle pendici dell'Etna. Le aveva già mandato tre messaggi, con tanto di foto di saune e idromassaggi vari, per convincerla a raggiungerla. Ma Vanina non ci pensava nemmeno.

Le venne in mente che qualcosa da fare, messo in stand-by, in realtà ce l'aveva.

Guardò l'orologio. Erano le tre e un quarto.

La domenica era l'unico giorno in cui si poteva telefonare al commissario Patanè a quell'ora senza disturbare sonni felici.

Cercò il numero e lo chiamò.

Le rispose un bambino.

– Ciao, c'è il nonno? – gli disse.

Aveva tirato a indovinare.

– Sí. Ma chi parla?

– Sono Vanina, – gli rispose.

– E di cognome?

– Guarrasi.

– Non ti conosco.

Che camurría! Ma che s'era messo d'accordo con sua nonna?

– Il nonno però mi conosce. Me lo passi?

– Sta mangiando il cannolo, – fece il bambino.

Si sentí la voce del commissario che gli levava la cornetta dalle mani.

– Andrea, ma chi è?

– Una signora che non conosco.

– Pronto? – disse Patanè.

– Commissario.

– Dottoressa, buonasera!

– Stava ancora pranzando, mi scusi.

– Macché, non si preoccupi. Al dolce eravamo.

– Volevo chiederle se le andava di accompagnarmi in un posto, nel pomeriggio.

Il sorriso di Patanè attraversò il filo del telefono e si materializzò davanti ai suoi occhi.

– Ca certo! Dove dobbiamo andare?

– A Riposto, dalla sorella di Laura Di Franco.

– Me l'ero immaginato! A che ora ci vediamo?

– Passo a prenderla verso le cinque.

– Perfetto.

Vanina si cambiò i pantaloni, la maglia multistrato, mise via il revolverino che aveva in borsa e recuperò fondina e Beretta d'ordinanza.

Uscí e se ne andò dritta in ufficio. Trovò posto nella piazza davanti: una fortuna che solo di domenica a quell'ora poteva capitare.

– Dottoressa? – la chiamò Spanò quando sentí i passi nel corridoio.

– Ispettore.

– Ora ora finii di parlare con Agata Rizza. Mi confermò che nelle provette che ha usato c'era quell'additivo: Etd... qualcosa.

Vanina andò nella sua stanza e l'ispettore la seguí.

– Perciò il sangue sul coltello molto probabilmente è quello che Lorenza s'era fatta prelevare, – disse, sedendosi al suo posto. Si accese una sigaretta e ne offrí una all'ispettore. A finestre chiuse, tanto oltre a loro due in tutto il primo piano non c'era nessuno.

Aprí il fascicolo e prese la fotografia della poltrona macchiata di sangue, se la studiò.

Alzò il telefono e chiamò Pappalardo.

– Dottoressa, stavo per telefonarle. Ci azzeccò in pieno.

– L'esame è risultato positivo?

– Sí. Tracce di Edta sono presenti sia nel sangue sulla poltrona, sia in quello della valigia.

La cosa non la stava sorprendendo per niente.

– Senta, Pappalardo, mi dica una cosa: secondo lei, la macchia sulla poltrona può essere compatibile con del sangue spruzzato da una siringa?

Pappalardo ci rifletté un momento.

– È difficile dirlo. Però, se il sangue era trattato, sicuramente da qualche cosa di simile doveva provenire.

– Grazie. Ora se ne vada a farsi la sua partita di calcetto.

Spanò la guardava interrogativo. Vanina lo aggiornò.

– Cose da pazzi, – fu il commento dell'ispettore, che non finiva piú di allisciarsi i baffi. – Perciò può essere tutta una messinscena?

– Tutta non lo so, ispettore. Ma di sicuro le macchie di sangue sono artefatte. E questo spiegherebbe anche qualcos'altro. Ci pensi bene, ispettore: quand'è che Ussaro cambiò atteggiamento di colpo e decise di avvalersi della facoltà di non rispondere?

– Quando lei gli disse che era stato trovato il coltello sporco di sangue.

– Sangue che è stato messo lí apposta. Che le viene da pensare?

– Che l'avvocato si scantò perché non sapeva di cosa stavamo parlando.

Vanina annuí. – E il primo istinto fu di prendere tempo.

Spanò ci pensò sopra.

– Ma scusi, dottoressa, se le cose stavano cosí, allora perché non dirlo? Lui non sapeva niente di quel coltello, e neppure del sangue. Poteva essere un argomento da usare come difesa.

– E come, ispettore? Innanzitutto sulla lama c'era la sua impronta digitale. Che sia in una posizione anomala lo sappiamo solo noi. E poi non ci dobbiamo scordare che, sangue o non sangue, Lorenza è sparita dopo essere rimasta da sola con lui. E se è vero quello che testimoniò Valentina Borzí, lui alla Spada disse che Lori era finita a mare. Oltretutto, dire che del sangue non ne sapeva niente equivaleva ad ammettere che invece sapeva qualcos'altro. Non abbiamo ancora scoperto cosa, ma certamente qualcosa di storto.

– E macari questo è vero –. Spanò fece una pausa. – Però l'avvocato Antineo sostiene di aver visto sangue sia sulla poltrona sia sui vestiti della ragazza. Lei come se lo spiega.

– Per il momento non me lo spiego. Lui sostiene cosí. Del resto la macchia c'era. Quando sia stata fatta, noi non lo sappiamo. Può essere pure che l'abbia vista.

Spanò iniziò a intuire. Era un'idea cosí assurda.

Vanina arrivò alle cinque e due minuti.

Sigaretta accesa, mano in tasca, giacca in principe di Galles e cravatta blu, il commissario Patanè se ne stava ritto davanti al portone, a debita distanza dall'area visibile dal balcone della sua cucina. Se Angelina l'avesse visto fumare si sarebbe portata la testa per tutta la serata. Come se all'età sua un paio di sigarette in piú o in meno potessero cambiare la sostanza delle cose!

Il vicequestore stava per prendere la strada del mare.

– A quest'ora di domenica è meglio l'autostrada, – suggerí il commissario. – Ce l'ha il *telepàs*?

– Certo.

– Perfetto, cosí manco fila ci facciamo.

Al casello di San Gregorio in realtà non c'era quasi nessuno. L'asfalto era talmente scassato che in confronto quello della statale per Santo Stefano era un tappeto.

S'immisero sull'autostrada Catania-Messina e se ne fecero un pezzo. Uscirono a Giarre. Vanina digitò l'indirizzo della Di Franco su Google Maps e consegnò il telefono nelle mani del commissario.

– Ma cose cose…! – commentò Patanè, attiratissimo dalla *signurina* che indicava dove andare, tra quanto svoltare, i nomi delle strade. Ogni volta ripeteva l'indicazione ad alta voce, 'nsamai la dottoressa Guarrasi non l'aveva sentita.

– La Di Franco lo sa che ci stiamo andando?

– Sí, lo sa –. Vanina l'aveva chiamata mentre passava a prenderlo.

– Si starà chiedendo cosa vogliamo da lei –. Era tornato di nuovo in modalità squadra di polizia.

– Sicuramente. Ma non mi è sembrata preoccupata.

– E perché si doveva preoccupare, dottoressa? Le persone oneste non si dovrebbero scantare mai di parlare con noi. Vuol dire che la signora non ha niente da temere.

Sbirro fino in fondo.

Parcheggiarono davanti alla Marina di Riposto, dove si trovava il piú grande porto turistico di tutta la costa orientale. Vanina c'era passata una volta l'estate prima, a bordo del gommone di Giuli che s'era fermata lí a fare benzina prima di proseguire per Taormina. Una distesa immensa di imbarcazioni di ogni tipo e misura, oltre a una quantità di ferri da stiro di superlusso da far impallidire le banchine di Montecarlo.

Angelica Di Franco li accolse sull'uscio, al primo piano di una palazzina fronte mare. Sessantacinque anni piú o meno, portati bene. Magra, abbronzata, capelli grigi lunghi, lasciati sciolti. Vestito di maglia lungo con sciarpa colorata avvolta sul collo. Un po' bohémienne. Una bella donna.

– Vicequestore Giovanna Guarrasi, – fece Vanina.

– Angelica Di Franco.

Vanina presentò Patanè. – Il commissario Biagio Patanè, un mio… – lo guardò. Come lo poteva definire? – … collaboratore.

Il commissario rimase serio, ma gli occhi gli ridevano.

Pareva piacevolmente colpito dall'aspetto della signora.

Angelica li fece accomodare in un soggiorno arredato in stile etnico. Vista porto.

– Vicequestore, non le nascondo che sono molto curiosa di sapere a cosa devo il piacere della sua visita. Ho letto tante cose belle su di lei.

Aveva una voce calma, quasi senza inflessione dialettale.

– Grazie, – disse Vanina. – Senta, signora, so che le sembrerà strano e che si chiederà perché la cosa mi interessi, ma sono qui per parlare di sua sorella Laura, e della sua morte.

La Di Franco incassò il colpo con un sorriso.

– Mia sorella? Ma sono passati quasi quarant'anni. Si è tolta la vita, e su questo non ci sono mai stati dubbi. Non capisco...

– Lo so. Non c'è mai stato nessun dubbio, né ce ne sono. Dal fascicolo però risulta che lei avesse sporto denuncia contro suo cognato, l'avvocato Elvio Ussaro. Lo accusava di istigazione al suicidio.

– È vero. Avevo sporto denuncia –. Nell'amarezza della sua espressione comparve un filo di sarcasmo. – A quanto pare mi sbagliavo –. Distolse un attimo lo sguardo, poi lo riportò su Vanina. – È una storia dolorosa per me, dottoressa.

– Immagino. Ma posso chiederle di raccontarmela?

Angelica si alzò, andò a prendere una busta di tabacco. Ne mise un po' dentro una cartina e la rollò.

– Le dispiace se fumo? – chiese.

– No.

Si accese la sigaretta.

– Ho denunciato quell'uomo perché mia sorella ha iniziato a morire il giorno in cui l'hanno costretta a sposarselo.

Si fermò, prese in mano il posacenere. Guardò la sigaretta come se potesse suggerirle le parole.

– Elvio Ussaro era fissato con mia sorella da anni. Ma lei non l'aveva mai minimamente considerato. Laura era stata appena ammessa a conseguire il decimo anno al Conservatorio di Santa Cecilia, a Roma, quando i miei genitori si fissarono che doveva sposarsi con lui. Mia sorella insistette che si doveva diplomare e si trasferí a Roma da una nostra zia che insegnava musica. Per un po' i miei la lasciarono in pace. Poi successe che Laura si mise con un suo compagno di conservatorio, Tommaso Escher, che suonava il violino come lei. Gli Ussaro, non si sa in che modo, lo vennero a sapere e combinarono il finimondo.

– Scusi se glielo chiedo, ma perché i suoi temevano cosí tanto il finimondo degli Ussaro?

– Domanda azzeccata, dottoressa. Per un semplice fatto: mio padre era indebitato fino al collo e il padre di Ussaro aveva pagato parte dei suoi debiti. Oltre, credo, ad avergli prestato dei soldi. Per non parlare delle cause in corso che mio padre aveva.

– E immagino che il suo avvocato fosse Elvio Ussaro, – indovinò Vanina.

– Laura stava per un andarsene persino a Parigi con Tommaso per un corso di perfezionamento. A quel punto i miei si presentarono a Roma senza preavviso, e tirarono fuori l'arma letale: le dissero che se non fosse tornata subito a casa e se non avesse fatto quello che le chiedevano saremmo finiti tutti in rovina e mio padre in galera. E che se non era ancora successo lo dovevano al fatto che Elvio Ussaro teneva cosí tanto a lei. Non so come fecero, ma riuscirono a convincere mia sorella che fosse un sacrificio necessario. Nemmeno tre mesi dopo era sposata con Ussaro. Le finanze di mio padre erano lievitate e i suoi ricorsi magicamente avevano preso la piega giusta. Ma mia sorella aveva iniziato a morire. Sei mesi dopo si è ammazzata.

– E lei era convinta che la colpa fosse stata del suo ex cognato.

– No, dottoressa, io ne ero sicura. Ero l'unica con cui mia sorella si confidava. Elvio era geloso in modo maniacale. Era violento. Era fissato che se lei avesse continuato a studiare violino prima o poi l'avrebbe tradito, perciò glielo vietò. Per lui Laura doveva pensare solo a fare un figlio. Laura lo detestava. Una come lei cosí non poteva durare molto.

– E il fidanzato di Roma? – chiese Vanina.

– Tommaso Escher? È diventato un violinista di fama mondiale. Insegna al Conservatorio di Santa Cecilia. Pensi che quando io decisi di denunciare Elvio lui si offrí di aiutarmi. Ma lei sa come andò a finire, dottoressa. Anche i miei genitori, mia sorella maggiore, tutti testimoniarono a favore suo. Non c'è bisogno che le spieghi il perché. Il mio parere che poteva valere? Per loro, poi, ero la pecora nera della famiglia. Quella che se n'era andata di casa, che lavorava, viveva da sola... fomentava la ribellione della sorella minore. Elvio sarebbe stato anche capace di ribaltare la cosa e dire che era colpa mia. Con i miei non parlo da allora. Il maestro Escher invece l'ho rivisto da poco, qualche mese fa. È venuto da queste parti per un concerto al teatro Bellini e mi ha cercato. Mi ha raccontato che è in causa con Elvio da quarant'anni per il violino che la zia di Roma aveva regalato a Laura quand'era a Santa Cecilia. Mia sorella gli aveva scritto prima di morire che voleva fosse suo. Il maestro aveva deciso che se non l'avesse spuntata se lo sarebbe comprato. Di fronte alla possibilità di un guadagno il mio ex cognato non avrebbe opposto nessuna resistenza.

– Era un violino di valore?

– Non lo so. Ma credo di sí. E in ogni caso per il maestro lo era di sicuro. Un valore affettivo, che Elvio non avrebbe mai capito.

Vanina non aveva piú domande.

Angelica la colse di sorpresa.

– Dottoressa, mi scusi, perché ha voluto sentire questa storia? – le chiese.

Ora piú che mai, Vanina non sapeva cosa risponderle. Da quel racconto aveva tratto solo un'ennesima conferma di quant'era tinto Ussaro.

– Sono inciampata per caso nella storia di sua sorella indagando sull'avvocato Ussaro. Tra i reati che gli si potevano ascrivere c'era anche quello di istigazione al suicidio. Perciò ho voluto conoscere meglio la sua versione dei fatti –. Fu l'unica spiegazione plausibile che le venne in mente.

– Le farebbe piacere vedere una foto di mia sorella, dottoressa? Era bellissima, – fece la Di Franco, prima che si congedassero.

– Certo.

Angelica uscí dalla stanza e tornò con una cornice in mano. Era Laura giovanissima durante un saggio al conservatorio di Catania. La mostrò prima a Vanina, poi al commissario. Bionda, occhi chiari, aria intelligente. Dominique Sanda nel *Giardino dei Finzi-Contini.*

Patanè contemplò la foto per due minuti. Alla fine la restituí angustiato.

– Dottoressa, che dice, per riprenderci ce lo facciamo un bicchierino? – propose il commissario, respirando come se dovesse fare il pieno di ossigeno.

Vanina accettò la proposta.

Vicino a dove avevano parcheggiato c'era un ingresso della Marina di Riposto con l'insegna del *Bar del Porto.*

Entrarono e si sedettero a uno dei tavolini. Il posto era semideserto.

Il mare fuori dal porto era calmo, la luna piena quasi alta. Il cielo però si stava velando.

Vanina ordinò uno spritz, il commissario un vermut.

– Che storia, dottoressa, – fece Patanè.

– Proprio una brutta storia, commissario. Mi pare cosí incredibile che sia avvenuta nel '75 –. Era un'epoca troppo vicina. Non c'erano già stati il Sessantotto, le femministe, le minigonne?

– In una famigghia come quella dei Di Franco, il Sessantotto e le femministe non ci potevano entrare manco vent'anni dopo, dottoressa. Ha sentito che raccontò mia moglie: macari la sorella maggiore l'avevano fatta sposare con uno deciso da loro. E Angelica la consideravano male, perché era una indipendente. Ma qua non era solo questione di convenzioni, o di tradizioni, o di matrimoni combinati. Qua era questione di sopravvivenza. O questo o la rovina. Un ricatto bello e buono. Mafioso, oserei dire.

– Insomma, l'avvocato ha campato tutta la vita cosí: a suon di ricatti. Mafiosi, – concluse Vanina.

Si stavano alzando per andarsene quando qualcuno entrò nel bar e si fermò davanti a loro.

Vanina alzò lo sguardo e vide Manfredi Monterreale vestito con una specie di cerata, un sacchetto pieno di cime in una mano e un'ancora nell'altra. Sorrideva.

Stavolta il commissario suggerí la strada del mare. Perché a quell'ora al casello c'erano tre chilometri di fila, e non te li scansiavi manco con il *telepàs*. Il popolo della gita domenicale fuori porta. A Taormina, magari.

Il vicequestore non parlava granché. L'incontro con Manfredi l'aveva turbata. Non era colpa di lui, che s'era limitato ad attaccare bottone con Patanè, a raccontare della sua barca a vela ormeggiata a uno di quei pontili, e ad abbracciarla in modo forse lievemente piú caloroso di come avrebbe fatto qualche giorno prima. Era colpa sua, che rischiava di aver rovinato il rapporto con lui prima ancora che potesse prendere forma. Magari la forma di un'amicizia. Manfredi era una bella persona. E belle persone in giro ce ne sono cosí poche che è un delitto perdersele per strada dopo averle scovate. Per leggerezza, per incoerenza. Per mancanza di chiarezza.

Patanè pareva aver capito i suoi pensieri. Non aveva pronunciato un solo commento. Eppure era evidente che il dottore gli era piaciuto.

Passando davanti alla spiaggia di Mascali s'era voltato.

– Qua c'è un ristorante dove si mangia pesce speciale, – aveva comunicato. Peccato che ancora non era orario, altrimenti potevano fermarsi a cena.

La reazione di Vanina era stata immediata: – Ca certo, cosí Angelina domani mi veniva a cercare fino a Santo Stefano.

Si erano fatti una risata che aveva risollevato gli animi.

Vanina gli raccontò le ultime novità sull'indagine. Il sangue schizzato ad arte, la reazione di Ussaro all'interrogatorio. Tutto quello che grazie a questa inchiesta stava venendo fuori su di lui. E in particolare ciò che la lasciava piú perplessa: la quantità di indizi che parevano piazzati lí come tessere di un puzzle già pronte per essere incastrate. Tutti a suo carico. Tutti plausibili, tutti verificabili con metodi precisi, oppure suggeriti in modo impeccabile. Che Elvio Ussaro fosse un infame della peggior specie, capace di qualunque bassezza, ammanigliato con la peggiore malavita, ormai era un fatto evidente. Che fosse un assassino era ancora tutto da provare.

L'ultimo paese che incontrarono prima di arrivare a Catania era Aci Castello.

– Commissario, le dispiace se facciamo una deviazione? – chiese il vicequestore.

– Assolutamente no.

Vanina entrò dentro il paese, proseguí sul lungomare fin dove poteva arrivare con la macchina e parcheggiò. La piazza sotto il castello era poco popolata. Novembre, le sette e mezzo di sera di domenica. La trattoria era ancora vuota, mentre al bar all'angolo c'era un po' di gente che sbevazzava.

Lei e Patanè arrivarono sotto la rocca e si affacciarono sul mare. Davanti c'erano i faraglioni di Aci Trezza, in basso a sinistra il lungomare dov'era stata trovata la valigia. Vanina indicò al commissario il punto preciso.

– Perciò, secondo quello che dice l'avvocato giovane, lui si sarebbe caricato una valigia con dentro una persona fino a quegli scogli là? Manco l'incredibile Hulk, dottoressa!

– È quello che ho pensato anch'io. Ma lui sostiene che in quel momento non ha capito piú niente. Sapeva solo che doveva obbedire e che ce la doveva fare per forza. Aveva paura.

– 'Sto Ussaro deve seminare paura per davvero. I Di Franco che gli sacrificano la figlia, il suo collaboratore che si carica una cristiana a peso morto sugli scogli pur di assecondarlo. Per non parlare del magistrato che se la diede a gambe per non averci a che fare!

– Chi semina paura semina pure odio, commissario. E l'odio, prima o poi, semina vendetta.

Patanè non poté che concordare.

21.

Le spie dovevano essere state assai, visto e considerato che la notizia dell'iscrizione nel registro degli indagati del professor Elvio Ussaro, per l'omicidio ancora senza cadavere di Lorenza Iannino, era finita persino nei quotidiani nazionali. Di quello che era comparso online manco era il caso di parlarne. Notizie vere si mescolavano con bufale della peggior specie.

Nel giro di una sola giornata sul professor Elvio Ussaro s'era scatenato un putiferio.

Vanina l'aveva previsto. La sera prima, mentre uscivano dall'ufficio, l'aveva detto anche a Spanò: vedrà che lo sputtanamento di Ussaro sarà totale.

Da mezzogiorno in poi, alla Mobile era iniziato un andirivieni di gente. Un paio di studenti di Giurisprudenza, un ragazzo e una ragazza, si presentarono determinati a denunciare il professore per abuso di potere e intimidazione. Poi fu la volta di uno della chat «Serate tra amici», Lomeo, che confessò di aver sentito distintamente Elvio dire a *qualcuno* che Lorenza pareva proprio morta, e che doveva capire come fare. Quel qualcuno, ovviamente taciuto, per Vanina poteva essere solo una persona. L'unico che, a detta di tutti, era rimasto per ultimo. E che si presentò subito dopo pranzo, sua sponte, chiedendo del vicequestore Guarrasi. Susanna Spada era al suo fianco.

Vanina sentí quello che Giuseppe Alicuti detto Beppuzzo aveva da raccontarle con la stessa diffidenza che nell'altra sua vita aveva riservato alle decine di collaboratori di giustizia con cui aveva avuto a che fare. Quelli erano delinquenti dichiarati, ad Alicuti poteva concedere il beneficio del dubbio, ma la dinamica non cambiava.

– Elvio mi venne a chiamare. Mi disse che Lorenza si era sentita male e non riprendeva i sensi. Che gli pareva morta. Disse che forse aveva preso troppa cocaina, ma era la prima volta che lo faceva. Gli consigliai di chiamare un medico. Alla festa c'era un amico di mio figlio, un cardiologo. Ma lui mi disse che ero pazzo, che anzi ce ne dovevamo andare tutti, che ci pensava lui. Il pazzo lui pareva, vicequestore! Io chiamai mio figlio Armando, che già mi stava venendo a prendere, e arrivò quasi subito. Elvio approfittò e gli diede le chiavi della Ferrari, gli disse di portarsela. Nessuno doveva sapere che lui era rimasto là. Ma io preferivo che io e mio figlio ci levassimo entrambi da quella situazione, che non si sapeva come poteva evolvere. Mi capisca, dottoressa, sono un personaggio pubblico. La macchina di Elvio se la portò Susanna, e io e Armando ce ne tornammo a casa. Potete chiedere a lui.

Come se servisse a qualcosa.

– E Nicola Antineo?

– Antineo arrivò che noi ce ne stavamo andando e si infilò subito nella stanza dov'era Lorenza.

– Insieme a Ussaro?

– No, Elvio rimase fuori.

– Perciò, quando Antineo entrò nella stanza, Lorenza era ancora viva?

– O era appena morta.

– Era morta per aver tirato cocaina, dunque.

– Sembrava morta. Cosí disse Elvio. Ora io leggo sui giornali che forse è stata accoltellata. Che in giro c'era del sangue. A questo punto non so piú cosa pensare!

Vanina chiese spiegazioni sulle telefonate e le visite che Alicuti aveva ricevuto da Ussaro. Per ogni domanda l'onorevole aveva una risposta plausibile, che rendeva la sua posizione piú inattaccabile e affossava sempre di piú quella dell'avvocato.

Susanna Spada fu un supporto determinante.

La Recupero non aveva gradito quella fuga di notizie, e ora voleva sapere com'era avvenuta.

Vanina aveva sguinzagliato Spanò alla ricerca del bandolo della matassa.

Per prima cosa l'ispettore convocò Sante Tammaro.

– Santino, l'articolo tuo era il piú dettagliato, e non è la prima volta che succede in quest'inchiesta. Voglio sapere chi ti passò tutte quelle informazioni, – stava dicendo Spanò quando il vicequestore Guarrasi entrò nella sua stanza.

Tammaro fece per alzarsi, ma Vanina rimise a sedere con un cenno della mano sia lui che l'ispettore. Trascinò uno sgabello e gli si piazzò accanto.

Sante esitò un momento, poi vuotò il sacco. Il giorno prima aveva ricevuto una mail anonima. Indirizzo non individuabile, proveniente da chissà quale internet point di vattelappesca. Che ragguagliava in modo particolareggiato sull'omicidio dell'avvocato Lorenza Iannino, sull'occultamento del suo cadavere in mare, e sul coinvolgimento definito probabile, ma tra le righe inteso come certo, del professor Ussaro. Lui, che qualche fonte personale ce l'aveva, s'era precipitato a verificare che le informazioni avessero un minimo di attendibilità, ed era anche riuscito a saperne molto di piú.

– La mia fonte personale però non te la dico, e tu non puoi costringermi a svelartela, Melo. Lo sai come sono labili queste collaborazioni. Oramai quello che è fatto è fatto, e poi se Ussaro è colpevole prima o poi la dottoressa Guarrasi lo ingabbia sicuro.

Vanina e Spanò si guardarono in faccia.

Tammaro capí che c'era qualcosa di inespresso. La curiosità gli schizzò a mille.

– C'è qualche cosa che non mi raccontarono? – chiese.

Spanò lo fissò. – E se c'è qualche cosa, io la vengo a contare a te? Cosí domani mi dici che una fonte personale ti notiziò e ti sciali a scrivere articoli.

Tammaro si fece scuro in faccia.

– Questo non puoi dirmelo. Potrei prenderla come un'offesa. Ho mai scritto qualcosa che tu mi avevi chiesto espressamente di non divulgare?

Spanò lo guardò storto.

– In effetti no.

– Perciò...

Si voltò verso Vanina. A lei la scelta.

– Diciamo che ancora la dinamica ipotetica dell'omicidio è da definire, – fece il vicequestore. – Tutto fa pensare che il colpevole sia Ussaro, eppure niente ce ne fa essere sicuri. E ci sono molti altri elementi importanti che stiamo valutando. Vede, Tammaro, è come se quest'omicidio avesse acceso un riflettore sull'avvocato Ussaro, e a poco a poco ci stesse facendo scoprire anche tutto il resto. Lentamente, a una a una, stanno venendo fuori ogni giorno cose nuove.

Tammaro ci rifletté sopra.

– Come con la lampara, – considerò.

La Guarrasi e Carmelo lo guardarono interrogativi.

– La lampara. Sapete, quella grossa luce che si monta sulla barca e che serve ad attirare i pesci.

Spanò alzò gli occhi al cielo. Una fissazione era. Fin da quando erano ragazzi e gli veniva a tuppuliare alla finestra di notte e notte per portarselo a pescare.

– E che ci trase ora la lampara?

Tammaro s'infervorò. – La pesca con la lampara ha una sua logica precisa. Si accende la luce, non si fa rumore, si sta fermi il piú possibile e nel frattempo si armano le reti. Prima o poi anche i pesci meglio nascosti vengono a galla. A quel punto non possono scapparti piú.

Vanina pensò che era l'immagine perfetta per descrivere quel caso.

L'idea le era venuta ripensando alla scena finale del film *Il viaggio*, che s'era rivista la sera prima. Sophia Loren/Adriana, malata di cuore, muore tra le braccia di Richard Burton/Cesare, stroncata dalle notizie contenute in un telegramma. L'emozione fatale.

– Signora Iannino, buongiorno, sono il vicequestore Guarrasi –. L'aveva chiamata appena arrivata in ufficio.

– Avete trovato il corpo della povera Lori? – aveva chiesto Grazia.

– Purtroppo non ancora. Volevo chiederle un'informazione.

– Mi dica, dottoressa.

– Mi può ripetere con piú precisione le parole che le disse suo marito prima di morire?

La signora si era sorpresa per la domanda.

– Con precisione... – Si sentiva che stava facendo uno sforzo immane. Vanina era dispiaciuta di non poterglielo evitare. – Grazia, mi ha detto, Lori, chiama Lori. Chiedile dov'è... No, aspetti... non ha detto cosí... ha detto chiedile se dobbiamo andare a prenderla. Poi ha iniziato a non respirare piú… Mi raccomando, non te lo scordare, ha ripetuto. Poi è svenuto.

Piangeva.

– E aveva il telefono in mano? – aveva chiesto Vanina.

– Sí.

Il vicequestore aveva riflettuto su cosa fosse meglio fare. Ma per i tabulati c'era bisogno di piú tempo. Meglio avere direttamente il telefono.

– Senta, signora, io ora le mando qualcuno dei miei uomini a prendere il cellulare di suo marito. Mi dispiace per il disturbo, ma potrebbe servirci per le indagini.

Grazia Iannino aveva risposto che non c'era problema, ma che avrebbe potuto darglielo solo quella sera perché stava andando a Siracusa per i funerali di suo marito.

A Vanina era parso indelicato insistere.

Il cielo di colpo era diventato color piombo. Un grigio compatto che pareva accentuare i colori di quella città, scura come la roccia lavica con cui era costruita e sulla quale poggiava.

Gli uffici della Mobile erano al buio, le lampade da tavolo tutte accese manco fosse sera inoltrata.

Il primo dirigente Tito Macchia si piazzò davanti alla Guarrasi e si puntò con una mano sulla sua scrivania. Con l'altra sventolava un quotidiano.

– Ma me lo spieghi che è 'sto spiegamento di articoli sul caso Iannino?

Vanina gli raccontò in breve quello che le aveva riferito Tammaro.

– Qualcuno che ha saputo la notizia da qualche spia e ha fatto da altoparlante, – commentò Tito.

– O magari qualcuno che sapeva esattamente cosa far uscire.

Macchia stava per replicare quando Nunnari rotolò nell'ufficio del vicequestore in velocità. Pareva esaltato.

– Capo... Buongiorno, dottore!

– Nunnari, qualche volta mi precipiterai addosso come una valanga e io non avrò la forza fisica di ripararmi, – fece Vanina vedendolo fermare la corsa su un lato della sua scrivania.

– Mi scusi, dottoressa... È che ho appena ricevuto un regalino da quelli della postale.

Macchia si drizzò, interessato.

– Di che si tratta?

– Sono riusciti a recuperare i file audio contenuti nell'iPhone della Iannino.

Spanò entrò nella stanza con Fragapane al seguito.

– Nunnari, che c'è, perché mi hai detto di venire qua di corsa?

Si unì all'assembramento di uomini attorno alla scrivania. La Guarrasi stava cercando sul computer i file appena trasferiti dalla postale.

– L'ultimo è il piú importante, – suggerí Nunnari, che se n'era già ascoltati un paio.

Registrato il 7 novembre – il lunedí della festa – alle ventidue e quarantasei minuti. C'era un sottofondo musicale fortissimo. Voci, trambusto. Poi si iniziava a sentire meglio, come se chi aveva in mano il telefono si fosse allontanato dalla confusione.

La voce di Ussaro si riconosceva bene.

«Diglielo alla ragazza. Che è meglio se la finisce di fare la preziosa. Basta che dice sí, e tutto diventa in discesa».

«Diglielo tu, – rispose una voce femminile. – Mi sono rotta le palle di fare io la parte della ruffiana. Anzi, lo sai che sta succedendo? Mi sono rotta le palle anche di te».

Una risata precedette la risposta.

«Che hai detto, Lori?»

– Cazzo, ma questi sono la Iannino e Ussaro! – fece Spanò.

«Ho detto che mi sono rotta le palle. Di te, delle tue ammucchiate, dei tuoi ricatti, delle tue porcate. Mi hai fatto fare di tutto, pure portare pizzini ai mafiosi». Trambusto. «Mi fai male, stronzo, lasciami». Altro trambusto.

«Che hai detto, buttana che non sei altro? Che ti sei stufata? Ma perché, tu pensi veramente di poterti stufare di me? E tutto quello che hai, dove pensi che vada a finire se ti stacchi da me? Tutte le entrate eccezionali che hai grazie alle porcate che dici di dover fare per me? Quanto ti frutta ogni pizzino che porti, a don Rino, agli amici suoi... eh? Percentuali che manco ti sogneresti, da avvocatucola qualunque, come saresti senza di me». Fruscio.

Risposta: «C'è anche altro nella vita, ma tu questo non lo puoi capire».

Un'altra risata di lui.

«E quannu ti ni accurgisti, ah? Che fu, incontrasti qualche povero stronzo che fa il romantico e ti conta 'ste minchiate?»

«Meglio che la smetti, perché so talmente tante cose di te che ti posso rovinare. Altro che cariche importanti!»

Un'altra voce di donna s'intromise.

«Scusate, di là chiedono roba. Tirano come dannati».

Silenzio, poi Ussaro.

«Arrivo subito». Di nuovo silenzio.

Poi voce rabbiosa: «Non ci devi manco provare, Lori. Perché ti faccio finire male».

Trambusto. Fine della registrazione.

I cinque si guardarono tra loro, in silenzio.

– Minchia, – fece Macchia, con l'accento napoletano. Tanto ormai la parola era interregionale. Si diceva pure a Milano.

– Questa a Ussaro lo incastra mani e piedi, – commentò Nunnari che, a forza di sentire intercettazioni, sull'avvocato ormai s'era fatto una cultura.

Spanò non si pronunciò.

Vanina seguiva i suoi pensieri.

Macchia la fissò.

– Perché ho la sensazione che tu non sia d'accordo? – chiese.

– La cosa potrebbe essere meno chiara di quanto sembri, – rispose il vicequestore.

Il Grande Capo prese un respiro, rassegnato.

– Vani', parliamoci chiaro: tu a quest'ora già ti sei fatta un'idea, – disse, spostando una poltroncina dritto di fronte a lei e sedendocisi sopra.

– Un'ipotesi, casomai, – rettificò la Guarrasi.

– Mi interessa lo stesso.

Vanina si appoggiò con i gomiti alla scrivania. Non era facile sintetizzare l'insieme di idee ancora nebulose, peggio di quel cielo plumbeo che se n'era venuto tutto in una volta spegnendo letteralmente la luce alla città.

– Mettiamo che ci sia una persona che ha campato tutta la vita facendo cose storte e passandola sempre liscia. Una sorta di criminale seriale camuffato da persona che conta. Un guru della corruzione, dell'abuso, del ricatto, del fiancheggiamento alla criminalità organizzata usata come fonte di potere.

– Stiamo parlando di Ussaro? – la interruppe Macchia.

– Sí. Mettiamo che un giorno una – o magari anche piú di una – delle persone che lui sfrutta per raggiungere le sue finalità, e che tiene sotto ricatto a suon di favori, privilegi, soldi, arrivi a un punto di saturazione tale da non poterne piú. E decida di vendicarsi. Di rovinarlo. Lo conosce bene, sa che sarà difficile. Quasi impossibile, come lo è stato per chiunque abbia provato a incastrarlo in piú di quarant'anni di onorata carriera. Decine di denunce finite nel dimenticatoio e seppellite lí. Per beccarlo ci vuole qualcosa di grosso, qualcosa davanti a cui non ci sono amici che tengano. Un reato talmente grave da spaventare chiunque al pensiero di poter essere additato come complice. E che diventi di pubblico dominio prima ancora che lui possa muoversi per difendersi. Un reato di natura tale da poter poi fare in modo che lui finisca dritto dritto tra le mani di qualcuno che di chi sia o non sia, di quante amicizie o quanto potere abbia, se ne infischia, e che indagherà senza condizionamenti di alcun genere. Un reato come per esempio un omicidio.

Tito cominciava a capire. Annuí ma non la interruppe.

– Organizza, o organizzano, tutto nei minimi dettagli. In modo da fornirci indizi su indizi, tutti verificabili, tutti concordanti tra loro, tutti talmente ben costruiti da sfidare la nostra brava tecnologia. Anzi da sfruttarla abilmente a proprio favore. Un paio di denunce anonime, un telefono scassato ma non tanto da essere inservibile, pieno zeppo di messaggi, file audio, chat compromettenti. Un computer rigorosamente privo di password in cui sono nascoste, ma non troppo, prove di reati importanti che di certo sarebbero dovute andare distrutte. Un archivio piú esplosivo di un deposito di bombe, a nostra completa disposizione. Le tracce giuste, piazzate nel posto giusto. Testimonianze che cominciano ad arrivare. Decine di reati che vengono fuori con effetto valanga e stavolta non c'è modo di fermare il corso delle cose. E infine, con tempismo perfetto, fuoco alle polveri: lo sputtanamento totale su giornali e tv. Da quel momento in poi, chiunque abbia qualcosa da dire in proposito si sente legittimato a farlo.

Macchia la guardava esterrefatto. Il ragionamento non faceva una piega.

– Scusa, Guarra', ma per curiosità: tu come ci sei arrivata a queste conclusioni?

Certo, a lui mancavano passaggi fondamentali.

– Chi ha architettato questa storia non ha considerato un particolare.

– Quale?

– Il sangue che ci hanno fatto trovare sul coltello, cosí come quello sulla poltrona e nella valigia, è trattato con una sostanza che serve a non farlo coagulare. Questo ci ha indicato che è stato messo lí dopo essere stato trasportato in una provetta.

– La classica buccia di banana. E come mai non ci hanno pensato? – fece Tito, ormai completamente rapito dalla trama del film che la Guarrasi gli stava proiettando. Un film che, lo sapeva per esperienza, prima o poi avrebbe fornito la risoluzione del caso.

– Ca come mai! Tu lo sai che cos'è l'Edta?

– No.

– E manco io. Non vedo perché lo dovesse sapere quello o quella che s'inventò tutto 'sto piano.

Fragapane alzò la mano.

– Capo, ma la Iannino quella mattina non s'era fatta tirare il sangue dall'amica di Finuzza?

Vanina sorrise.

– Cose dei pazzi... – cantilenò il vicesovrintendente, la mano aperta davanti alla bocca.

– Volete farmi capire di che stiamo parlando o mi devo incazzare? – fece Macchia.

Vanina glielo raccontò.

– Guarra', non è che tu stai pensando veramente che la Iannino è viva e che ci sta prendendo per i fondelli da una settimana?

Spanò fece un sorrisetto strano.

Vanina si sporse verso il primo dirigente.

– Tito, qua i casi sono due: o la Iannino è viva e, come dici tu, da una settimana ci prende per i fondelli, oppure qualcuno si è macchiato di un delitto pur di incastrare Ussaro. Quale ti sembra l'ipotesi piú plausibile?

– E mettiamo che invece Ussaro il delitto l'abbia commesso, anche se non con quelle modalità. Mettiamo che abbia ragione Alicuti e lui l'abbia trovata mezza morta per una reazione alla cocaina. E abbia occultato veramente il cadavere in mare.

– In una valigia sporca del sangue prelevato dalla ragazza? – obiettò Vanina.

Macchia non seppe rispondere.

– Anche le risposte dalle redazioni dei giornali sono state univoche: tutti hanno ricevuto la stessa mail, – si inserí Spano.

– E non siamo capaci di scoprire da dove venisse? – chiese il primo dirigente.

– Ci stiamo provando.

Tito rimase meditabondo. – E queste cose Eliana le sa?

– Non ancora, – rispose Vanina, – ma le ho già detto che piú tardi passo in procura ad aggiornarla.

Marta si affacciò alla porta, sorpresa di trovare tutta quella folla. Guardò la faccia di Tito che si tormentava la barba e s'era persino acceso il sigaro, ma aveva un'espressione quasi divertita.

– Mi sono persa qualcosa?

Macchia si alzò in piedi, le passò accanto. Si fermò, le mani dietro la schiena. Indicò Vanina con la testa.

– Fattelo raccontare dal vicequestore Guarrasi.

La Bonazzoli si sedette al posto di Tito e si mise in attesa, occhieggiando i suoi colleghi che s'erano messi di lato e parlottavano tra loro con fervore da dopopartita.

Il commissario Patanè si scrollò l'acqua dall'impermeabile e posò l'ombrello grondante nell'angolo accanto al portone. Forse era meglio abituarsi a parlare per telefono, soprattutto quando a uscire di casa si rischiava l'annegamento. Sempre cosí era, in quella caspita di città: tutti i tombini intuppati di sabbia dell'Etna, e appena cadevano due gocce per camminare nelle strade ci voleva il canotto. Fiumi, diventavano. Ma il desiderio di passare un poco di tempo in quel posto avrebbe vinto anche davanti alle cascate del Niagara.

Un ragazzo che era in piedi davanti al distributore di bevande gli si avvicinò.

– Prego, desidera? – gli disse.

Patanè lo guardò perplesso.

– Devo parlare col vicequestore Guarrasi, – rispose.

– Il vicequestore sa che è qui?

– No, ma sono sicuro che è in ufficio, – fece il commissario.

– Aspetti qua, che verifico.

Il commissario si trattenne a stento dall'alzare gli occhi al cielo. Il cretino ci mancava!

– Ca va bene. Verifichi.

Quello lo guardò strano. – Il suo nome? – chiese.

– Biagio Patanè.

Chiamò e si mise in attesa.

– Ispettore Spanò? Qua c'è un signore che dice che deve parlare con la Guarrasi. Non ha appuntamento. Che faccio, lo porto nella sala d'attesa?... Il nome? Patanè Bia... – Sgranò gli occhi. – Oh, ispettore! Ma perché, che ho fatto?

Spanò comparve precipitandosi giú per le scale.

– Commissario!

Il ragazzo, un agente nuovo in servizio da meno di un mese, sbiancò.

– Co... commissario? – chiese.

– Lassa stari, va', – fece Spanò. – Anzi, ormai che sei qui, vacci a prendere tre caffè e ce li porti su. Ma non alla macchinetta, eh! – Gli allungò i soldi.

Salirono al primo piano e raggiunsero la stanza della Guarrasi.

Vanina aveva aperto la vetrata e s'era accesa una sigaretta. Già l'aria della stanza era abbastanza satura del fumo di Macchia, aggiungerci il suo sarebbe stato eccessivo anche per lei.

Stava parlando al telefono con la Recupero. Il computer portatile della Iannino aperto davanti. Il canale sull'intercettazione di Ussaro attivo, anche se da due giorni registrava solo telefonate di scarso rilievo.

Eliana l'aveva invitata a non sfidare le intemperie e ad aggiornarla per telefono sulle novità.

La pm era perplessa, ma s'era detta d'accordo con lei nel congelare l'ipotesi di colpevolezza per omicidio di Ussaro. Tanto, aveva detto, di indagini sull'avvocato se ne stavano aprendo talmente tante che aveva altro con cui tenerlo occupato. Come Vanina aveva sperato, e Macchia in questo l'aveva appoggiata, di quelle altre indagini se ne stavano occupando i suoi colleghi del secondo piano.

– Commissario, e lei che ci fa in giro con questo finimondo? – lo accolse Vanina.

Lui si accomodò nella poltroncina davanti a lei. Il suo posto, lo considerava ormai.

– Niente, dottoressa, è che avevo un poco di informazioni da darle e lei lo sa che parlare per telefono non è cosa mia. Perciò decisi di venire a trovarla. Tanto mi aveva detto che oggi non si sarebbe mossa dall'ufficio.

Arrivò l'agente con i tre caffè, incartati in un vassoietto. Prima di ritirarsi si profuse in scuse col commissario Patanè, che si fece una risata bonaria.

Vanina tirò fuori le scorte di cioccolata.

– Stamattina, – attaccò Patanè, – per puro caso, incontrai un'amica mia che non vedevo da tempo. N'assittammo a pigliarci una granita e ci facemmo due chiacchiere. Parlando parlando, mi ricordai che era un'amante dell'opera, e che non c'è stagione del teatro Bellini che lei non si faccia per intero. E non solo del Bellini. Silvia, cosí si chiama, non ha manco settant'anni, ha un sacco di soldi, è divorziata, ha amici ovunque e non ha che fare. Perciò si va girando tutti i teatri: a Milano, a Londra. Siccome proprio ieri con la Di Franco avevamo parlato del maestro Escher, per curiosità le chiesi se era stata al suo concerto. Mi tenne mezz'ora a parlare di quant'era bravo, dei pezzi musicali che aveva interpretato, e macari della carriera che aveva fatto. Tutte cose sapeva!

– E lei giusto giusto l'ha incontrata per caso proprio oggi? – fece Vanina, ironica.

– Per caso, certo, – assicurò Patanè. Ma aveva gli occhi di un picciriddo che aveva fatto la bravata.

– E che le contò l'amica sua? – Si accettavano scommesse sulla natura che ai tempi aveva avuto la loro «amicizia».

– Niente, notizie di tournée che il maestro aveva fatto in giro per il mondo. Mi disse che è un uomo molto affascinante e che femmine ne ha avute assai, ma che non s'è mai sposato.

– Avete curtigghiato sul maestro Escher, insomma, – sintetizzò Vanina, sempre piú divertita ma curiosa di scoprire cos'era venuto a sapere di cosí importante da sfidare le intemperie per raccontarglielo.

– Aspittasse, che il curtigghio certe volte serve cchiú assai delle ricerche. A parrari assai non si sbaglia mai, dottoressa. Lo sa come si dice? Cu avi lingua passa 'u mari.

Vanina annuí. Pure Bettina lo diceva sempre.

– E che scoprí, curtigghiando curtigghiando?

– Quando Escher fece il concerto al Bellini fu invitato macari al conservatorio di Catania a fare delle lezioni. Un *masterr*, come si dice, agli allievi. L'amica mia al conservatorio ha conoscenze, perciò tanto fece che riuscí a conoscerlo. Tentò perfino di invitarlo a cena a casa sua, ma quello declinò gentilmente. Disse che stava per tornarsene a Roma. Qualche giorno dopo, però, lo incontrò in un ristorante di Taormina. In compagnia di una ragazza che gli poteva venire figlia. Seduti a un tavolo appartato, che parlavano fitto fitto.

Vanina si fece piú attenta.

– E chi era questa ragazza?

– Silvia non lo sapeva. Anzi, era contrariata perché non era manco riuscita a scoprirlo. Però me la descrisse per bene. Piccolina, molto graziosa. Vistuta che pareva nisciuta da un giornale di moda, disse.

Spanò s'era drizzato sulla sedia.

Vanina guardava Patanè sorniona.

– E lei è convinto di aver capito chi possa essere, vero, commissario? – chiese. Quell'uomo non avrebbe mai finito di stupirla.

Il commissario sorrise.

– Perché? Lei non l'ha capito?

Spanò si mise all'opera subito.

Recuperò il numero di cellulare del maestro Tommaso Escher, oltre a una serie di dati che potevano fare sempre comodo. Nato a Roma nel 1953, celibe. Svariati cambi di residenza, insegnamento presso diversi conservatori. Attualmente residente a Roma, docente di violino al Conservatorio di Santa Cecilia.

– Faccia una cosa, ispettore, veda se nei tabulati della

Iannino, nei giorni del concerto o anche successivamente, compare il numero di Escher. E veda anche se compare tra i contatti nel suo iPhone, – disse Vanina.

Patanè era ancora lí e stava aspettando di scoprire come andava a finire quella ricerca. Lui in realtà non ne aveva bisogno. Che la ragazza con Escher fosse Lorenza Iannino l'aveva intuito due secondi dopo che Silvia aveva iniziato a descrivergliela. Cosí come era sicuro che nemmeno la Guarrasi ne avrebbe avuto bisogno. Ma sapeva pure bene che anche delle piú brillanti intuizioni bisognava produrre le prove. Sempre.

Vanina stava meditando sulla scoperta. Era inquietante pensare come quella vecchia storia, tirata fuori dagli archivi di Patanè, si fosse insinuata nella sua testa come un presentimento. Che motivo aveva avuto per fissarcisi sopra tanto da andare a scuncicare la sorella della Di Franco per farsi raccontare tutto?

E da portarsi dietro il commissario: la sua guida spirituale per le indagini piú assurde.

Spanò ci mise cinque minuti.

Tornò con la faccia di uno che ha vinto alla lotteria.

– Mizzica, capo! Il commissario c'azzeccò!

Patanè non riuscí a nascondere la soddisfazione. Batté le mani una volta.

Spanò si sedette con tutti i fogli in mano.

– Nei tabulati della ragazza risultano telefonate a e da Escher già a partire da luglio. Si intensificano da fine settembre in poi, in corrispondenza con la sua venuta a Catania. Il numero nell'iPhone è registrato sotto il nome «Guadagnini». La cosa curiosa è che tutte le telefonate piú recenti sono state cancellate dalla memoria del telefono. Ovviamente però dai tabulati ufficiali risultano. L'ultima risale alle 19.33 di lunedí scorso. La cosa ancora piú curiosa, di cui mi accorsi per caso, è che tra i numeri che la Iannino cancellò dalla memoria del cellulare quella sera c'è anche quello di Antineo. Una chiamata sola, alle 22.27.

– Lunedí scorso era la sera della festa, – disse Vanina. Rimase a pensare per un attimo, l'ennesima sigaretta accesa.

– Ispettore, la Bonazzoli è tornata? – chiese.

S'erano fatte le otto.

– No. Non so nemmeno dov'è andata.

– Dalla vedova Iannino, a recuperare il telefono del defunto –. Ce l'aveva spedita lei appena la signora l'aveva avvertita che era rientrata a Catania. L'indomani mattina sarebbe partita per tornarsene a Montevarchi.

E adesso il vicequestore aveva ancora piú fretta di avere in mano quel cellulare.

– Il telefono di Iannino? E perché? – chiese Spanò, perplesso.

Vanina gli spiegò il motivo.

– Perciò Iannino, che era debole di cuore, secondo lei potrebbe aver ricevuto qualche telefonata che lo fece agitare al punto da dargli il colpo di grazia finale? – sintetizzò Patanè.

– Tipo da chi? – chiese Spanò.

– Qualcuno che voleva dargli delle informazioni. Magari un anonimo. Come fecero con me, come fecero con i giornali. Se lo ricorda, ispettore, quello che la signora ci raccontò che le aveva detto il marito prima di morire? Quello che lei aveva preso per un delirio? Iannino aveva parlato di Lorenza come se fosse viva. Anzi, come se l'avesse appena saputo e volesse andare a prenderla. E teneva il telefono in mano.

– Lei pensa che qualcuno l'abbia chiamato per dirgli che Lorenza era viva? Qualcuno che l'ha vista per caso da qualche parte? – fece Spanò.

– O che l'abbia chiamato Lorenza stessa, – suggerí Vanina.

Patanè era d'accordo con lei.

– Lo so, di tutte le ipotesi che mi stanno venendo in testa, questa è la piú campata in aria di tutte. Però lo sa com'è, ispettore? Certe volte per beccare qualcosa bisogna sparare nel mucchio.

Spanò annuí. Riuscire a colpire il bersaglio giusto sparando nel mucchio era una delle grandi capacità della Guarrasi. Forse perché in fondo in fondo, senza manco rendersene conto, aveva già capito dove mirare.

Marta era andata e tornata in meno di mezz'ora. Prodigi delle due ruote, disse.

Appena in tempo per scansiarsi il secondo diluvio universale che si scatenò un minuto dopo che era rientrata, e dal quale le sue prodigiose due ruote non sarebbero riuscite a preservarle nemmeno le mutande.

Il commissario Patanè se n'era appena andato.

– Il telefono di Gianfranco Iannino è completamente scarico. La signora mi ha fornito il cavo d'alimentazione, ma dice che ci vuole un po' prima che si riaccenda, perché è vecchio, – comunicò.

– E carichiamolo. Piuttosto, le hai chiesto se ha ricevuto chiamate dopo la morte di suo marito?

– Sí. Dice che non ce ne sono state molte. Una proprio subito dopo, ma lei era troppo sconvolta per ricordarsi chi fosse. Le sembrava che potesse essere un insegnante della sua scuola. Poi l'indomani un paio di persone, amici del marito. Dopodiché si è scaricato e lei non l'ha piú riacceso. Mi ha chiesto se dentro può esserci qualcosa che ci aiuti a trovare l'assassino di Lori.

– E tu che le hai risposto?

– Cosa potevo risponderle? Non sapevo nemmeno perché mi ci avevi mandato! Le ho risposto che poteva servire alle indagini. E lei mi ha detto che, se era cosí, potevamo tenercelo quanto volevamo, perché non c'è cosa piú importante in questo momento che vedere l'assassino di Lori, e di conseguenza per lei anche di suo marito, pagare con la punizione peggiore. Le ho assicurato che l'avremmo preso.

– Brava. Ora, appena riesci ad accendere il telefono, recuperi tutti gli ultimi numeri, soprattutto in entrata, ma anche in uscita. Poi controlli a chi appartengono.

– Sempre senza sapere perché lo sto facendo? – azzardò Marta.

Vanina sospirò. Aveva ragione pure lei.

Sebastiano aveva riaperto la sua *putía*. Il bancone dei salumi e dei formaggi straripava e quello del pane, nonostante l'ora, conservava ancora un paio di *cucciddati* della sfornata serale.

– Ne vuole sugo, dottoressa? – le propose dopo averle incartato un etto di mortadella, un pezzo di cacio *ubriaco*, due spiedini di carne e due nodi di salsiccia coi *caliceddi*. Piú il caciocavallo ragusano semistagionato speciale che Vanina aveva preso per Bettina.

– Che sugo?

– Sugo fatto con la carne di maiale, cotto assai, con tutti i crismi. L'ha fatto stamattina la nonna. Ci vinni una poesia! – Si fece convincere in mezzo secondo.

Chiamò Bettina, si accertò che non avesse ancora cenato e la invitò a casa sua.

Una volta ogni tanto, con cibi cucinati da altri, doveva pur contraccambiare le decine di serate passate alla tavola della sua vicina. E poi, quella sera, di cenare da sola non ne aveva proprio voglia.

Forse perché tra le tante chiamate perse del pomeriggio sul suo telefono ce n'era una di Paolo. Una sola, non ripetuta. Una violazione temporanea dei patti, faticosamente ripristinati dopo la sbandata palermitana.

Lui non si aspettava di sicuro che lei lo richiamasse.

E invece Vanina lo richiamò. Appena prima di arrivare a casa, per evitare di dover schivare la curiosità di Bettina, che da quella famosa domenica era andata in fissa con l'argomento. Innamorata persa del «dottore Malfitano», che un uomo piú affascinante non l'aveva conosciuto mai – eccezion fatta per suo marito buonanima, ma questo era ovvio.

La telefonata di Marta arrivò che Bettina se n'era già tornata a casa sua, portandosi il caciocavallo e lasciando in dono una guantiera di biscotti per la colazione appena fatti.

– Marta, che è successo? – le rispose. Erano le dieci e mezzo.

– Vanina, scusami per l'orario.

– Figurati, per me ancora la serata è lunga, prima che prendo sonno si fanno come minimo le due. Tu piuttosto, a quest'ora normalmente non sei già in fase Rem?

– In realtà sono ancora in ufficio. Sono di turno e ho approfittato per portarmi avanti col lavoro di domani. Ho scaricato gli ultimi numeri che hanno chiamato Iannino e ho controllato a chi appartengono. Sono nomi che a me non dicono niente, ma magari tu ne sai qualcosa di piú. Che faccio, li fotografo e te li mando?

– Sí, grazie. Se avessi bisogno di ricerche, ti trovo ancora lí in ufficio?

– Sí.

Bene. Aveva qualcosa su cui trascorrere la nottata.

Riattaccò e aspettò che la foto inviata da Marta arrivasse.

La aprí e allargò l'immagine per scorrere i pochi nomi che c'erano scritti. Arrivò fino in fondo e poi tornò indietro alle ultime due telefonate che Gianfranco Iannino aveva ricevuto.

Da Tommaso Escher.

22.

Spanò arrivò a Santo Stefano alle cinque del mattino, a bordo di una Škoda station-wagon presa a noleggio mezz'ora prima in aeroporto. Nel parco auto della Mobile non ce n'era a disposizione nessuna adatta a quel viaggio, e poi la Guarrasi era stata chiara: la macchina doveva essere noleggiata.

Vanina aveva preso la decisione la sera prima, appena aveva letto quel nome.

Aveva chiamato Macchia, per correttezza anche la Recupero, ma l'aveva posta come una decisione già presa.

E ora lei e Spanò erano al porto di Messina, fermi in attesa del traghetto per Villa San Giovanni. Avevano perso per un pelo quello precedente, e l'orario di partenza indicava che avrebbero dovuto aspettare piú di quarantacinque minuti.

– È una camurría, dottoressa, – commentò l'ispettore, seccato per la perdita di tempo. – Una volta i traghetti erano piú piccoli, ma funzionavano meglio. Appena uno si riempiva partiva, e nel frattempo ne arrivava un altro. Ora sono piú grandi, a due piani e macari piú veloci, ma in compenso partono a orari. Se lo perdi ti devi assuppare un sacco di tempo d'attesa.

Se li ricordava anche lei, i traghetti di una volta. Ogni tanto, in piena estate, le era capitato di rivederli in funzione anche di recente. Forse per ovviare all'aumento del traffico nello stretto.

Quella che arrivò era una nave nuova nuova. Per salire al ponte passeggeri c'erano persino le scale mobili, lucide che parevano pulitissime. Un salone bello, luminoso, con un bar pieno di vetrine degne di una pasticceria di lusso. Un ponte verniciato di fresco, con le porte automatiche e gli ascensori d'acciaio. A Vanina non sembrava neppure di essere sullo stretto di Messina. Quasi quasi le mancavano il lerciume delle scale di ferro, ripide e scomode, l'immagine del bancone arcaico con le arancine grondanti olio, schiaffate su vassoi che non vedevano una spugna da mesi, il ponte con i sedili di ferro a prova di pantalone bianco. La Sicilia! L'Italia!

Presero la Salerno - Reggio Calabria, che ora si chiamava Autostrada del Mediterraneo, e che finalmente iniziava a somigliare davvero a un'autostrada.

Alle dieci e mezzo la Škoda grigia entrava nell'area di servizio Sala Consilina Est.

Vanina si diresse direttamente nel bar, mentre Spanò scomparve nella zona toilette.

Il vicequestore ordinò un cappuccino e un cornetto e attaccò bottone con il ragazzo che la serví.

– Lei era di turno alle otto e mezzo del mattino di martedí scorso? – gli chiese, con indifferenza.

Il ragazzo ci pensò su.

– No. Ma c'era il mio collega –. Indicò un uomo intento a sistemare mozzarelle di bufala nel frigorifero a parete. Lo chiamò.

L'uomo si avvicinò, strofinandosi le mani sul grembiule.

– Buongiorno, avrei bisogno di un'informazione, – fece Vanina.

– Ditemi.

– Lei si ricorda se nella mattinata di martedí scorso una ragazza le ha chiesto di poter fare una telefonata dal telefono del bar?

Spanò si materializzò accanto a lei, sventolando le mani bagnate.

L'uomo li guardò serio. – Siete della polizia?

Vanina gli mostrò il tesserino.

– Vicequestore Giovanna Guarrasi, squadra Mobile di Catania.

– Certo che me lo ricordo. Non è una cosa che capita spesso, – rispose l'uomo, avvicinandosi al bancone e appoggiandosi col gomito sul piano d'acciaio. – Una bella ragazza. Disse che le avevano rubato il telefonino e che aveva bisogno di fare una chiamata.

Spanò tirò fuori la fotografia di Lorenza Iannino.

– Era lei?

L'uomo la guardò, sorrise. – Sí, proprio lei. Una ragazza cosí è difficile scordarsela!

– Era sola?

– Sí. O per lo meno qui dentro è entrata da sola.

– Le è sembrato che fosse nervosa?

L'uomo ci pensò. – Forse, un po'. Piú che altro sembrava che avesse fretta. Insisteva che era una telefonata molto importante e mi ringraziava della cortesia. Poi alla fine ne fece due.

– E si ricorda per caso di aver sentito quello che diceva?

– Della prima telefonata no. Della seconda sí, perché siccome l'avevo vista rialzare il telefono mi avvicinai per controllare che stava facendo. Mi chiese la cortesia di lasciarla telefonare di nuovo. A quel punto però rimasi in zona. Parlava piano, ma qualcosa ho sentito. Parlava con un uomo, lo chiamava per nome ma sinceramente quello non me lo ricordo. Gli diceva che doveva aiutarla, che non aveva altro posto dove andare... Sembrava che dovesse convincerlo.

Altro che qualcosa, tutto aveva sentito, il marpione!

– La ragazza era vestita in modo elegante? – chiese Vanina.

– No, aveva i jeans e un giubbotto che pareva tre taglie piú grande. Me lo ricordo perché mi colpí –. Fece una pausa. – È la ragazza che è stata uccisa e di cui non si trova il cadavere? – chiese, cauto. La notizia ormai si era diffusa su scala nazionale.

– Sí, – tagliò corto Vanina. Non serviva chiedere altro.

Lo ringraziò.

Spanò si fece fuori un caffè e un cornetto mentre lei andava a fare rifornimento di benzina.

Si rimisero in macchina e ripresero la strada.

– Dottoressa, ora che arriviamo a Roma che pensa di fare? Andiamo nel bar da dove è stata fatta l'altra telefonata? – L'ispettore voleva cercare di capire.

– No, non ce n'è bisogno, – rispose Vanina. – Se tutto va come penso io, entro stasera conosceremo Lorenza Iannino.

Arrivare al centro di Roma munita di auto propria era un'esperienza che Vanina non faceva da parecchio tempo. Parcheggiarono nel garage sotterraneo di piazza Cavour e raggiunsero a piedi via dei Greci.

Un portoncino incassato in una cornice di pietra, con su scritto «Conservatorio di musica Santa Cecilia», indicò che erano arrivati a destinazione. La targa d'ottone accanto pure.

Entrarono dal portoncino e salirono i gradini d'ingresso. Oltrepassarono una porta a vetri e andarono verso la guardiola.

– Dica, – fece una donna in divisa.

– Il maestro Escher, – disse Vanina. S'era letta tutti gli orari delle lezioni di violino e sapeva che quel pomeriggio l'avrebbe trovato lí. Ecco perché aveva fatto quella levataccia pur di arrivare in tempo.

– Il maestro la aspetta?

– No.

– Allora non posso farla passare.

Vanina sorrise. – Mi dispiace ma devo insistere.

– Il maestro sta tenendo una lezione, se vuole può contattarlo e prendere un appunt...

Il vicequestore decise di tagliarla lí e tirò fuori il tesserino.

La donna rimase a bocca aperta. Le si leggeva in faccia tutto lo stupore. Il maestro Escher cercato dalla polizia?

Le indicò il numero dell'aula e il piano.

Salirono per una scala antica, di pietra, ed entrarono in un corridoio lungo. Pavimenti di marmo, lungo le pareti armadi di legno scuro. Bacheche, alcune vuote, altre piene di fogli. Una serie di porte da cui provenivano suoni diversi. Musiche diverse.

Istintivamente Vanina rallentò il passo. Un pianoforte. Un sassofono.

Un violino, che riempiva l'aria di un intero tratto di corridoio.

Bussò alla porta. La musica si fermò.

– Avanti.

Aprí ed entrò nell'aula. Una stanza piccola. Pareti bianche, un tavolo attaccato alla parete, un pianoforte di lato. Un ragazzo se ne stava in piedi con un violino in mano e gli spartiti davanti. Una ragazza era seduta di lato, anche lei aveva un violino sulle ginocchia. In mezzo a loro un uomo alto, dalla figura elegante; capelli e barba grigi, occhi verdi, dolcevita nero. Vanina non gli avrebbe mai dato i sessantatre anni indicati nei dati anagrafici.

– Posso esserle d'aiuto? – le chiese.

Spanò s'era fermato fuori dalla porta.

– Il maestro Tommaso Escher?

– Sono io.

– Vicequestore Giovanna Guarrasi, della Mobile di Catania. Posso rubarle qualche minuto?

Escher la fissò senza sorpresa.

Pregò i due allievi di uscire dall'aula.

– Si accomodi.

Non domandò il perché di quella visita, aspettò che fosse Vanina a parlare.

– Maestro, lei immagina perché sono qui?

Escher fece un sorriso, amaro.

– Direi di sí, – disse, indicandole una sedia e spostandola per lei.

Vanina decise di andare per gradi.

– Quand'è stata l'ultima volta che ha visto Lorenza Iannino?

L'uomo si sedette accanto a lei. Gambe accavallate, aria tranquilla. Un filo di amarezza ancora sulle labbra.

Stava per risponderle quando Spanò bussò ed entrò senza aspettare il permesso.

Si voltarono entrambi a guardarlo.

Era frastornato.

– Dottoressa, mi scusi, c'è una cosa importante che devo dirle.

– Esco, – fece il maestro alzandosi. Pareva quasi deluso di non aver potuto rispondere.

Spanò lo fissò un momento poi disse: – Non penso che ce ne sia bisogno.

Vanina capí che si trattava di Lorenza.

– Cos'è successo, ispettore?

– Mezz'ora fa hanno trovato il cadavere di Lorenza Iannino. Ad Aci Castello –. Fece una pausa. – In mare.

Escher ricadde sulla sedia, bianco come la parete di quell'auletta. Chiuse gli occhi, addolorati.

– Ieri mattina. L'ultima volta è stata ieri mattina.

Sul luogo del ritrovamento, sotto il castello normanno, c'erano andati la Bonazzoli e Nunnari.

Vanina chiamò immediatamente Marta.

– L'hanno trovata un ragazzo e una ragazza che erano venuti ad appartarsi qui, – riferí l'ispettore. – Hanno visto il corpo che galleggiava e si sono spaventati. Hanno chiamato subito il 113, che ha girato la segnalazione a noi.

– Quelli della scientifica e il medico legale sono già sul posto?

– Il medico legale sí, mentre il dottor Manenti ha chiamato per dire che stava arrivando.

– Chi è il medico legale?

– Il tuo amico, il dottor Calí.

– Passamelo.

Adriano la fece aspettare un minuto buono.

– Ci sono rimasto male quando non t'ho visto, – esordí. – Ma come? Prima rompi i cosiddetti a mezza flotta navale per ritrovare il cadavere della Iannino, e poi, quando finalmente si manifesta, tu te ne vai in viaggio premio con Carmelo Spanò?

– Vedi di non sfottere troppo e dimmi qualche cosa.

– E che ti devo dire? Ancora a stento ero riuscito a mettermi i guanti e a darle un'occhiata veloce. Tra l'altro t'avverto che tempo due minuti e alla tua ispettora s'anchilosa il braccio. Mi sta tenendo lei il telefono sull'orecchio.

– Non ti preoccupare, è allenata. Perciò niente posso sapere?

– Cosí, a occhio: il cadavere non è gonfio e non ci sono segni di putrefazione, che in acqua inizia molto prima.

E non ci sono grosse lesioni da fauna ittica. Perciò quasi certamente è morta da meno di un giorno.

– Si capisce com'è morta?

– Prima dovrei spogliarla. Quello che vedo è che ha il volto tumefatto, le labbra spaccate e dei segni sul collo che potrebbero suggerire uno strozzamento. Ma siamo sull'ipotetico spinto, eh!

– Vabbe', lavoraci subito, mi raccomando.

– Certo, vicequestore, lo sai che non ho altra aspirazione che passare la serata in sala settoria con i tuoi clienti!

A Vanina venne un dubbio. – A proposito, ma a te chi ti ha chiamato? No, giusto per sapere se per caso mi ritrovo Vassalli tra i piedi...

– Mi ha chiamato il pm Terrasini, che era quello di turno. Ma a quanto ho capito sta venendo qui anche la Recupero.

Vanina chiuse la telefonata raccomandandosi con Marta di tenerla informata minuto per minuto.

Nel chiostro del conservatorio non c'era molta gente. Un gruppo di ragazzi armati di strumenti musicali che parlavano tra loro sul prato, un paio di persone che fumavano di lato. Vanina s'era messa in un angolo, aveva acceso una sigaretta e da lí aveva fatto la telefonata a Marta. Spanò era rimasto di piantone davanti all'auletta dove il maestro Escher stava chiudendo in fretta la lezione con gli allievi. Anche se in realtà non ce ne sarebbe stato bisogno.

Il poco che il maestro aveva raccontato fino a quel momento concordava con i limitati elementi che Vanina aveva a disposizione.

Prima di far rientrare gli allievi in aula aveva concluso dicendo: – Io credo di essere il primo responsabile della fine che quella ragazza ha fatto.

Vanina stava aspettando con impazienza di sentire il perché.

Rientrò nel corridoio al lato del chiostro e tornò all'ingresso. Si piazzò davanti alla scala monumentale da cui i due sarebbero scesi di lí a poco. Per evitare lo sguardo sempre piú perplesso della vigilante entrò nel bar. Pareti bianche, volte alte. Una colonna antica al centro del bancone e un balconcino con la balaustra di pietra che dominava dall'alto. Ordinò un caffè. Poi uscí di nuovo.

Riprese a camminare, s'inoltrò nei corridoi e si ritrovò in una stanza piena zeppa di pianoforti. Si avvicinò a uno strumento bianco.

– Mi scusi, cosa sta cercando? – S'avvicinò subito un uomo.

– Niente. Aspetto una persona.

– Quello è appartenuto a Ottorino Respighi, – comunicò il tizio con aria ispirata, indicando lo strumento che Vanina stava guardando.

Per lei avrebbe potuto dire anche Napoleone III.

Quello se ne accorse e si accigliò. – Il grande compositore, – aggiunse.

Vanina finse di capire. Era un argomento su cui si riteneva pressoché ignorante.

– Vuole vedere la Sala Accademica? – fece quello, impietosito. Vanina lo seguí verso una porta con le tende di velluto. Restò sulla soglia e diede un'occhiata veloce all'interno. Soffitto a cassettone bianco, platea con sedie di velluto rosse, palco sormontato da un organo che sarebbe stato riduttivo definire maestoso.

In un'altra occasione si sarebbe fermata volentieri ad ascoltare la storia che l'uomo aveva attaccato a raccontarle, ma non era quello il momento adatto.

Guardò l'orologio. Ancora un paio di minuti e sarebbe salita lei a recuperare quei due.

Escher le comparve davanti nel foyer con i pianoforti. Aveva indossato una giacca grigia sul dolcevita nero, e aveva un violino in mano. Spanò era accanto a lui.

– Bella, vero, dottoressa? – fece il maestro.

Vanina capí che si riferiva alla sala da cui lei stava uscendo.

– Sí, bellissima.

– Ho già detto all'ispettore che vorrei partire per Catania insieme a voi, – disse Escher. – Se mi accompagnaste un momento a casa, ci sono delle cose che vorrei consegnarvi. Cose che credo possano servirvi.

– Maestro, io ho molte domande da farle, e lei ha molte spiegazioni da darmi, – puntualizzò Vanina.

Escher annuí.

Il maestro abitava in una di quelle stradine che si snodano tra piazza Navona e il lungotevere. Un appartamento piccolo, antico, pieno zeppo di libri e di musica, sotto tutte le forme in cui la si possa trovare: spartiti, vinili, cd.

Escher li fece accomodare in soggiorno. Sul tavolo era appoggiato un violino nella sua custodia, aperta.

– Questo violino è la causa di tutto quello che è successo, – iniziò, avvicinandosi allo strumento e accarezzandolo.

Vanina capí subito di che strumento si trattava, ma lo lasciò parlare.

– Immagino che lei conosca la mia storia, dottoressa Guarrasi. Altrimenti credo che difficilmente sarebbe arrivata qui.

– Qualcosa, maestro.

– Ho passato quarant'anni della mia vita a cercare di far valere il mio diritto di possedere questo strumento. Non per il suo valore economico, che pure è enorme, ma perché sarebbe stato l'unico modo di avere con me un pezzo dell'anima dell'unica persona che io abbia mai amato al mondo.

– Laura Di Franco, – disse Vanina.

Escher annuí.

– Quando avevo ricevuto la lettera in cui Laura diceva che il suo violino doveva appartenere a me, lei ormai non c'era già piú da due giorni. È stato il momento piú spaventoso della mia vita, dottoressa Guarrasi. Ho capito che Laura era morta, e soprattutto ho capito *come* era morta, prima ancora di averne la conferma. Fu sua zia a comunicarmelo, quella zia presso cui lei aveva abitato qui a Roma e con la quale la sua famiglia l'aveva costretta a tagliare tutti i ponti. Rea di aver cercato di proteggerla da quello che stavano per farle... – Gli sfuggí un sorriso amaro. Si fermò.

Vanina preferí non incalzarlo. Aspettò che riprendesse fiato.

Escher si andò a sedere su una delle sedie intorno al tavolo, lei e Spanò fecero lo stesso.

– Era stata proprio lei a regalarle quel violino, quando Laura era stata ammessa al Santa Cecilia per il diploma di decimo anno. Un Guadagnini, dottoressa. Un violino di grande valore. Lei può immaginare cos'abbia comportato doversi mettere a tu per tu con uno come Elvio Ussaro, che l'idea di lasciare a me uno strumento simile non l'avrebbe presa in considerazione nemmeno davanti a un'istanza del papa. L'unica opzione possibile era una causa legale, e l'ho portata avanti strenuamente pur sapendo che al novanta per cento era persa in partenza. Non certo perché fossi io dalla parte del torto. Ma avevo abbastanza tempo e denaro per combattere la battaglia. E posso dire che qualche bastone tra le ruote devo essere riuscito a metterglielo, altrimenti non sarebbe durata cosí tanto. È stato quando ho compiuto sessantatre anni, l'età di mio padre quando è morto. Mi sono reso conto che non sapevo quanto altro tempo avrei avuto a disposizione per portare a termine il progetto che aspettavo di realizzare da quarant'anni. E allora ho preso una decisione. Avrei comprato, pagandolo qualunque cifra, quello che mi sarebbe spettato di diritto e che per le vie della giustizia non ero riuscito a ottenere. Sono partito per Catania e mi sono presentato allo studio di Ussaro. Lui non c'era, ma in sua vece mi ha ricevuto Lorenza Iannino. È stato cosí che l'ho conosciuta.

Escher raccontò di aver iniziato una trattativa estenuante, con perizie di ogni tipo e tentativi di rialzo del prezzo. Alla fine, per una cifra esorbitante, era riuscito ad avere in mano il violino che Laura gli aveva lasciato in eredità. Nel frattempo lui e Lorenza erano diventati amici.

– Qui è dove l'ho ospitata, in tutti questi giorni assurdi, – fece il maestro, portandoli in una stanzetta con un letto singolo, un armadio a muro e un mini scrittoio.

Vanina non nascose la perplessità.

– Pensava che Lori e io stessimo insieme, dottoressa? – disse Escher, di nuovo il sorriso amaro sulle labbra. – Lori lo riteneva una cosa possibile. Forse per un momento l'ho ritenuto possibile anch'io. Ma non sarebbe stato giusto nei suoi confronti.

– Perché poco fa, al conservatorio, mi ha detto che crede di essere il primo responsabile della fine di Lorenza? – chiese Vanina.

– Perché sono stato io a metterla in crisi, e a farle capire che stava sbagliando strada. Che qualunque guadagno avesse ottenuto vendendosi l'anima alla fine si sarebbe ritorto contro di lei. E sarebbe stato una zavorra di cui non si sarebbe liberata per tutta la vita. Lei, che indubbiamente di Ussaro e di tutto il suo detestabile sistema doveva aver iniziato da tempo a non poterne piú, si è attaccata a quello che le ho detto e ci ha riflettuto sul serio. Da quel momento ha iniziato a chiamarmi sempre piú spesso. Alla fine pareva si fosse innamorata di me, dottoressa. E io ho avuto la presunzione di credere che, tra i due mali, quello fosse di gran lunga il minore. Ora penso che, forse, se Lori non mi avesse mai conosciuto, se fosse rimasta ancorata alla sua vita, per quanto sbagliata, adesso sarebbe viva –. Finí la frase quasi sottovoce.

Vanina entrò nella stanzetta. Sullo scrittoio erano impilati tutti i quotidiani che avevano parlato del caso.

Piú due cartelle.

– Quelle sono per lei, dottoressa. Lori le ha lasciate a me perché diceva che non c'era posto piú sicuro dove nasconderle, – disse Escher.

Vanina ne prese una e l'aprí.

La prima cosa che vide fu l'originale delle lettere che aveva trovato nel computer della Iannino. I pizzini. Utili per eventuali perizie calligrafiche. Trovò anche due chiavette Usb, contenenti di sicuro dati importanti.

Le passò a Spanò.

– Ispettore, le tenga lei.

Il resto del racconto di Escher completò il quadro che Vanina aveva parzialmente immaginato. Mesi prima Lorenza aveva iniziato a raccogliere tutte le prove possibili dei reati che aveva visto commettere a Ussaro giorno dopo giorno. In ogni ambito. Per non bruciarsele, aveva detto, doveva fare in modo che uscissero fuori in un momento in cui nessun giudice avrebbe potuto ignorarle. L'importante era riuscire a fare in modo che le prove finissero nelle mani della polizia e dei magistrati prima di venire neutralizzate.

– Vorrei poterle dire che ho cercato di dissuadere Lorenza da quello che stava architettando, dottoressa, ma purtroppo non è cosí. Non sarei onesto né con lei né con me stesso se non ammettessi che non ne ho avuto il coraggio. Quella ragazza stava dando voce ai miei pensieri piú reconditi, al desiderio di vendetta che mi portavo dietro da quarant'anni e che non avrei mai avuto il coraggio di attuare.

– Lei sapeva che avrebbe simulato un omicidio? – sparò Vanina senza mezzi termini.

Escher la guardò negli occhi. – No. Non fino alla mattina in cui Lori mi ha chiamato per chiedermi di ospitarla a casa mia, qui a Roma.

– Che giorno era?

– Martedí scorso. Mi ha telefonato dall'autostrada e mi ha detto che non sapeva dove altro andare. Io ho capito che doveva aver fatto qualcosa di grave, non ci voleva molta fantasia per immaginare il motivo. Ma mi creda, tutto avrei pensato tranne che avesse finto di essere stata uccisa. Quando me l'ha raccontato ho avuto un brivido di paura. Una sorta di presentimento. Gliel'ho anche detto. Ma lei era determinata, convinta che tutto sarebbe andato per il meglio. Poi è successo quello che è successo. Il fratello è praticamente morto mentre era al telefono con lei, anche se la conferma l'abbiamo avuta solo il giorno dopo, quando io mi sono finto un collega per chiamarlo. A quel punto lei ha deciso che era tempo di mettere fine alla follia e tornare in Sicilia. Una follia ancora piú grande...

– Come andò esattamente? Intendo dal principio.

Escher sospirò, come se facesse fatica a raccontare.

– Lori e il suo collega... – iniziò.

– Nicola Antineo? – lo anticipò Vanina.

Escher annuí.

Raccontò una storia che corrispondeva piú o meno a quella che aveva ipotizzato Vanina.

Lorenza finge con Ussaro di aver tirato cocaina e di sentirsi male mentre sta facendo sesso con lui. Finge di perdere i sensi. A quel punto, come previsto, Ussaro precetta Antineo per aiutarlo. Nicola Antineo entra da Lori e poco dopo esce comunicando al professore che è morta. Gli dice di starsene fuori, di non preoccuparsi di nulla, che ci penserà lui a sistemare tutto. Insieme preparano la messinscena. Poi Antineo suggerisce all'avvocato un modo per liberarsi del cadavere. E cosí lo frega, perché se mai quello dovesse accusarlo finirebbe con l'autoaccusarsi. La seconda parte del piano inizia con la fuga di Lori.

– E con che macchina è partita? – chiese Vanina.

– Con una che le aveva prestato Antineo. Le mosse successive spettavano a lei.

– Le telefonate anonime?

– A quanto ho capito, per Lori era importantissimo che di questa faccenda se ne occupasse proprio lei, dottoressa, con la sua squadra.

Il vicequestore si fece sarcastica. – Mi sottovalutava, Lori, – commentò. O forse si era soffermata solo sulla sua attività passata, che poi era quella che ai giornali piaceva strombazzare a destra e a sinistra. L'antimafia. Quanta impressione faceva quella parola. La Iannino doveva aver pensato che scoperchiare il vaso di Pandora delle attività illegali di Ussaro l'avrebbe impegnata al punto da lasciare che l'indagine per omicidio facesse il suo corso senza stare troppo a sottilizzare.

– Perché Nicola Antineo aveva deciso di rischiare cosí tanto per appoggiare il piano di Lori? – chiese Vanina.

– Be', anche lui di torti da Ussaro ne aveva subiti parecchi, ma il motivo principale credo fosse un altro. Antineo era innamorato perso di Lori. Sperava che liberandola dal giogo dell'avvocato avrebbe avuto una chance con lei.

Vanina annotò mentalmente l'informazione.

– E Lorenza come pensava di uscirsene una volta che

Ussaro fosse stato incastrato per tutti i reati realmente commessi? Si sarebbe data alla latitanza, con documenti falsi in qualche Paese del Sudamerica? – chiese Vanina, sempre ironica.

– No, dottoressa. Nella sua follia, che a me pareva assoluta, Lori pensava di ricomparire piú avanti, come se si fosse allontanata volontariamente per sfuggire dal giogo di quell'uomo. Un piano assurdo, che non poteva andare troppo lontano.

Escher si spostò nella sua stanza. Ne uscí cinque minuti dopo con una valigetta ventiquattrore in mano. Pronto a partire.

Spanò nel frattempo aveva svolto il compito che Vanina gli aveva assegnato, e aveva prenotato l'ultimo volo della sera per Catania, cui il maestro s'era accodato.

Del resto mollare la macchina noleggiata a Fiumicino e tornarsene in aereo era quello che il vicequestore aveva previsto di fare in ogni caso, anche se il ritrovamento del cadavere di Lorenza non avesse affrettato i tempi.

Uscendo, passarono attraverso lo studio in cui Escher suonava e riceveva gli allievi.

Vanina si fermò davanti a uno scaffale pieno zeppo di vecchie fotografie. Eccola là, la Dominique Sanda siciliana che gli aveva legato il cuore a vita. In una foto erano insieme nel chiostro del conservatorio. Era difficile definire chi dei due fosse piú bello. In un'altra, presa da lontano, erano su un palco. Vanina riconobbe la Sala Accademica, con l'organo gigante alle loro spalle.

– Quello era stato il primo e unico saggio finale del Conservatorio di Santa Cecilia a cui Laura aveva partecipato. Pensi che durante quel saggio era presente Raymond Gallois-Montbrun, allora direttore del conservatorio di Parigi. A me e a Laura aveva proposto di frequentare una masterclass a Parigi. Avevamo deciso di andarci insieme. Laura era felicissima, – disse Escher. S'incantò a guardare la foto. – Sarebbe diventata una concertista di gran lunga migliore di me.

Fino a quel momento sulla storia con Laura non s'era sbottonato troppo. Le circostanze non lo avevano richiesto. Eppure c'erano aspetti di quella vicenda, lontani anni luce dall'indagine, che attiravano assai Vanina. Non per romanticismo, che non era il suo forte, quanto per solidarietà femminile nei confronti di Laura Di Franco.

– Vuol sapere perché ci tenevo tanto a onorare la volontà di Laura e ad avere il suo violino, a costo di spendere una fortuna? – chiese Escher, senza staccare gli occhi dalla fotografia.

– Certo, – rispose Vanina.

Il maestro poggiò la ventiquattrore per terra e andò ad aprire un cassetto. Tirò fuori un gruppo di spartiti.

– Queste musiche le ha composte Laura, – disse. – Tra la biblioteca del conservatorio e la sua stanza. Lei era capace di cose simili. Si metteva lí, giorno e notte, e componeva la musica. Poi la interpretava, alla sola mia presenza. Con quel violino. Quando è sparita da un giorno all'altro mi ha lasciato questi spartiti. Dedicati a me. Insieme a una lettera terribile in cui mi dichiarava amore eterno per poi lasciarmi per sempre.

– E le spiegò anche il motivo?

– No. Lo fece sua sorella Angelica, dopo, ma ormai era troppo tardi –. Fece una pausa. – Avrei dovuto impedirle di andarsene.

– Perché ci teneva tanto al violino, mi stava dicendo? – gli ricordò Vanina.

Spanò iniziò a guardare l'orologio. Dovevano pure lasciare la macchina all'autonoleggio…

Escher riprese tono. – Avevo creato questa raccolta di musiche composte da Laura, e avevo giurato che un giorno le avrei interpretate sul palco della Sala Accademica del conservatorio. Col suo violino. In suo onore.

Andò a riporre gli spartiti nel cassetto.

– A Lori avrebbe fatto piacere essere presente.

23.

Nicola Antineo era scomparso nel nulla.

La famiglia non aveva sue notizie dalla sera di lunedí 14 novembre. Aveva svuotato le riserve di contanti che i genitori tenevano in casa, portato via qualche vestito e della biancheria. E due pacchi di biscotti. Il cellulare, ovviamente, risultava staccato.

– 'Sa dove si andò a impurtusare, 'sto scimunito, – fu il commento dell'ispettore capo Carmelo Spanò, che alle nove e trenta del mattino era già alla seconda aspirina e combatteva con un malumore che manco quando il Catania era retrocesso dalla serie A.

– Non si sente bene, ispettore? – s'informò Vanina.

– Ho la testa pesante come se di notte e notte qualcuno me l'avesse riempita di cuticciuni. Ma non si preoccupi, dottoressa. È mancanza di sonno.

Il volo della sera prima, l'ultimo che partiva da Roma, avrebbe messo alla prova Giobbe in persona. Prima avevano annunciato mezz'ora di ritardo. Poi la mezz'ora era diventata un'ora e mezzo. Nel frattempo l'uscita d'imbarco era cambiata da una B6 dotata di finger a una scarcagnatissima B22, situata in quelli che Maria Giulia De Rosa denominava gli «scantinati» e dove – sempre a detta di Giuli – tendevano a piazzare gli imbarchi dei voli in partenza per le località *esotiche* del paese. Catania, Palermo, Reggio Calabria, Lamezia Terme, Bari. Con relativo trasporto tramite bus, per raggiungere un aeromobile che minimo minimo era parcheggiato a Fregene.

Il tutto dopo un viaggio in macchina di sette ore all'andata e una raffica di telefonate per via di quel cadavere saltato fuori all'improvviso.

Anche il maestro Escher a un certo punto aveva iniziato ad accusare i colpi della stanchezza e di quel lutto che lo addolorava parecchio. Il vicequestore Guarrasi e l'ispettore Spanò lo avevano lasciato davanti all'*Hotel Excelsior* all'una di notte.

Vanina, manco a dirlo, aveva all'attivo due ore di sonno. E due colazioni.

La prima con Adriano, che aveva fatto pure lui le ore piccole appresso al cadavere di Lorenza Iannino e finalmente poteva ragguagliarla in modo piú preciso.

– La morte è avvenuta piú o meno tra le venti e le ventidue del giorno prima. Per uno shock anafilattico.

Vanina chiese lumi: – Cioè una crisi allergica?

– Sí, una reazione allergica mortale a qualche sostanza assunta probabilmente per via orale. Un farmaco, un alimento.

– E non sei in grado di dirmi cosa l'abbia scatenato?

– Avrei bisogno di fare un esame tossicologico. Ma dovrei avere almeno un'idea di quali sostanze cercare.

Fino a qualche giorno prima Vanina avrebbe detto cocaina, ma ora non sapeva davvero cosa indicargli. Gianfranco Iannino aveva accennato al fatto che la sorella fosse allergica a una grande quantità di farmaci.

– E i lividi, le tumefazioni di cui mi parlavi?

– Sono di poco precedenti alla morte, e ce ne sono su tutto il corpo. In piú, ai lati del collo è evidente la pressione delle dita, come se ci fosse stato un tentativo di strozzamento. Che però, ripeto, non è stato la causa della morte. E c'è una cosa, importante: la ragazza è stata violentata.

Il vicequestore era saltata sulla sedia. – Minchia, Adri! Volevi aspettare un'altra mezz'ora per comunicarmelo?

– Prima non ti dovevo spiegare com'era morta? – s'era giustificato.

– Almeno abbiamo qualche traccia biologica dello stupratore?

Adriano aveva risposto con la faccia prima che con le parole, soddisfatto. – Liquido seminale, in discreta quantità. Oltre a frammenti di cute sotto le unghie della ragazza.

S'era guadagnato un cineforum.

La seconda colazione Vanina l'aveva fatta col commissario Patanè, che aspettava con trepidazione gli sviluppi dell'indagine. La notizia sul giornale l'aveva spiazzato. «Ritrovato in mare il cadavere dell'avvocata catanese scomparsa giorni fa». Quello che ancora i giornali ignoravano era che la morte di Lorenza Iannino non risaliva al lunedí precedente, ma a nemmeno dodici ore prima del suo ritrovamento. Dettaglio che sollevò il commissario dal timore di aver fuorviato la Guarrasi con le sue incursioni a base di vecchie storie e ragionamenti teorici.

– Perciò Ussaro è scagionato dall'accusa di omicidio, – aveva tirato le somme Patanè.

– Se ha un alibi per l'altro ieri sera, e se il suo Dna non corrisponde a quello dello stupratore, direi di sí. Almeno quell'accusa riuscirà a scansiarsela. Ma giusto quella, commissario, perché per il resto c'è da pescare a piene mani.

Tommaso Escher la chiamò a metà mattinata.

– Dottoressa Guarrasi, mi scusi. Ieri mi è uscita di mente un'informazione che potrebbe esservi utile. Forse non le ho detto che quand'era arrivata a Catania Lori mi aveva telefonato.

– Da che numero?

– Proprio questo è il punto. Per il viaggio io avrei voluto darle un mio vecchio cellulare con la sim ancora attiva, ma lei non l'aveva voluto. Diceva che preferiva non coinvolgermi nei suoi *casini*. Però aveva promesso che mi avrebbe contattato appena possibile. E cosí aveva fatto. Due minuti di telefonata, giusto per dirmi che stava bene. Non sapeva cos'avrebbe fatto a quel punto, ma mi diceva di stare tranquillo perché avrebbe cercato di rimediare ai danni. Aveva ribadito i suoi sentimenti per me… Insomma, mi era sembrata tranquilla. Triste ma tranquilla. E mi ricordo che disse di essersi rintanata nel suo appartamento. Quindi ora mi chiedo: non è che il numero da cui mi aveva chiamato potrebbe servirvi? Non lo so, magari è un'idea stupida…

– No no, maestro. Non è affatto un'ipotesi stupida. Anzi, la ringrazio per l'informazione.

Escher le dettò il numero e l'orario della telefonata. Ore 18.50.

Vanina lo passò a Spanò che lo fissò pensieroso e sparí nel suo ufficio. Tornò con gli occhiali sul naso, armato dei vecchi tabulati telefonici di Lorenza. Cercò a colpo sicuro.

– Eccolo qua! Me lo ricordavo, ma volevo esserne certo.

Vanina gli raccontò quello che le aveva appena riferito Escher.

– Dobbiamo mandare la scientifica a casa della Iannino? – chiese l'ispettore.

– Sí, ma prima ci andiamo noi.

La riunione nell'ufficio del vicequestore Guarrasi era quasi plenaria. Spanò, Bonazzoli, Nunnari e Fragapane. Sarebbe stato ammesso anche Lo Faro, ma era assente. Ingiustificato.

– Picciotti, – iniziò Vanina. In piedi, spalle al balcone aperto, sigaretta accesa. – Vediamo di mettere insieme tutti gli elementi che abbiamo raccolto finora. Lorenza Iannino è stata violentata, percossa, quasi strozzata, ma non è morta per questo. È morta per uno shock anafilattico.

La reazione di Nunnari fu immediata. – Quello che rischiai io con lo spezzatino di soia! E che fu, a provocarglielo?

– Non lo sappiamo, ma sappiamo che era allergica a un bel po' di farmaci. Il Dna dello stupratore è stato spedito a Palermo. Nel frattempo dobbiamo darci da fare, senza perdere tempo. Marta, per prima cosa cerca di ottenere al piú presto i tabulati telefonici del cellulare di Nicola Antineo.

– Pensi che c'entri qualcosa con la morte della ragazza? – chiese Marta.

– Sicuramente il fatto che sia sparito non depone a suo favore. Ed è l'unico con cui sappiamo per certo che Lorenza si sia incontrata.

– Ma perché Antineo avrebbe dovuto uccidere la Iannino?

– Oltre che violentarla, – fece il vicequestore.

– Appunto! Perché?

Vanina si appoggiò alla spalliera, mise i gomiti sui braccioli e incrociò le mani all'altezza del mento.

– Perché per Lorenza aveva rischiato assai, come minimo si stava giocando la carriera, e lei invece all'improvviso era tornata indietro e stava per far cadere il castello di carte che avevano costruito. Lo stava lasciando col cerino in mano.

– Quindi lui era quello piú esposto, e di conseguenza avrebbe pagato di piú, per un progetto che in fin dei conti era partito da lei? – ipotizzò Marta.

– Anche. Ma non solo per questo, – fece Vanina. – La fregatura piú grande, Lorenza gliela stava dando su un'altra questione, che poi era quella che l'aveva spinto a esporsi cosí tanto per lei.

Spanò aveva già capito, si vedeva dalla faccia.
Marta aspettava di sentire il seguito.
Vanina si appoggiò alla scrivania.
– Nicola Antineo era innamorato di Lorenza Iannino. Sperava che, una volta libera dal legame con Ussaro, tra loro due potesse nascere qualcosa.
– Magari lei gliel'aveva anche lasciato credere, – fece Nunnari, che in tema di amori non corrisposti era un'autorità.
– Questo non lo sappiamo. Quello che sappiamo, però, è che Antineo è la prima persona che Lorenza ha visto appena arrivata a Catania. Ha persino usato il suo telefono.
– Che giusto giusto dalla sera in cui è morta la ragazza è spento, – puntualizzò Spanò.
– Marta, facciamo una cosa: cerchiamo di localizzarlo.
– Ok, capo. Devo richiedere anche i tabulati?
– Ovvio.
Vanina si alzò in piedi, iniziò a raccogliere telefono, sigarette, accendino...
– Spanò, venga con me. Andiamo a casa della Iannino.
L'ispettore la seguí.

Entrarono nel palazzo con le chiavi di Gianfranco Iannino, che erano rimaste a loro. Chiamarono l'ascensore. Mentre aspettavano, una coppia di anziani formato mignon con un carrellino pieno zeppo di sacchetti della spesa si piazzò dietro di loro.
Vanina si voltò a guardarli. Che camurría, ora le toccava farli passare avanti e aspettare. O usare le scale, che era peggio ancora. Stava meditando sulla cosa quando si sentí bussare sulla spalla. Si girò di scatto.
– Scusi, – fece la signora, sorridendole. – Ma lei per caso è la commissaria di cui si parla sempre sulla «Gazzetta Siciliana»?

– Vicequestore! – la corresse il vecchietto.

– Sí, sono io, – rispose Vanina. La camurría diventava doppia. 'Sto fatto che la gente si ricordava di lei non le piaceva per niente.

– Che combinazione! – disse la signora tutta contenta, manco avesse incontrato Raffaella Carrà. – Gliel'avevo detto io a mè marito, che prima o poi sarebbe venuta a farci qualche domanda.

Vanina rimase con la mano sulla porta dell'ascensore, aperta per far passare i due. Sorpresa.

– Perché sarei dovuta venire a farvi qualche domanda?

– Come, perché? La nostra vicina di casa è stata ammazzata! Alla televisione, negli sceneggiati, cosí fanno i poliziotti: tuppuliano a casa dei vicini.

– *Ficsion*, no sceneggiati, – la corresse il marito.

Vanina iniziava a capire.

– Ah, certo. Ma perché, c'è qualche cosa che volevate dirmi?

– Ca quale! – fece lui, negando con la testa e minimizzando.

– Sí! – rispose lei, contemporaneamente.

– Mettetevi d'accordo, – consigliò Spanò, trattenendo una risata.

– Sí, – ribadí la signora.

– Vabbe', tanti saluti, io me ne salgo, – fece lui, infilandosi nell'ascensore col carrello.

Vanina fece segno a Spanò di salire con lui.

– Entri, intanto, ispettore. Io arrivo subito.

Si voltò verso la signora, mani dietro la schiena.

– Allora, mi dica tutto.

– Cui io?

– E chi, io?

– Certo certo. Perciò: l'altro pomeriggio, mentre stavo

puliziando davanti alla mia porta, vitti arrivare gente. Due persone, maschio e femmina. Alzai la testa e mi trovai davanti 'a signurina Iannino, assieme a un beddu caruso alto, con la faccia pulita ca pareva 'n picciriddu.

Vanina sorrise: la signora l'aveva ritratto meglio di una fotografia. Poi continuò: – Mi pigliò un colpo. I giornali avevano detto che la signurina Iannino era sparita, poi macari che era morta. E ora me la vedevo spuntare davanti accussí! Mi uscí spontaneo, e glielo dissi: ma lei non era morta?

– E lei che le rispose.

– 'Na cosa strana. Tipo che certe volte uno pare vivo e invece sta morendo, e invece quando tutti pensano che è morto sta resuscitando. Io non ci capii nenti, ma ci dissi lo stesso che era vero. Tanto, l'importante è che uno resta vivo.

Vanina cercò di immaginare la conversazione pirandelliana tra Lorenza Iannino e quella vecchietta microscopica.

– E poi? – chiese.

– E poi trasirono dentro casa. Manco un'ora passò che sentii ittare vuci. Ma vuci, commissaria mia! Iddu pareva siddiato, ma assai, e idda ci rispondeva a tono. Si mise macari a gridare. Pareva che la stavano scannando.

Vanina si vide la scena davanti agli occhi.

– Poi che successe? – incalzò.

– Niente, ci fu silenzio. Sentii sbattere la porta.

– E niente vide?

– E come facevo? Nel frattempo me n'ero rientrata a casa mia.

– Altri rumori non ne sentí?

– Sí, dopo un poco sentii acqua che scorreva. Il mio bagno è muro con muro con quello della signurina. Perciò capii che era ancora in casa, e che era sola. Manco mezz'ora e sentii suonare al suo campanello. Dopo un poco di nuovo la porta che si chiudeva. E poi silenzio. Che non finí piú. Stamatina mè marito portò «La Gazzetta Siciliana» e c'era scritto che avevano trovato il cadavere della signurina Iannino. Quando ci dissi che l'avevo vista, manco mi voleva credere. Ma io ce lo assicuro, dottoressa: idda era!

Quest'articolo sul giornale aveva combinato un casino.

– Ci credo, signora...? – Non le aveva chiesto il nome.

– Spampinato.

– Signora Spampinato. Ci credo, perché Lorenza Iannino l'altro ieri pomeriggio era ancora viva. E la ringrazio per le informazioni.

L'ascensore nel frattempo era tornato al piano terra. Entrarono insieme e scesero al secondo piano.

La signora rientrò in casa e Vanina spinse la porta dell'appartamento di Lorenza Iannino. Non ne era sicura, ma un'idea di quello che avrebbe trovato se l'era fatta.

Spanò fissava il letto mezzo disfatto con un'aria tra il truce e il costernato. Uno dei cuscini era macchiato di sangue in piú punti. Sullo stesso lato pareva che qualcuno avesse fatto la lotta. Pareva?

Vanina si mosse piano, attenta a non toccare niente.

Si spostò nelle altre stanze. La cucina era piú o meno come l'aveva vista l'ultima volta, tranne che per un paio di bicchieri sporchi e le sedie spostate. Passò in bagno. Era in disordine, il tappetino da doccia per terra, l'accappatoio buttato sul lavandino. Era macchiato di sangue, sul cappuccio e sulla manica. Una bottiglietta d'acqua ossigenata era appoggiata sulla mensola insieme a dei dischetti di cotone. Per terra, altri dischetti sporchi.

– Dottoressa, a me sembra chiaro che la Iannino è stata violentata qui.

– Sí, ispettore. E a sentire la descrizione che mi fece la vecchietta qui accanto può essere stato solo Antineo.

Gli raccontò in breve quello che le aveva detto la signora.

– Ce l'abbiamo una foto di Antineo? – gli chiese.

– I genitori ce ne hanno data una stamattina, quando denunciarono la scomparsa –. Tirò fuori il telefono e la cercò.

– Vada a mostrarla alla signora Spampinato, giusto per conferma. E chiami la scientifica.

Mentre Spanò andava a bussare alla porta accanto, Vanina rifece il giro della casa. Recuperò dei guanti di lattice dal fondo della borsa e aprí tutti gli armadietti. Di farmaci neppure l'ombra. A eccezione di una confezione di Bentelan in fiale con una siringa accanto. Il kit salvavita di un allergico, questo lo sapeva pure lei.

Tornò in cucina, odorò i bicchieri sporchi. In uno c'era il fondo di qualcosa di alcolico. Aprí l'immondizia, quasi vuota eccetto che per l'involucro di una confezione da sei di bottigliette d'acqua. Ma in giro non c'era nessuna bottiglietta.

Spanò era rientrato.

– La signora riconobbe subito Antineo. E Pappalardo sta arrivando.

Vanina annuí distratta.

– Senta, ispettore, si ricorda per caso se quand'è venuto qui la prima volta ha visto una confezione di bottigliette d'acqua.

– Una confezione d'acqua... – ripeté, sorpreso. Certo che a volte la Guarrasi faceva strammare! Chiuse gli occhi, li riaprí, si allisciò i baffi. – Forse, – andò verso un armadietto, lo aprí con la manica. – Qua c'erano due bottigliette nella confezione. Una se la pigliò la buonanima di Iannino, che aveva bisogno di bere.

– E l'altra?

– L'altra rimase là, penso.

– E ora dov'è?

Spanò la guardava sempre piú perplesso.

– Non lo so, – rispose, incerto.

– Non ce la scordiamo questa cosa.

L'ispettore annuí. Il perché gli era del tutto oscuro, ma nella testa della Guarrasi doveva avere un senso.

In realtà il perché non lo sapeva neppure Vanina. Annaspava alla ricerca di qualcosa che la aiutasse a capire. Indizi utili a rintracciare una possibile sostanza da segnalare a Adriano per l'esame tossicologico.

– Ispettore, dovremmo procurarci qualcosa che appartenga ad Antineo e che possa contenere il suo Dna. Magari se lo faccia dare dai genitori. Parlo io col pm.

Spanò assicurò che ci avrebbe pensato lui.

Pappalardo e i suoi arrivarono quando Vanina e Spanò ormai stavano per andarsene.

Vanina raccomandò di ricercare con attenzione qualunque traccia di farmaci nei bicchieri.

Prima di rientrare si fermarono *da Nino*. Si fecero fuori un piatto di spaghetti al nero di seppia, due fichi d'India a testa e un caffè, e se ne tornarono in ufficio rinfrancati.

Marta li stava aspettando.

– Il telefonino di Antineo è sempre spento, perciò è irrintracciabile. I tabulati spero di averli il prima possibile. Vanina, ti ha cercato un certo dottor Bonanno. Mi ha chiesto di dirti se lo puoi richiamare. Pare che fosse urgente –. Le allungò un numero di telefono.

Vanina si sforzò di ricordare il nome. Bonanno... Ma chi poteva essere? Un lampo illuminò per un attimo il recesso della mente in cui l'aveva relegato. Il tizio che abitava accanto al villino, con la moglie architetto. Bonanno Fortunato. S'era ricordata anche il nome. Chissà che voleva.

– Lo richiamo subito.

Il numero se l'era conservato, in realtà.

Bonanno le rispose quasi subito, ma la lasciò in attesa un paio di minuti.

– Mi scusi, dottoressa, sono al lavoro. Però volevo avvertirla di qualcosa di strano che ho notato al villino. Stanotte, verso l'una, mi sono affacciato e ho visto una luce fioca che filtrava attraverso una tapparella del primo piano. Quando sono tornato a letto ho continuato a pensarci per un'ora. Mi ricordavo che a quel villino avevate messo i sigilli. Poi stamattina ho letto che il cadavere della ragazza era stato trovato e... be', mi è sembrata una coincidenza strana.

Altroché!

Vanina gli assicurò che avrebbe fatto controllare subito. Lo ringraziò.

Chiamò Bonazzoli e Nunnari.

– Prendete la moto e fatevi un giro in via Villini a Mare. Senza farvi notare date un'occhiata al villino della Iannino. Vedete se c'è qualcosa che non vi convince.

– Cosa dovrebbe esserci? – chiese Marta.

– Per ora non te lo dico, altrimenti rischiamo di sbagliare.

La Bonazzoli non commentò, ma s'era indispettita. Girò i tacchi insieme al sovrintendente, che velleità di capire tutto quello che faceva la Guarrasi non ne aveva avute mai e perciò s'era limitato alle due dita sulla fronte.

– Marta, – la richiamò Vanina. – Non t'arrabbiare. Io mi fido ciecamente di te. Ma ho bisogno davvero che voi non sappiate cosa cercare. Perché cosí guardate meglio l'insieme e non rischiate di farvi notare troppo.

Marta si rasserenò.

– Basta che non mi chiedi di recitare il ruolo della coppietta con Nunnari, perché mi rifiuto.

Vanina non glielo garantí.

– Dottoressa Guarrasi, sono il sostituto procuratore Roberto Terrasini.

Una cinquantina d'anni, altezza media, nessun tratto peculiare a parte un naso importante lievemente deviato a destra. Aria sveglia.

Vanina gli strinse la mano e rischiò la frattura del metacarpo. Si scusò per non essersi ancora fatta viva.

Il pm la fece accomodare davanti a lui, a una scrivania ordinatissima e piena di fotografie incorniciate.

– Non si preoccupi. Ho sentito l'ispettore Bonazzoli un paio di volte per una richiesta di tabulati. A quanto ho capito le indagini si stanno concentrando sull'avvocato Antineo.

– Finora sí. Abbiamo anche una testimone oculare che l'ha visto entrare in casa con la Iannino e poi ha sentito delle grida. Il quadro che io e l'ispettore Spanò abbiamo trovato nell'appartamento della ragazza concorda perfettamente con quello di una violenza.

Il pm tirò fuori un foglio da una carpetta.

– Ho letto la relazione del medico legale. A quanto pare la ragazza è morta per uno shock anafilattico. Dunque non per la violenza.

– Sí. Stiamo cercando di individuare quale possa essere la sostanza che gliel'ha scatenato. La Iannino era allergica a molti farmaci, questo ce l'aveva detto il fratello.

– Ho letto anche il rapporto dell'ispettore capo Spanò sul viaggio a Roma, e sulla conversazione avuta con il signor... – Terrasini controllò: – Escher Tommaso. Non mi è molto chiara la posizione di questo Escher nei confronti della vittima.

– È un amico cui Lorenza Iannino ha chiesto ospitalità mentre era in fuga.

Vanina voleva fare molta attenzione a non tirare Escher dentro quella storia. Della buona fede del maestro era certa, come della sua estraneità al piano orchestrato da Lorenza e Nicola. Altro non le serviva sapere. Era tempo che quell'uomo ritrovasse un po' di pace.

Il pm conosceva già tutta la vicenda per come gli era stata riportata da Eliana Recupero. Vanina aggiunse poco.

– Sa piuttosto perché l'ho chiamata, dottoressa? – fece Terrasini, quasi ilare. Non aspettò che lei gli rispondesse. – Perché un paio d'ore fa ho raccolto una deposizione da parte dell'avvocato Elvio Ussaro che si dichiara estraneo alla morte di Lorenza Iannino e accusa l'avvocato Nicola Antineo, il quale poi avrebbe nascosto il cadavere in una valigia e l'avrebbe gettato in mare.

Vanina lo guardò esterrefatta.

– Il tutto sarebbe avvenuto una settimana fa, – aggiunse il pm, sempre piú divertito.

Era ovvio. Il ritrovamento del cadavere, spiattellato sul giornale come se fosse vecchio di una settimana, aveva innescato un meccanismo mortale andando a scardinare il caposaldo della difesa di Ussaro che consisteva nel negare, negare fino alla morte qualunque coinvolgimento, anche marginale. Tanto Nicola Antineo non avrebbe mai parlato. E invece il ragazzo aveva pensato bene di darsela a gambe. Era diventato una mina vagante da cui aspettarsi di tutto, perciò il meno peggio ora sarebbe stato addossare a lui tutta la colpa. Meglio complici dell'occultamento di un cadavere che assassini. Sarebbe stata la sua parola contro quella di Antineo.

– E lei cosa ha fatto, dottore? – chiese Vanina, curiosa di sapere com'era finita.

– E che avrei dovuto fare, dottoressa Guarrasi? Ho aspettato che finisse di parlare e poi gli ho chiesto dove si trovava l'altro ieri sera tra le venti e le ventidue.

Vanina si sforzò per non battergli le mani.

– E lui?

– Lui mi ha chiesto perché lo volevo sapere e io gliel'ho spiegato. Era un po' provato, al termine del colloquio, ma l'alibi che mi ha fornito è bello forte. Del resto, non ne dubitavo. In questo momento Ussaro è strettamente sorvegliato e sarebbe stato un pazzo autolesionista ad avvicinare la Iannino, ammesso che avesse saputo che era viva ed era tornata a Catania.

Vanina concordò con lui.

Gli chiese l'autorizzazione a prelevare materiale dalla casa dei genitori di Antineo, al fine di comparare il Dna con il risultato che avrebbero ricevuto da Palermo.

Prima di andarsene passò a salutare la Recupero. La trovò sommersa dalle carte, un vasetto di yogurt quasi finito messo di lato. I capelli, cortissimi, da rossi erano diventati biondi.

Si fece ragguagliare sull'altro fronte delle indagini che riguardavano Ussaro.

Un fronte oceanico.

– Vede, dottoressa Guarrasi, – disse infine la pm, – quelli come Ussaro finiscono col gestire il proprio potere e col condurre i propri illeciti in maniera talmente arrogante da non capire quando stanno oltrepassando i limiti. E prima o poi qualcuno che gliela fa pagare lo trovano sempre. Questione di tempo.

Era esattamente quello che stava pensando Vanina.

Marta e Nunnari rientrarono dopo un'ora. Il sovrintendente pareva scombussolato.

– Nunnari, che fu? La Bonazzoli corre assai con la moto? – fece Vanina appena lo vide caracollare nel corridoio.

– No no, – rispose lui.

La verità era ben altra, e la velocità raggiunta dalla Bonazzoli c'entrava solo marginalmente. Quella scarrozzata in moto aveva turbato il sovrintendente come mai gli era capitato nella sua vita, costringendolo a stare avvinghiato alla diretta superiore per cui lui aveva un debole, ma che notoriamente non lo considerava manco da lontano.

Una tortura simile Nunnari non l'avrebbe augurata neppure al suo peggior nemico.

– Abbiamo fatto un paio di giri intorno alla villetta. Cosí, di primo acchito, non sembra che ci sia nulla di strano. Forse, ma dico forse perché non so se nel frattempo, dopo l'ultimo sopralluogo della scientifica, fosse cambiato qualcosa, le persiane del piano inferiore sono piú chiuse di come le abbiamo trovate noi l'ultima volta.

– Va bene, grazie.

– Ora me lo dici perché mi ci hai mandato? E per di piú in moto? Guidare con Nunnari attaccato dietro è stata una faticaccia indescrivibile! Pesa il triplo di me!

– Ti ci ho mandato perché avevo ricevuto una segnalazione e volevo verificare. In moto perché con il casco eravate meno riconoscibili. Mi serviva per capire se fosse plausibile una mia ipotesi, alquanto aleatoria. Ma mi sembra che non ci sia niente di che.

– Posso conoscere questa ipotesi?

– Domani te la dico.

– Perché domani?

Vanina non rispose. – I tabulati telefonici di Antineo arrivarono? – Aveva cambiato argomento.

Marta si alzò rassegnata. Andò nella sua stanza e tornò con in mano i tabulati, freschi freschi di trasmissione.

Confermavano tutto quello che Vanina aveva supposto.

Antineo aveva ricevuto una telefonata da un numero fisso corrispondente all'area di servizio Rogliano Ovest. La Iannino aveva usato lo stesso sistema dell'andata.

La chiamata che la ragazza aveva fatto a Escher, durata in tutto due minuti e nove secondi, era stata preceduta di pochissimo da un'altra telefonata, fatta a un numero che – Marta controllò – corrispondeva a Grazia Sensini, vedova Iannino.

La donna era stata contattata la sera prima ed era appena atterrata a Catania. Si precipitò subito alla Mobile. Era piú affranta di prima, piú magra e piú trasandata. Del resto bisognava capirla: nel giro di una settimana aveva dovuto seppellire un marito e, adesso, una cognata. Aveva passato giorni difficili, in una città che conosceva a malapena e dove le circostanze l'avevano costretta a tornare dopo neppure due giorni dal rientro a casa.

– Dov'è Lori? – chiese, contrita. Era stata avvertita che, in quanto unica parente, avrebbe dovuto riconoscere il cadavere.

Vanina le assicurò che l'ispettore Bonazzoli l'avrebbe accompagnata subito all'obitorio.

– Chi è stato, dottoressa Guarrasi? – L'espressione era dura, ma non piú livorosa come la volta precedente. L'assassino di Lori, del resto, non era piú identificabile con quello di suo marito. Restava l'amarezza per la perdita della cognata, ma non era la stessa cosa.

– So che lei aveva sentito Lori, la sera in cui è stata uccisa, – disse Vanina.

La signora rimase sorpresa. – Sí, l'avevo sentita… Ma come fa a saperlo?

Vanina sorrise. – Signora, è il mio mestiere.

Grazia ricambiò il sorriso. – Certo. E lo fa benissimo.

– La ringrazio. Cosa le disse, Lori, quella sera?

– Che un giorno mi avrebbe spiegato tutto, che era affranta per non essere potuta venire al funerale di mio marito... suo fratello. E che era meglio che non ci vedessimo. Poi io sono partita.

Marta era pronta per accompagnarla all'obitorio per il riconoscimento.

– Si fermerà a Catania? – le chiese Vanina.

– Sí, finché non potrò portare mia cognata a Siracusa, vicino ai suoi cari. E a Gianfranco –. Lo sguardo le si incupí, come ogni volta che nominava il marito.

La Sensini e l'ispettore Bonazzoli se n'erano appena andate quando il sovrintendente Pappalardo della scientifica bussò alla porta della Guarrasi.

Vanina non si aspettava di vederlo.

– Pappalardo, s'accomodi.

– Grazie, dottoressa. Ho preferito passare di persona perché ho qualcosa da farle vedere –. Aprí una valigetta e tirò fuori un reperto, lo appoggiò sulla scrivania del vicequestore. – L'abbiamo trovato in casa della vittima, nel portaombrelli dell'ingresso.

Infilato dentro la busta di plastica trasparente c'era l'incarto di un'aspirina C effervescente.

– Non so quanto possa valere, ma la superficie è liscia. Vediamo se posso ricavarci qualche impronta. Non le prometto niente! – disse Pappalardo.

Intanto avevano almeno una sostanza da ricercare.

– Grazie di avermelo portato subito, Pappalardo. E poi tutto quello che riuscirà a fare sarà sempre un aiuto prezioso.

Per i reperti contenenti materiale biologico purtroppo i tempi s'allungavano perché bisognava spedirli a Palermo.

– Ah, dottoressa! – fece Pappalardo, prima di andarsene.

– Mi sono portato dietro anche quella confezione dell'acqua che mi ha indicato lei. Però vorrei capire che devo farci.

L'avesse saputo anche lei!

– Ci faccia quello che può. Magari proviamo a scoprire se ci sono impronte.

Pappalardo sorrise. – Chissà quante ce ne saranno, dottoressa! Impiegati del supermercato, cassieri, la Iannino, il fratello... abbiamo voglia!

– Lei veda solo le piú recenti, – disse Vanina.

Appena Pappalardo se ne andò chiamò Adriano e gli comunicò che tipo di esame tossicologico doveva eseguire. Acido acetilsalicilico piú acido ascorbico.

Vanina uscí dall'ufficio alle otto. Si sentiva stanca come se avesse scalato l'Etna, eppure era passata da una sedia a una poltrona, al sedile di un'automobile. Al massimo quattro passi fino al bar. Otto se considerava l'andata e il ritorno.

La verità era che aveva dormito solo due ore dopo un viaggio estenuante, mentre l'indagine procedeva a un ritmo sempre piú serrato, come succedeva ogni volta che la fine era vicina. Questa era la vera zavorra che Vanina si portava dietro: una zavorra grave, perché la sua maledetta natura di animale notturno non si curava che lei fosse o non fosse distrutta. E con il passare delle ore serali il suo stato di veglia si sarebbe persino rafforzato.

Giuli l'aveva tartassata di messaggi. Tutti con lo stesso tema: quando ci vediamo?

La chiamò mentre risaliva lungo via Ventimiglia per arrivare in via di Sangiuliano, dov'era riuscita a mollare la Mini quella mattina.

– Sicuramente sarai in un momento topico dell'indagine, ma non è che avresti cinque minuti per la tua amica? – fece Giuli.

– Giuli, mi piacerebbe tanto averli per me cinque minuti, in questi giorni.

– E se venissi a casa tua? Mi sorbisco anche uno dei tuoi film arcaici, guarda!

Era una dichiarazione d'amicizia.

Ma Vanina non cedette. Aveva bisogno di stravaccarsi sul divano e chiudere gli occhi aspettando che la stanchezza avesse la meglio.

Recuperò la macchina e prese la strada per Santo Stefano. Se la fece tutta ascoltando la musica classica che aveva scaricato la sera prima insieme al maestro Escher, mentre aspettavano di imbarcarsi in aereo. Era rilassante.

Le venne in mente che non aveva sue notizie.

Lo chiamò.

Escher era a Riposto, a cena in casa di Angelica Di Franco.

– Comincio a elaborare la realtà, purtroppo, – disse, quando gli chiese come stava. – E la realtà è che una persona cui volevo bene è stata uccisa in modo barbaro, e io non ho potuto fare nulla per salvarla. Ancora una volta...

– Lei non c'entra, maestro. Non avrebbe potuto fare niente neppure se fosse venuto giú insieme a Lorenza.

– Può darsi, ma io continuo a sentire di avere una colpa. Non so quale. Forse, quando lei avrà preso l'assassino e avrà capito quello che è successo, riuscirò a farmene una ragione. Per adesso è cosí.

Lo salutò.

La *Sinfonia n. 3 in fa maggiore* di Brahms la accompagnò fino a Santo Stefano.

S'era addormentata da quasi quattro ore sul divano grigio, avvolta nel plaid che sere prima aveva tirato fuori per Adriano e che poi era rimasto lí in giro. Un sonno piombigno che pareva aver staccato tutte le connessioni al suo cervello inchiodandola lí, senza lasciarle neppure la forza di trascinarsi fino al letto. Quando alle tre e mezzo aprí gli occhi all'improvviso, invece, le sembrò di aver passato quel tempo a elaborare informazioni. Che l'avevano condotta a una conclusione. Aveva sbagliato i tempi.

Si alzò di corsa, si infilò fondina e giacca, prese le chiavi della macchina, le sigarette, il telefono e uscí.

Era la seconda volta nel corso di quell'indagine che si ritrovava a percorrere la strada da casa sua a via Villini a Mare di notte, da sola. Però stavolta c'era qualcosa di diverso. Un'urgenza che le faceva premere l'acceleratore, come se la strada giusta fosse a un passo da lei, pronta per essere imboccata. La pista giusta, seguita con la determinazione di un cane da caccia che corre verso la preda guidato da qualcosa che solo lui percepisce. Il fiuto.

La soluzione del caso.

Aveva sbagliato i tempi, perché la segnalazione di Bonanno si riferiva a qualcosa visibile solo di notte. Quando le cose piú strane sembrano possibili. Il buio, il sonno degli altri ti fanno da protezione e pensi di poter venire allo scoperto, tanto nessuno ti vedrà mai.

Vanina si piazzò davanti al villino a fari spenti. Concentrò l'attenzione sulle persiane del piano superiore. Forse era una sensazione. Pura suggestione. Eppure…

Eppure quella luce c'era. Debole, fioca, nascosta, ma c'era.

Si rese conto che la sua corsa solitaria finiva lí. Per fare quello che aveva in mente aveva bisogno di qualcun altro. Della sua squadra.

Cercò nelle note del telefono i turni della settimana. Lesse il nome di chi era in servizio quella notte.

Fece il numero.

– Dottoressa, – rispose Spanò, la voce impastata dal sonno.

– Ispettore, mi scusi, ho letto che era di turno.

– Veramente lo scambiai con Fragapane, dopo la nottata di ieri avevo bisogno di tornarmene a casa.

– Allora chiamo Fragapane, – fece Vanina.

– Dottoressa, se lei mi sta chiamando a quest'ora vuol dire che chissà dov'è e che cosa sta facendo. Perciò mi dica tutte cose di corsa, se no rintraccio il telefono e la vengo a cercare.

Vanina sorrise a quella minaccia.

Gli disse dov'era, e quello che aveva intenzione di fare.

Spanò rimase in silenzio un momento. – E lei si voleva portare a Fragapane?

La Polo dell'ispettore comparve lungo la strada a fari spenti. Accanto a lui era seduto qualcuno.

L'agente Lo Faro scese dal lato passeggero senza fare rumore. La piega del cuscino ancora stampata sulla faccia. Salutò Vanina, che girò dal lato del guidatore e aspettò che Spanò uscisse.

– Meglio essere in tre, e lui era l'unico che potevo recuperare in fretta, – si giustificò l'ispettore.

Saltarono il solito muretto ed entrarono nel giardino. Le luci perimetrali erano accese come al solito, il che aiutava. Girarono intorno alla casa e raggiunsero la porta finestra sul retro. Le imposte erano state chiuse e non era possibile vedere l'interno.

Spanò alzò gli occhi verso la finestra al piano superiore che la Guarrasi gli aveva indicato.

Annuí, in segno di accordo. Pure secondo lui c'era una luce accesa.

Lo Faro non fiatava. Vanina si sarebbe giocata qualunque cosa che se la stava facendo sotto dalla paura.

– Lo Faro, – gli disse sottovoce, – ora io e Spanò entriamo in casa, mentre tu copri l'esterno. Mi sono spiegata?

L'agente annuí ritmicamente.

– Se hai qualcosa da chiedermi, fallo ora.

Quello negò, allo stesso ritmo.

Spanò tirò fuori le chiavi del villino, che erano rimaste in ufficio da loro.

Tornarono all'entrata principale e aprirono il portoncino senza fare rumore. I sigilli erano stati staccati, segno che qualcuno era entrato.

L'ispettore si appese il telefono al collo con la torcia accesa.

Pistola in mano, iniziarono a salire le scale, lentamente. Vanina avanti e Spanò dietro. Appena furono al piano superiore, l'ispettore spense la torcia. La luce della stanza in fondo rischiarava un po' tutto il corridoio. La raggiunsero ed entrarono, prima l'arma, poi loro.

Nicola Antineo si svegliò di soprassalto e iniziò a urlare di terrore, finché non realizzò che aveva davanti il vicequestore Guarrasi e l'ispettore capo Spanò.

Iniziò a piangere.

24.

Il pm Terrasini aveva delegato Vanina all'interrogatorio di Nicola Antineo, che se n'era stato per un'ora ingabbiato nella stanza dei carusi, sotto la stretta vigilanza di Spanò e di Lo Faro. Non aveva detto ancora una parola.

E adesso era lí, nell'ufficio del vicequestore aggiunto Giovanna Guarrasi, che lo fissava con occhi glaciali.

Barba lunga, faccia stravolta, occhi rossi. Testa bassa.

Muto.

Altri cinque minuti cosí e Vanina sarebbe uscita fuori dai gangheri.

Che fosse lui l'autore della violenza nei confronti di Lorenza Iannino per il vicequestore era un fatto assodato, e il pm concordava con lei. L'esame del Dna avrebbe solo fornito un dato che l'avrebbe attestata. Sull'omicidio, invece, non avevano che elementi indiziali. Numerosi e convergenti tra di loro, però, al punto da costruire un quadro che lo incastrava ugualmente.

Dei due reati per cui stava per arrestarlo, quello che a Vanina faceva maggiormente salire il sangue alla testa era il primo. Il piú vile, il piú schifoso.

Il vicequestore si sforzò di mantenere la calma, si accese la terza sigaretta della situazione.

– Senti, Antineo, tu non sei un ignorante. Conosci la legge. Sai benissimo che se sei qui è perché io ho elementi a sufficienza per trattenerti. E sappi che, o parli o non parli, le prove per sbatterti dentro ce le ho comunque. Se t'è rimasto un minimo di cervello, capisci che startene muto non giocherà a tuo favore. Perciò ti ripeto la domanda: come sono andati i fatti?

Antineo alzò gli occhi.

– Da dove devo cominciare?

Vanina si appoggiò alla spalliera della poltrona. A lei bastava che confessasse di aver stuprato e ucciso Lorenza Iannino, per il resto poteva pure ingoiarsi la lingua. Ma farlo parlare avrebbe fornito molte piú informazioni, utili anche ad altro. Perciò.

– Da dove vuoi, – gli rispose.

L'avvocato prese un respiro, interrotto da un paio di singhiozzi.

– Tutto è iniziato quando Lori s'è fissata che voleva incastrare a tutti i costi il professore Ussaro. Era arrivata al punto da non poterne piú. C'era arrivata prima di me, solo perché i suoi rapporti con lui erano piú stretti di quanto non lo fossero i miei e le porcherie che s'era abbassata a fare per compiacerlo toccavano ambiti diversi. Anche personali. Solo che se si entra in un simile sistema poi è difficile sganciarsene senza giocarsi definitivamente la carriera. Quando Lori iniziò a prospettarmi la possibilità di liberarci di lui, inchiodandolo per tutte le schifezze che gli avevamo visto fare, e nelle quali ci aveva trascinato, io pensai che forse aveva ragione lei, e che quella era l'unica occasione che avevamo per riprenderci la nostra vita. Da quel momento il nostro rapporto cambiò. Diventammo complici. Parlavamo in codice, ci capivamo al volo, lavoravamo allo stesso progetto. Lori mi dedicava attenzioni che… non avrei mai sperato…

– Eri attratto da lei?

Antineo la guardò stupito. – Io la amavo, – la corresse, quasi indignato.

Vanina si fece sardonica. – Scusami, sai. Usare la parola innamorato con uno stupratore mi viene un poco difficile.

Quello si agitò. – Io non… – Si fermò. Poi continuò: – Sapevamo che per incastrare uno come Ussaro bisognava colpirlo là dove non s'era mai costruito preventivamente una difesa. E qual è il reato per cui non ci si può costruire una difesa preventiva, dottoressa?

– Quello che non hai mai commesso.

Antineo annuí lentamente, con un sorriso strano.

– Raccontami com'è andata veramente quella sera, – fece Vanina.

– Era tutto organizzato nei dettagli. Io mi presentai alla festa poco prima delle undici. Mi feci vedere da Ussaro prima che lei se lo portasse nel soggiorno. Gli invitati erano sparpagliati in giro, molti in giardino. Non mi vide nessuno. Mi nascosi, in modo da non essere rintracciabile se non per telefono. Cosí sarebbe rimasta traccia del fatto che mi aveva chiamato lui. Lori finse di sentirsi male per la cocaina. Come avevamo previsto, lui entrò nel pallone. Una situazione del genere non sarebbe stato in grado di gestirla da solo. Per fortuna aveva il suo schiavetto preferito a portata di mano. Mi chiamò, e io arrivai quasi subito. Mi misi a disposizione e gli dissi di starsene fuori, che ci pensavo io. Poco dopo gli comunicai che Lori era morta. Lui cominciò a fare il pazzo, aveva mandato via gli invitati, aveva coinvolto Alicuti e suo figlio, che appena videro la malaparata se la svignarono di corsa.

– E Susanna Spada?

– Era con loro, ma non penso si sia accorta di niente. E anche in quel caso non avrebbe mosso un dito. Ormai è saltata nel letto piú importante. Ussaro le serve solo come fonte di guadagno e manco la può buttare fuori, perché se no l'amico onorevole si risentirebbe.

– Torniamo a noi, – lo invitò il vicequestore.

Antineo raccontò il resto.

– Quindi dicesti tu a Ussaro che Lori era morta?

– Sí. Glielo feci credere. Lui andò nel panico, iniziò a dire che avrei dovuto aiutarlo... E infatti me ne occupai io, – sorrise, – con l'aiuto di Lori in persona.

Vanina non aveva bisogno di sapere il resto.

– Perché hai ammazzato Lori? – sparò.

Quello ebbe un sussulto, scosse la testa.

– Io non ho ammazzato Lori... Io amavo Lori.

– Ah, allora è per questo che l'hai stuprata? Perché la amavi?

– Io non... Non l'ho violentata...

– È vero, non l'hai solo violentata. L'hai anche picchiata, hai tentato di strozzarla. E poi sei scappato.

Antineo aveva sbarrato gli occhi, era cereo.

Vanina si protese in avanti sulla scrivania, lo sguardo affilato. Proseguí: – Quando hai capito la cazzata che avevi fatto, che Lori avrebbe potuto denunciarti e non te ne saresti uscito piú, hai architettato un modo per farla fuori senza ulteriore chiasso. Sapevi che lei era allergica ai farmaci, e le hai fatto bere dell'aspirina. Dopodiché hai aspettato che si facesse notte, l'hai caricata in macchina, sei sceso fino al lungomare e l'hai scaricata sullo scivolo delle barche.

Antineo aveva le pupille dilatate. Scuoteva la testa.

– Io non l'ho ammazzata, – ripeteva.

– Perciò non l'hai ammazzata ma l'hai solo violentata? – ripeté Vanina.

– Io non l'ho violentata! – fece Antineo, scattando in piedi. Spanò lo ributtò giú con forza.

– Oh, Antineo! Occhio a quello che fai.

– Antineo, è inutile che neghi, – alzò la voce Vanina.

– Tra un paio d'ore su questo tavolo ci saranno i risultati dell'esame del Dna che ti inchioderanno. Perciò tanto vale che lo ammetti. O pensavi che quello che avevi fatto non avrebbe lasciato tracce?

Antineo scosse di nuovo la testa, ma lentamente.

– Dopo tutto quello che avevo fatto per lei, dopo quello che avevamo condiviso… Io avevo creduto che poi sarebbe stato tutto diverso… che anche lei si sarebbe innamorata di me. Me l'aveva fatto credere! E invece…

– E invece s'era innamorata di un altro?

L'avvocato annuí, la testa bassa.

Vanina continuò. – Tu l'hai capito quella sera, quando l'hai sentita parlare al telefono con lui, e hai perso la testa. È cosí?

Quello rialzò gli occhi. – Gli parlava come non l'avevo mai sentita parlare con nessuno. Gli diceva quant'era importante, quant'era speciale, quanto avrebbe voluto che cambiasse idea su quello che poteva esserci tra loro… Lo pregava, quasi! Capii che doveva essere l'uomo misterioso da cui era andata a stare. Un amico, mi aveva detto. Se gli chiedo di ospitarmi, non mi dice di no. Invece era andata da lui solo perché ne era innamorata. E io qui a fare il lavoro sporco, per lei! Quando glielo dissi rispose che io ero come un fratello, che non ci sarebbe stato mai niente tra noi. Un fratello… – Fece una pausa. – Io… non potevo accettarlo.

– E cosí te la sei presa con la forza.

– Ho dovuto… – vaneggiò. Poi di colpo tornò in sé: – Ma non l'ho uccisa.

Vanina decise di chiuderla lí.

Tanto su quel punto non avrebbe ottenuto niente. La legge Antineo la conosceva. Un omicidio di cui non c'erano prove non l'avrebbe confessato mai.

Il vicequestore chiamò il pm Terrasini, che dispose il fermo.

Qualche ora piú tardi Nicola Antineo entrava nel carcere di piazza Lanza.

Il maestro Escher ascoltò il racconto di Vanina amareggiato.

– Visto, dottoressa? Che le dicevo? Anch'io ho una colpa per quello che è successo. Se Lori non si fosse innamorata di me, forse a quest'ora sarebbe ancora viva.

Vanina gli disse che non ne era cosí sicura. Non sapeva perché, ma era la verità.

Escher sarebbe rimasto a Catania fino ai funerali. Aveva anche contattato la cognata della Iannino.

Nel frattempo stava coltivando l'amicizia con Angelica Di Franco e con suo marito. Gli unici della famiglia di Laura con cui lui avesse mai avuto rapporti.

Sui giornali c'era l'imbarazzo della scelta: da una parte la notizia dello stupro e dell'omicidio di Lorenza Iannino, con relative foto e curriculum di Antineo; dall'altra l'inchiesta portata avanti da Eliana Recupero su un giro di riciclaggio di denaro che grazie alle prove fornite da Lorenza – ma questo non era scritto – e a intercettazioni ambientali fatte in quei giorni dagli uomini della Squadra criminalità organizzata della Mobile, aveva avuto una svolta sensazionale. Tre arresti, tra cui quello di Elvio Ussaro e di suo suocero, Fernando Maria Spadafora.

Paolo chiamò Vanina per complimentarsi. Due giorni dopo sarebbe stato a Catania per lavoro.

– Potremmo pranzare insieme? – propose.

Lei rispose di sí, anche se non era convinta che fosse una buona idea.

Manfredi Monterreale si presentò a casa di Vanina quella sera a sorpresa, equipaggiato di un ben di Dio cucinato da lui. Servizio catering, annunciò al citofono.

Prima di entrare da lei dovette passare per le Forche Caudine di Bettina, che cominciava a preoccuparsi per la quantità di presenze maschili che vedeva transitare nella dépendance di Vannina. Va bene i tempi moderni, ma prima Calí che arrivava la sera e usciva l'indomani mattina, ora quest'altro – che sempre medico era e pure simpatico – che le portava la cena a domicilio. Ma il beddu dottore Malfitano se lo voleva scordare proprio?

Vanina era contenta dell'improvvisata di Manfredi. Forse sarebbe stata l'occasione giusta per ricondurre la loro storia nei confini da cui non avrebbe mai dovuto permettere che uscisse.

S'era preparata gli argomenti, ma non riusciva a trovare il modo per tirarli fuori.

Quando lui s'avvicinò per baciarla lei si ritrasse. Con fatica, questo doveva ammetterlo, perché Manfredi le piaceva, ma anche con fermezza.

– Manfredi, senti, io devo essere sincera con te...

Ma lui non l'aveva lasciata finire.

– Non ti preoccupare, Vanina. Lo so. Lo sapevo pure prima, se è per questo. Speravo che per te Paolo Malfitano fosse un capitolo chiuso, ma ho capito che non lo è. È bastato vedere com'eri cambiata al ritorno da Palermo.

– Non è cosí semplice, – disse Vanina.

– No, non lo è. E neppure rinunciare a priori lo è. Perciò teniamoci le cose come sono, – alzò il bicchiere per suggellare il patto.

A mezzanotte e mezzo, dopo due ore di chiacchierata in mezzo agli agrumi, Manfredi se ne tornò a casa.

Vanina allungò i piedi sulla sedia di ferro. S'era intabarrata nel plaid e stava bevendo l'ultimo bicchierino di amaro all'arancia prima di andarsene a dormire. O a tentare di farlo.

Tirò fuori l'ultima sigaretta e se la godette in santa pace, lo sguardo rivolto alla *muntagna* che le faceva compagnia sbuffando un filo di fumo.

L'indagine era praticamente conclusa. Il Dna dello stupratore corrispondeva a quello di Antineo. Che continuava a insistere con la sua linea di difesa.

Stupratore sí, ma assassino no. Questa era la sintesi.

Eppure gli elementi erano tali e tanti, e concordavano tra loro cosí bene, che dubbi secondo il pm Terrasini non potevano essercene.

Una conclusione ragionevolmente condivisibile.

Allora perché Vanina aveva la sensazione che le fosse sfuggito qualcosa?

25.

Il commissario Patanè si presentò verso le dieci e mezzo.

Stavolta alla colazione ci aveva pensato lui. Un vassoio di iris che sarebbero bastati per tutta la squadra Mobile, e da cui aveva attinto anche Macchia che s'era fermato mezz'ora a parlare con lui. Bisognava ammetterlo, il contributo che il commissario continuava a dare alla squadra era sempre prezioso. Beata la Guarrasi che godeva della sua collaborazione.

La solita presa in giro bonaria cui Patanè aveva ormai fatto il callo.

– E perciò Lorenza Iannino finí nel modo peggiore possibile, – concluse il commissario, dopo che tutti furono usciti dalla stanza della Guarrasi.

Erano rimasti solo loro due, faccia a faccia, Gauloises accesa.

– Una morte doppia, commissario. Quella interiore, a causa dello stupro subito, e quella fisica, per soffocamento. Terribili entrambe.

– Piú quella simulata, – rifletté Patanè.

– Quella Lorenza la considerava come una rinascita a una nuova vita. E sperava persino di poterla condividere con un nuovo amore.

– Certo che Antineo è stato arguto. Ha fatto in modo da staccare l'omicidio dallo stupro. Poteva finire di strozzarla e buonanotte ai pupi, – fece il commissario.

Vanina annuí, pensosa.

Patanè la fissò.

– Dottoressa, me la dice la verità? C'è qualche cosa che non le torna?

– No, niente, – rispose.

Patanè finse di crederci.

Vanina non voleva ammetterlo nemmeno a sé stessa, ma qualcosa che non le tornava, da qualche parte, ci doveva essere. Anche se non sapeva ancora cosa fosse.

Le parole del commissario le tornarono in mente per tutta la mattinata. Se le portò dietro a pranzo e ci prese insieme il caffè. Non aveva altro da fare, del resto.

Antineo era stato arguto, a staccare l'omicidio dallo stupro.

Vanina non riusciva a immaginarselo, Antineo, come uno arguto.

Spanò le consegnò il rapporto della scientifica con tutti i risultati. Dna, impronte digitali. Piú l'esame tossicologico sul cadavere della Iannino che confermava la presenza di acido acetilsalicilico. La causa della morte.

Vanina se lo rilesse, con calma, come non aveva avuto ancora il tempo di fare.

L'occhio le cadde sull'indagine che Pappalardo aveva fatto per lei sulla confezione dell'acqua minerale. Come previsto, di impronte digitali ce n'erano a bizzeffe, ma una era la piú recente di tutte. Non corrispondeva a nessuna di quelle analizzate fino ad allora. Se non in minima parte con un frammento d'impronta trovato sull'involucro dell'aspirina. Cosí scarso da non essere nemmeno attendibile.

Vanina rimase a guardarla per qualche minuto.

Alzò il telefono e fece il numero di Pappalardo.

– Mi dica, dottoressa, – le rispose subito.

– Voi avete analizzato tutti i bicchieri che c'erano a casa della Iannino, vero?

– Certo.

– E nessuno conteneva aspirina?

– No. Ma consideri che, se per esempio fosse stato lavato col detersivo, non avremmo mai potuto trovarne.

Vanina passò avanti. – Senta, Pappalardo, guardando il vostro rapporto ho notato che sulla confezione di plastica dell'acqua c'era un'impronta digitale molto distinguibile. E ho visto che avete trovato qualche punto di concordanza con quella presente sulla confezione dell'aspirina.

– Sono pochissimi punti, dottoressa. Talmente pochi che sembrano concordanti pure con altre impronte.

– Tipo quelle di Antineo?

– Sí, anche quelle. Ma, ripeto, sono pochissimi punti. Non fanno testo.

No, non facevano testo.

Però le parole del commissario non smettevano di tornarle in mente.

– Dottoressa, tutto a posto? – fece Spanò, entrando nella sua stanza.

– Sí, tutto a posto.

L'ispettore si sedette di fronte a lei.

– Sicuro? – disse.

Vanina lo fissò. Con qualcuno doveva pur parlarne.

– Senta, ispettore, secondo lei uno capace di premeditare un omicidio come ha fatto Antineo è cosí sprovveduto da stuprare una ragazza senza curarsi delle tracce che sta lasciando.

Spanò si appoggiò alla poltroncina.

– No, dottoressa! Non mi dica che non ne è piú sicura!

Se non era sicura la Guarrasi significava che prima o dopo tutto sarebbe stato rimesso in discussione.

Macchia, che era sulla porta e stava entrando, si bloccò.

– Che significa che non ne sei piú sicura? – chiese, preoccupato.

L'illuminazione arrivò a Vanina quando lesse l'ultima deposizione rilasciata da Antineo a Terrasini, in cui diceva, a sostegno della sua estraneità all'omicidio, di non essere a conoscenza del fatto che Lori fosse allergica a dei farmaci.

Vanina chiamò il pm.

– Mi scusi, dottore, ma Antineo le ha spiegato anche perché non lo sapeva?

Il pm rimase sorpreso dalla domanda.

– Ha detto che lei non gliene aveva mai parlato.

Vanina ci meditò su un minuto.

– Dottoressa Guarrasi? – la sollecitò il magistrato.

– Dottor Terrasini, devo annunciarle una cosa: potrebbe essere vero.

Terrasini rimase basito.

Come aveva fatto a non pensarci prima?

S'era fermata alla superficie. A quello che pareva ovvio.

Se uno stupra una ragazza e quella ragazza muore, l'assassino non può essere che lui. Anche se per ucciderla ha attuato un piano a dir poco macchinoso. Poteva finire di strozzarla e buonanotte ai pupi, aveva detto Patanè. Cosí fa uno stupratore.

Nicola Antineo aveva dichiarato di non sapere che Lorenza fosse allergica ai farmaci perché lei non gliel'aveva detto. Ma perché Lorenza avrebbe dovuto dirglielo?

Nel giro di mezz'ora Vanina aveva chiamato Eugenia

Livolsi, Tommaso Escher, e persino Raffaele Giordanella, che le aveva risposto dall'aeroporto di Montréal dove stava prendendo un volo per venire ai funerali di Lori.

Tutti le avevano risposto allo stesso modo. I primi due non avevano idea che lei avesse quel problema. – Lori stava bene, perché doveva preoccuparsi di raccontarmi le sue allergie ai farmaci? – aveva detto Escher. Persino Giordanella, da medico, ne era venuto a conoscenza per caso dopo qualche tempo che stavano insieme, solo perché lei s'era beccata l'influenza. E aveva anche confermato: Lori non avrebbe mai avvicinato la bocca volontariamente a un bicchiere contenente aspirina.

Non restavano grandi dubbi.

E piú Vanina ci pensava, piú se ne convinceva.

Doveva solo fare qualche verifica, ma il risultato per lei era quasi certo.

Chiamò Spanò e gli disse tutto quello che doveva fare.

Al cimitero di Siracusa, a dare l'ultimo saluto a Lorenza Iannino, c'erano una decina di persone.

Vanina, Spanò e la Bonazzoli si tennero a distanza per non disturbare il momento, che per alcuni dei presenti era sicuramente molto doloroso.

Tommaso Escher se ne stava di lato. Le mani dietro la schiena, gli occhiali scuri. Accanto a lui Eugenia Livolsi che piangeva abbracciata a un uomo, e un altro uomo che poteva essere Raffaele Giordanella. Sul lato opposto, Valentina Borzí insieme all'altro collega dello studio Ussaro.

In prima fila, quel che restava della famiglia Iannino: la cognata, un paio di cugini.

Vanina aspettò che tutto fosse finito e che la gente iniziasse ad andarsene prima di piazzarsi all'uscita del cimitero.

Grazia Sensini, vedova Iannino, uscí per ultima e se la trovò davanti.

– Dottoressa Guarrasi, grazie di essere venuta.

Le porse la mano.

Il vicequestore non gliela strinse.

– Dovevo, – rispose.

La donna la fissò. Poi guardò Spanò e la Bonazzoli, schierati dietro il capo.

Per un attimo Vanina scorse un lampo di quel livore che le aveva visto in faccia una volta. Quando l'aveva sentita augurare la punizione peggiore alla persona che aveva causato la morte di suo marito.

Quella persona era Lorenza Iannino. E lei non gliel'aveva perdonata.

Ad assemblare i pezzi Vanina ci aveva messo sí e no mezza giornata. Il tempo materiale di scoprire che la sera dell'omicidio Grazia Sensini non aveva mai preso il volo per Firenze su cui era prenotata. Il suo telefono, alle venti e trenta, aveva agganciato la cella di casa di Lorenza, alle ventuno e trenta quella di Aci Castello. La macchina che aveva noleggiato giorni prima risultava restituita la mattina successiva al delitto, quando la signora era partita in fretta e furia col primo volo.

L'impronta digitale sulla confezione dell'acqua era la stessa che c'era sul caricabatteria che giorni prima lei aveva fornito alla Bonazzoli insieme al telefono di suo marito. E corrispondeva parzialmente anche al frammento di impronta rinvenuto sull'involucro dell'aspirina. Una sostanza che per Lori era mortale.

Il resto era stato facile ricostruirlo.

Grazia Sensini crollò subito. Appena Vanina, calcando un po' la mano, le fece capire che le prove che avevano contro di lei erano schiaccianti.

Quando Lori l'aveva chiamata, quella sera, lo shock di saperla viva era durato il tempo minimo per trasformarsi in odio assoluto nei suoi confronti. Quella stronza, che aveva campato una vita sulle spalle di suo fratello, che non s'era degnata neppure di comunicargli che guadagnava abbastanza da campare nel lusso senza gravare piú su di loro. Che non s'era curata di infliggergli un colpo mortale facendogli credere di essere morta, per poi tornare in vita all'improvviso.

Grazia Sensini le aveva detto che sarebbe andata a trovarla.

Quand'era arrivata a casa sua l'aveva trovata sconvolta. La faccia tumefatta, le labbra spaccate. Era stata picchiata e violentata.

La cognata aveva finto di volerla aiutare, ma aveva iniziato a ordire la sua vendetta. Sarebbe stato perfino piú facile attuarla, dato che la colpa sarebbe caduta di sicuro sull'uomo che l'aveva ridotta in quel modo.

L'aveva convinta a vestirsi e a uscire da quella casa, le aveva detto che avrebbero fatto un giro e se lei voleva l'avrebbe accompagnata in ospedale. Prima di uscire aveva afferrato una bottiglietta d'acqua e ci aveva sciolto dentro un'aspirina. Se l'era portata dietro. Appena Lori era salita in macchina le aveva dato la bottiglietta. Bevi un po' d'acqua, Lori. Riprenditi.

Aveva guidato faccia avanti ignorandola finché non aveva sentito che non respirava piú. Era andata in quel posto isolato, in riva al mare, dove giorni prima suo marito l'aveva portata per farle vedere il punto in cui i presunti assassini della festa avevano gettato il corpo di sua sorella, e dove lei aveva notato che c'era uno scivolo. Aveva tirato fuori Lorenza e l'aveva fatta rotolare giú. Dove meritava di finire veramente.

Che dovesse venirci a fare Paolo, a Catania, era un mistero che Vanina non era riuscita a risolvere.

L'unica cosa che sapeva era che aveva accettato di pranzare con lui.

E ora che l'appuntamento era vicino si chiedeva per la centesima volta chi gliel'avesse fatto fare a dirgli di sí.

Un incontro oggi, un pranzo domani, una notte per caso, un'altra per voglia, la probabilità di finire di nuovo insieme a lui, cosí, diventava sempre piú elevata.

Una possibilità che non poteva permettersi di prendere neppure in considerazione, malgrado la desiderasse fino a farsi male.

Aveva deciso lui il posto. Un ristorante storico, sulla circonvallazione, dove Vanina era andata una sola volta insieme a Adriano e Luca. E dove aveva mangiato bene come in poche altre occasioni in vita sua.

Vanina si ritrovò con orrore a ripassare mentalmente la strada che si doveva percorrere dall'entrata del ristorante alle varie salette. A calcolare le eventuali vie di fuga in caso di necessità. O peggio, le possibili vie d'accesso per un eventuale killer. Paranoie. Pensieri assurdi che però non riusciva a tenere lontani ogni volta che era con Paolo.

Una condizione mentale dalla quale non le sarebbe stato facile uscire. E che le avrebbe distrutto la vita, anche se a controbilanciarla ci fosse stata la montagna di sentimenti che provava per lui. Quelli che a distanza di anni non le permettevano di andare fino in fondo e di recidere il legame.

Stava per arrivare al ristorante, in lieve ritardo, quando il telefono squillò.

Rispose senza neppure guardare, sicura che fosse Paolo.
Che fine facesti?

E invece.

– Capo?

La voce del sovrintendente Angelo Manzo, in forza alla Sezione criminalità organizzata della squadra Mobile di Palermo, nonché suo fidato braccio destro per piú di sei anni, era inconfondibile.

– Manzo! Come stai?

– Bene, grazie. Mi scusi se la disturbo, ma c'è una cosa molto importante che devo dirle.

Vanina iniziò a sentire un formicolio strano lungo le braccia. A metà tra un brivido e la pelle d'oca. Una sensazione brutta, che le ricordava momenti da dimenticare.

– Dimmi.

– Giorni fa abbiamo scoperto un covo di latitanti. Dovevano essere in due, entrambi affiliati alla famiglia dei Massaro. Uno l'abbiamo beccato, l'altro scappò. Quello che abbiamo messo dentro cominciò a cantare e ci ha fatto sapere come trovare il suo compare. L'abbiamo localizzato. Stanotte al piú tardi dovremmo andare a prenderlo. Mezz'ora fa siamo riusciti a farci dire pure il suo nome.

Vanina non respirava piú.

– Forza, Manzo, finisci! – disse.

– Salvatore Fratta...

– Detto Bazzuca, – lo anticipò Vanina.

S'era dovuta fermare, aveva accostato.

Salvatore Fratta. L'ultimo superstite del commando mafioso che aveva ammazzato l'ispettore Giovanni Guarrasi. L'unico su cui Vanina non era riuscita a mettere le mani. E che tutti avevano dato per morto.

Tranne lei.

Rimase col telefono in mano. Due secondi dopo lo sentí squillare.

Era Paolo.

– Vanina, dove sei? – aveva la voce seria.

– Non posso venire, Paolo. Devo andare a Palermo. Subito.

Paolo prese un respiro.

– Lo so.

Ringraziamenti.

Per portare Vanina alla conclusione di questo strambo caso – i cui personaggi e le cui situazioni sono tutti opera della mia fantasia – ho tediato con infinite domande un po' di persone, che ringrazio di cuore.

Rosalba Recupido, preziosa consulente in ambito giuridico. Nello Cassisi, il cui aiuto poliziesco è indispensabile a risolvere le rogne che il mio vicequestore di carta deve affrontare. Veronica Arcifa, perché senza di lei Adriano Calí non saprebbe da dove cominciare. Giuseppe Siano e tutto il gabinetto di polizia scientifica di Catania.

Il maestro Marcello Canci, per la sua disponibilità, grazie alla quale Vanina e io abbiamo potuto vagare per i corridoi del Conservatorio di Santa Cecilia accompagnate dal suono di un violino.

Nuccio Giuffrida e Monica Taffara, perché dalla loro dépendance tra gli agrumi la Guarrasi non schioderà mai. Orazio Bonaccorsi, per aver accolto Manfredi Monterreale nella sua casa vista faraglioni.

Un grazie a Paolo Repetti, Francesco Colombo, Rosella Postorino, Roberta Pellegrini, Daniela La Rosa, Chiara Ferrero, Maria Ida Cartoni e a tutta la casa editrice Einaudi Stile Libero per l'entusiasmo e la grande professionalità con cui sostengono il mio vicequestore: Vanina non poteva trovare alleati migliori. All'ufficio stampa di Torino, in particolare Paola Novarese, Stefania Cammillini e Chiara Crosetti. E a Stefano Jugo, il re del web.

A Maria Paola Romeo, mia indispensabile guida, e a tutta l'agenzia letteraria Grandi e Associati.

Alla mia famiglia, sempre partecipe.

Agli amici e colleghi che, in ogni ambito e ognuno a modo proprio, si adoperano per promuovere i miei libri.

Infine il ringraziamento piú grande va come sempre a Maurizio, che convive amorevolmente con il mio mondo di carta, senza lasciarmi mai la mano.

Einaudi usa carta certificata PEFC
che garantisce la gestione sostenibile delle risorse forestali

Stampato per conto della Casa editrice Einaudi
presso ELCOGRAF S.p.A. - Stabilimento di Cles (Tn)

C.L. 24466

Edizione						Anno			
5	6	7	8	9	10	2022	2023	2024	2025